ЕВАНГЕЛИЯ

ХРОНОЛОГИЧЕСКОЕ ИЗЛОЖЕНИЕ

СИНОДАЛЬНЫЙ ПЕРЕВОД

ВТОРОЕ ИЗДАНИЕ

И.В. ГРИНЕВИЧ

Первое издание (август, 2017): Евангелия: хронологическое изложение, канонический Синодальный перевод

Второе издание (июнь, 2020): Евангелия: хронологическое изложение, канонический Синодальный перевод

ISBN: 978-1-952760-00-6, Англ. – твердый переплёт
ISBN: 978-1-952760-01-3, Англ. – гибкий переплёт
ISBN: 978-1-952760-02-0, Англ. – электронная
ISBN: 978-1-952760-03-7, Рус. – твердый переплёт
ISBN: 978-1-952760-04-4, Рус. – гибкий переплёт
ISBN: 978-1-952760-05-1, Рус. – электронная

Library of Congress Control Number: 2020909214

Текст Священного Писания взят из канонического Синодального перевода, всеобщее достояние

Дизайн обложки: Диего Алкала
Дизайн книги: И.В. Гриневич
Редактор: С.С. Тимофеева

Elijah Grinevich — Biblical Works
PO Box 884
Roseville, CA 95678, USA
+1 (916) 914-1770 (Office)
+1 (916) 914-1771 (Fax)
info@elijahgrinevich.com
www.elijahgrinevich.com

201030511 — 7-2.2.0 — 2020-12-05
201000101 — 2-1.1.0 — 2020-09-05

Моей жене Лиле и нашим детям Исаие, Сарре и Руфи.

Спасибо за вашу помощь, поддержку и терпение.

SOLI DEO GLORIA

▌ ОГЛАВЛЕНИЕ

▌ ВВЕДЕНИЕ

Для того, чтоб извлечь из этой книги как можно больше пользы, предлагается образец и инструкция по её использованию. Данный фрагмент книги был выбран как образец для демонстрации всего того, что предлагает эта книга.

Изложение Евангелий основано на событиях (а не теме). Это 186-е событие с начала Евангелия.

Местоположение события.

Изложение события. В данном случае это событие описал только Матфей.

Тематическое разделение события. «Беседа Иисуса с учениками» — одно событие, но делится на несколько тематических фрагментов.

Параллельное изложение события. В данном случае это событие описали все, кроме Иоанна.

Ссылка на предыдущий или следующий отрывок. Присутствует, если отрывок извлечён из его оригинального порядка.

Ссылка на примечания о событии, тематические фрагменты, изложения, сходства и различия текста.

Слияние событий в одно повествование. Присутствует, если более чем один Евангелист описал событие. Оно соединяет все детали Евангелистов в одно повествование.

Примечания к событиям, тематическим фрагментам, изложениям, сходствам и различиям текста.

186. ИИСУС ПОВЕЛЕВАЕТ ЗАПЛАТИТЬ ДИДРАХМЫ
Капернаум, Галилея

Матфея.17:25б-27	
25б ...И когда вошел он в дом, то Иисус, предупредив его, сказал: как тебе кажется, Симон? Цари земные с кого берут пошлины или подати? С сынов ли своих, или с посторонних?	26 Петр говорит Ему: с посторонних. Иисус сказал ему: итак сыны свободны; 27 но, чтобы нам не соблазнить их, пойди на море, брось уду, и первую рыбу, которая попадется, возьми, и, открыв у ней рот, найдешь статир; возьми его и отдай им за Меня и за себя.

187. БЕСЕДА ИИСУСА С УЧЕНИКАМИ
Капернаум, Галилея

a.   Кто больше[346]

Матфея.18:01-05	Марка.09:33-37	Луки.09:46-48
1 В то время ученики приступили к Иисусу и сказали: кто больше в Царстве Небесном? 2 Иисус, призвав дитя, поставил его посреди них 3 и сказал: истинно говорю вам, если не обратитесь и не будете как дети, не войдете в Царство Небесное; 4 итак, кто умалится, как это дитя, тот и больше в Царстве Небесном; 5 и кто примет одно такое дитя во имя Мое, тот Меня принимает;[347] [348] 6 ... [349]	32 ... [350] 33 Пришел в Капернаум; и когда был в доме, спросил их: о чем дорогою вы рассуждали между собою? 34 Они молчали; потому что дорогою рассуждали между собою, кто больше. 35 И, сев, призвал двенадцать и сказал им: кто хочет быть первым, будь из всех последним и всем слугою. 36 И, взяв дитя, поставил его посреди них и, обняв его, сказал им;[347] [348] 37 кто примет одно из таких детей во имя Мое, тот принимает Меня; а кто Меня примет, тот не Меня принимает, но Пославшего Меня.[347] [348]	45 ... [351] 46 Пришла же им мысль: кто бы из них был больше? 47 Иисус же, видя помышление сердца их, взяв дитя, поставил его пред Собою[347] [348] 48 и сказал им: кто примет сие дитя во имя Мое, тот Меня принимает; а кто примет Меня, тот принимает Пославшего Меня; ибо кто из вас меньше всех, тот будет велик.[347] [348]

Когда Иисус был в доме, спросил учеников: «О чем дорогою вы рассуждали между собою?» Они молчали, потому что дорогою рассуждали между собою, кто больше. Иисус же, видя помышление сердца их, сев, призвал двенадцать и сказал им: «Кто хочет быть первым, будь из всех последним и всем слугою».	Иисус, призвав дитя, поставил его посреди них и, обняв его, сказал им: «Истинно говорю вам, если не обратитесь и не будете как дети, не войдёте в Царство Небесное; итак, кто умалится как это дитя, тот и больше в Царстве Небесном. Кто примет одно из таких детей во имя Моё, тот принимает Меня; а кто Меня примет, тот не Меня принимает, но Пославшего Меня».

---

346 *Иисус сказал похожее на Тайной Вечере (Луки.22:24-30 (Кто больше), стр. 194).*

347 *Иисус сказал похожее, благословляя детей (Матфея.19:13-15, Марка.10:13-16, и Луки.18:15-17 (Иисус благословляет детей), стр. 130).*

348 *Иисус сказал похожее, наставляя двенадцать учеников на проповедь (Матфея.10:40-42 (Принимающий вас), стр. 87) и на Тайной Вечере, когда говорил о предателе (Иоанна.13:18-22 (Иисус говорит о предателе), стр. 191).*

349 *Матфея.18:06-14 (Соблазны), стр. 123.*

350 *Марка.09:30-32 (Иисус говорит ученикам о Своей смерти), стр. 121.*

351 *Луки.09:43-45 (Иисус говорит ученикам о Своей смерти), стр. 121.*

НАЧАЛО

1. В НАЧАЛЕ БЫЛО СЛОВО

Иоанна.01:01-05	*Иоанна.01:09-14*
[1] В начале было Слово, и Слово было у Бога, и Слово было Бог. [2] Оно было в начале у Бога. [3] Все чрез Него начало быть, и без Него ничто не начало быть, что начало быть. [4] В Нем была жизнь, и жизнь была свет человеков. [5] И свет во тьме светит, и тьма не объяла его. [6] ... [1]	[9] Был Свет истинный, Который просвещает всякого человека, приходящего в мир. [10] В мире был, и мир чрез Него начал быть, и мир Его не познал. [11] Пришел к своим, и свои Его не приняли. [12] А тем, которые приняли Его, верующим во имя Его, дал власть быть чадами Божиими [13] которые ни от крови, ни от хотения плоти, ни от хотения мужа, но от Бога родились. [14] И Слово стало плотию и обитало с нами, полное благодати и истины; и мы видели славу Его, славу, как Единородного от Отца. [15] ... [2]

2. ПРОРОКИ

Марка.01:01-03	путь Твой пред Тобою».
[1] Начало Евангелия Иисуса Христа, Сына Божия [2] как написано у пророков: «вот, Я посылаю Ангела Моего пред лицом Твоим, который приготовит	[3] «Глас вопиющего в пустыне: приготовьте путь Господу, прямыми сделайте стези Ему».[3] [4] ... [4]

3. СОСТАВЛЕНИЕ ПОВЕСТВОВАНИЯ ЛУКОЙ

Луки.01:01-04	[3] то рассудилось и мне, по тщательном исследовании всего сначала, по порядку описать тебе, достопочтенный Феофил
[1] Как уже многие начали составлять повествования о совершенно известных между нами событиях [2] как передали нам то бывшие с самого начала очевидцами и служителями Слова	[4] чтобы ты узнал твердое основание того учения, в котором был наставлен. [5] ... [5]

---

1 *Иоанна.01:06-08 (Призыв Иоанна Крестителя на служение), стр. 14.*

2 *Иоанна.01:15-18 (Свидетельство Иоанна Крестителя об Иисусе Христе), стр. 16.*

3 *Матфей и Лука сослались на то же пророчество Исаии, когда описывали служение Иоанна Крестителя (Матфея.03:01-03 и Луки.03:03-06 (Служение Иоанна Крестителя), стр. 14) и когда описали слова Иисуса об Иоанне (Матфея.11:07-15 и Луки.07:24-30 (Иоанн Креститель — Илия, которому должно прийти), стр. 56), а Евангелист Иоанн в ответе Иоанна Крестителя на вопрос священников и левитов о том, кто он (Иоанна.01:19-25 (Свидетельство Иоанна Иудеям о себе), стр. 17).*

4 *Марка.01:04 (Служение Иоанна Крестителя), стр. 14.*

5 *Луки.01:05-07 (Родители Иоанна Крестителя), стр. 5.*

4. РОДОСЛОВИЕ ИИСУСА ХРИСТА

а. Родословие от Авраама к Иисусу

Матфея.01:01-17

¹ Родословие Иисуса Христа, Сына Давидова, Сына Авраамова.

² Авраам родил Исаака; Исаак родил Иакова; Иаков родил Иуду и братьев его;

³ Иуда родил Фареса и Зару от Фамари; Фарес родил Есрома; Есром родил Арама;

⁴ Арам родил Аминадава; Аминадав родил Наассона; Наассон родил Салмона;

⁵ Салмон родил Вооза от Рахавы; Вооз родил Овида от Руфи; Овид родил Иессея;

⁶ Иессей родил Давида царя; Давид царь родил Соломона от бывшей за Уриею;

⁷ Соломон родил Ровоама; Ровоам родил Авию; Авия родил Асу;

⁸ Аса родил Иосафата; Иосафат родил Иорама; Иорам родил Озию;

⁹ Озия родил Иоафама; Иоафам родил Ахаза; Ахаз родил Езекию;

¹⁰ Езекия родил Манассию; Манассия родил Амона; Амон родил Иосию;

¹¹ Иосия родил Иоакима; Иоаким родил Иехонию и братьев его, перед переселением в Вавилон.

¹² По переселении же в Вавилон, Иехония родил Салафииля; Салафииль родил Зоровавеля;

¹³ Зоровавель родил Авиуда; Авиуд родил Елиакима; Елиаким родил Азора;

¹⁴ Азор родил Садока; Садок родил Ахима; Ахим родил Елиуда;

¹⁵ Елиуд родил Елеазара; Елеазар родил Матфана; Матфан родил Иакова;

¹⁶ Иаков родил Иосифа, мужа Марии, от Которой родился Иисус, называемый Христос.

¹⁷ Итак всех родов от Авраама до Давида четырнадцать родов; и от Давида до переселения в Вавилон четырнадцать родов; и от переселения в Вавилон до Христа четырнадцать родов.

¹⁸ ... [6]

б. Родословие от Иисуса к Богу

Луки.03:23-38

²² ... [7]

²³ Иисус, начиная *Свое служение*, был лет тридцати, и был, как думали, Сын Иосифов, Илиев

²⁴ Матфатов, Левиин, Мелхиев, Ианнаев, Иосифов

²⁵ Маттафиев, Амосов, Наумов, Еслимов, Наггеев

²⁶ Маафов, Маттафиев, Семеиев, Иосифов, Иудин

²⁷ Иоаннанов, Рисаев, Зоровавелев, Салафиилев, Нириев

²⁸ Мелхиев, Аддиев, Косамов, Елмодамов, Иров

²⁹ Иосиев, Елиезеров, Иоримов, Матфатов, Левиин

³⁰ Симеонов, Иудин, Иосифов, Ионанов, Елиакимов

³¹ Мелеаев, Маинанов, Маттафаев, Нафанов, Давидов

³² Иессеев, Овидов, Воозов, Салмонов, Наассонов

³³ Аминадавов, Арамов, Есромов, Фаресов, Иудин

³⁴ Иаковлев, Исааков, Авраамов, Фаррин, Нахоров

³⁵ Серухов, Рагавов, Фалеков, Еверов, Салин

³⁶ Каинанов, Арфаксадов, Симов, Ноев, Ламехов

³⁷ Мафусалов, Енохов, Иаредов, Малелеилов, Каинанов

³⁸ Еносов, Сифов, Адамов, Божий.

---

6 *Матфея.01:18-19 (Обручение Иосифа и Марии), стр. 8.*

7 *Луки.03:21б-22 (Дух Святой в виде голубя и глас с небес), стр. 18.*

РОЖДЕНИЕ И ВОЗРАСТАНИЕ ИОАННА КРЕСТИТЕЛЯ

5. РОДИТЕЛИ ИОАННА КРЕСТИТЕЛЯ
Нагорная страна, город Иудин, Иудея

Луки.01:05-07	рода Ааронова, имя ей Елисавета.
 4 ... 8 5 Во дни Ирода, царя Иудейского, был священник из Авиевой чреды, именем Захария, и жена его из	6 Оба они были праведны пред Богом, поступая по всем заповедям и уставам Господним беспорочно. 7 У них не было детей, ибо Елисавета была неплодна, и оба были уже в летах преклонных.

6. ЯВЛЕНИЕ АНГЕЛА ГАВРИИЛА ЗАХАРИИ
Иерусалим, Иудея

Луки.01:08-22	еще от чрева матери своей;
8 Однажды, когда он в порядке своей чреды служил пред Богом 9 по жребию, как обыкновенно было у священников, досталось ему войти в храм Господень для каждения 10 а все множество народа молилось вне во время каждения, — 11 тогда явился ему Ангел Господень, стоя по правую сторону жертвенника кадильного. 12 Захария, увидев его, смутился, и страх напал на него. 13 Ангел же сказал ему: не бойся, Захария, ибо услышана молитва твоя, и жена твоя Елисавета родит тебе сына, и наречешь ему имя: Иоанн; 14 и будет тебе радость и веселие, и многие о рождении его возрадуются 15 ибо он будет велик пред Господом; не будет пить вина и сикера, и Духа Святого исполнится	16 и многих из сынов Израилевых обратит к Господу Богу их; 17 и предъидет пред Ним в духе и силе Илии, чтобы возвратить сердца отцов детям, и непокоривым образ мыслей праведников, дабы представить Господу народ приготовленный. 18 И сказал Захария Ангелу: по чему я узнаю это? Ибо я стар, и жена моя в летах преклонных. 19 Ангел сказал ему в ответ: я Гавриил, предстоящий пред Богом, и послан говорить с тобою и благовестить тебе сие; 20 и вот, ты будешь молчать и не будешь иметь возможности говорить до того дня, как это сбудется, за то, что ты не поверил словам моим, которые сбудутся в свое время. 21 Между тем народ ожидал Захарию и дивился, что он медлит в храме. 22 Он же, выйдя, не мог говорить к ним; и они поняли, что он видел видение в храме; и он объяснялся с ними знаками, и оставался нем.

7. ОКОНЧАНИЕ СЛУЖБЫ И ВОЗВРАЩЕНИЕ ЗАХАРИИ
Иерусалим, Иудея → Нагорная страна, город Иудин, Иудея

Луки.01:23	23 А когда окончились дни службы его, возвратился в дом свой.

8. БЕРЕМЕННОСТЬ ЕЛИСАВЕТЫ
Нагорная страна, город Иудин, Иудея

Луки.01:24-25	25 так сотворил мне Господь во дни сии, в которые призрел на меня, чтобы снять с меня поношение между людьми.
24 После сих дней зачала Елисавета, жена его, и таилась пять месяцев и говорила:	

---

8 *Луки.01:01-04 (Составление повествования Лукой), стр. 3.*

9. ЯВЛЕНИЕ АНГЕЛА ГАВРИИЛА МАРИИ
Назарет, Галилея

Луки.01:26-38

²⁶ В шестой же месяц послан был Ангел Гавриил от Бога в город Галилейский, называемый Назарет

²⁷ к Деве, обрученной мужу, именем Иосифу, из дома Давидова; имя же Деве: Мария.

²⁸ Ангел, войдя к Ней, сказал: радуйся, Благодатная! Господь с Тобою; благословенна Ты между женами.

²⁹ Она же, увидев его, смутилась от слов его и размышляла, что бы это было за приветствие.

³⁰ И сказал Ей Ангел: не бойся, Мария, ибо Ты обрела благодать у Бога;

³¹ и вот, зачнешь во чреве, и родишь Сына, и наречешь Ему имя: Иисус.

³² Он будет велик и наречется Сыном Всевышнего, и даст Ему Господь Бог престол Давида, отца Его;

³³ и будет царствовать над домом Иакова вовеки, и Царству Его не будет конца.

³⁴ Мария же сказала Ангелу: как будет это, когда Я мужа не знаю?

³⁵ Ангел сказал Ей в ответ: Дух Святый найдет на Тебя, и сила Всевышнего осенит Тебя; посему и рождаемое Святое наречется Сыном Божиим.

³⁶ Вот и Елисавета, родственница Твоя, называемая неплодною, и она зачала сына в старости своей, и ей уже шестой месяц,

³⁷ ибо у Бога не останется бессильным никакое слово.

³⁸ Тогда Мария сказала: се, Раба Господня; да будет Мне по слову твоему. И отошел от Нее Ангел.

10. МАРИЯ ПОСЕЩАЕТ ЕЛИСАВЕТУ
Нагорная страна, город Иудин, Иудея

Луки.01:39-55

³⁹ Встав же Мария во дни сии, с поспешностью пошла в нагорную страну, в город Иудин

⁴⁰ и вошла в дом Захарии, и приветствовала Елисавету.

⁴¹ Когда Елисавета услышала приветствие Марии, взыграл младенец во чреве ее; и Елисавета исполнилась Святого Духа

⁴² и воскликнула громким голосом, и сказала: благословенна Ты между женами, и благословен плод чрева Твоего!

⁴³ И откуда это мне, что пришла Матерь Господа моего ко мне?

⁴⁴ Ибо когда голос приветствия Твоего дошел до слуха моего, взыграл младенец радостно во чреве моем.

⁴⁵ И блаженна Уверовавшая, потому что совершится сказанное Ей от Господа.

⁴⁶ И сказала Мария: величит душа Моя Господа

⁴⁷ и возрадовался дух Мой о Боге, Спасителе Моем

⁴⁸ что призрел Он на смирение Рабы Своей, ибо отныне будут ублажать Меня все роды;

⁴⁹ что сотворил Мне величие Сильный, и свято имя Его;

⁵⁰ и милость Его в роды родов к боящимся Его;

⁵¹ явил силу мышцы Своей; рассеял надменных помышлениями сердца их;

⁵² низложил сильных с престолов, и вознес смиренных;

⁵³ алчущих исполнил благ, и богатящихся отпустил ни с чем;

⁵⁴ воспринял Израиля, отрока Своего, воспомянув милость

⁵⁵ как говорил отцам нашим, к Аврааму и семени его до века.

11. МАРИЯ У ЕЛИСАВЕТЫ И ВОЗВРАЩЕНИЕ ДОМОЙ
Нагорная страна, город Иудин, Иудея

Луки.01:56

⁵⁶ Пребыла же Мария с нею около трех месяцев, и возвратилась в дом свой.

12. РОЖДЕНИЕ ИОАННА КРЕСТИТЕЛЯ
Нагорная страна, город Иудин, Иудея

Луки.01:57-58	[58] И услышали соседи и родственники ее, что возвеличил Господь милость Свою над нею, и радовались с нею.
[57] Елисавете же настало время родить, и она родила сына.	

13. ОБРЕЗАНИЕ И ВОЗРАСТАНИЕ ИОАННА КРЕСТИТЕЛЯ; ПРОРОЧЕСТВО ЗАХАРИИ
Нагорная страна, город Иудин, Иудея

а. Обрезание и наречение имени Иоанн

Луки.01:59-66	[63] Он потребовал дощечку и написал: Иоанн имя ему. И все удивились.
[59] В восьмой день пришли обрезать младенца и хотели назвать его, по имени отца его, Захариею.	[64] И тотчас разрешились уста его и язык его, и он стал говорить, благословляя Бога.
[60] На это мать его сказала: нет, а назвать его Иоанном.	[65] И был страх на всех, живущих вокруг них; и рассказывали обо всем этом по всей нагорной стране Иудейской.
[61] И сказали ей: никого нет в родстве твоем, кто назывался бы сим именем.	[66] Все слышавшие положили это на сердце своем и говорили: что будет младенец сей? И рука Господня была с ним.
[62] И спрашивали знаками у отца его, как бы он хотел назвать его.	

б. Пророчество Захарии

Луки.01:67-79	му, дать нам
[67] И Захария, отец его, исполнился Святого Духа и пророчествовал, говоря:	[74] небоязненно, по избавлении от руки врагов наших
[68] благословен Господь Бог Израилев, что посетил народ Свой и сотворил избавление ему	[75] служить Ему в святости и правде пред Ним, во все дни жизни нашей.
[69] и воздвиг рог спасения нам в дому Давида, отрока Своего	[76] И ты, младенец, наречешься пророком Всевышнего, ибо предъидешь пред лицом Господа приготовить пути Ему
[70] как возвестил устами бывших от века святых пророков Своих	[77] дать уразуметь народу Его спасение в прощении грехов их
[71] что спасет нас от врагов наших и от руки всех ненавидящих нас;	[78] по благоутробному милосердию Бога нашего, которым посетил нас Восток свыше,
[72] сотворит милость с отцами нашими и помянет святой завет Свой	[79] просветить сидящих во тьме и тени смертной, направить ноги наши на путь мира.
[73] клятву, которою клялся Он Аврааму, отцу наше-	

в. Возрастание Иоанна

Луки.01:80	был в пустынях до дня явления своего Израилю.
[80] Младенец же возрастал и укреплялся духом, и	2:1 ... [9]

---

9 *Луки.02:01-03 (Повеление кесаря Августа), стр. 8.*

РОЖДЕНИЕ И ВОЗРАСТАНИЕ ИИСУСА ХРИСТА

14. ОБРУЧЕНИЕ ИОСИФА И МАРИИ
Назарет, Галилея

Матфея.01:18-19	нии Матери Его Марии с Иосифом, прежде нежели сочетались они, оказалось, что Она имеет во чреве от Духа Святого.
17 … 10 18 Рождество Иисуса Христа было так: по обруче-	19 Иосиф же муж Ее, будучи праведен и не желая огласить Ее, хотел тайно отпустить Ее.

15. ЯВЛЕНИЕ АНГЕЛА ГОСПОДНЯ ИОСИФУ
Назарет, Галилея

Матфея.01:20-23	21 родит же Сына, и наречешь Ему имя Иисус, ибо Он спасет людей Своих от грехов их.
20 Но когда он помыслил это, — се, Ангел Господень явился ему во сне и сказал: Иосиф, сын Давидов! Не бойся принять Марию, жену твою, ибо родившееся в Ней есть от Духа Святого;	22 А все сие произошло, да сбудется реченное Господом через пророка, который говорит: 23 «Се, Дева во чреве приимет и родит Сына, и нарекут имя Ему Еммануил, что значит: с нами Бог».

16. ИОСИФ ПРИНИМАЕТ МАРИЮ
Назарет, Галилея

Матфея.01:24-25а	Ангел Господень, и принял жену свою
24 Встав от сна, Иосиф поступил, как повелел ему	25а и не знал Ее… 25б … 11

17. ПОВЕЛЕНИЕ КЕСАРЯ АВГУСТА

Луки.02:01-03	сделать перепись по всей земле. 2 Эта перепись была первая в правление Квириния Сириею.
1:80 … 12 1 В те дни вышло от кесаря Августа повеление	3 И пошли все записываться, каждый в свой город.

18. ПУТЬ ИОСИФА И МАРИИ В ВИФЛЕЕМ
Назарет, Галилея → Вифлеем, Иудея

Луки.02:04-05	Вифлеем, потому что он был из дома и рода Давидова
4 Пошел также и Иосиф из Галилеи, из города Назарета, в Иудею, в город Давидов, называемый	5 записаться с Мариею, обрученною ему женою, которая была беременна.

---

10 *Матфея.01:01-17 (Родословие от Авраама к Иисусу), стр. 4.*

11 *Матфея.01:25б (Рождение Иисуса Христа), стр. 9.*

12 *Луки.01:80 (Возрастание Иоанна), стр. 7.*

19. РОЖДЕНИЕ ИИСУСА ХРИСТА
Вифлеем, Иудея

Матфея.01:25б	Луки.02:06-07
25а ... [13] 25б ...как наконец Она родила Сына Своего первенца, и он нарек Ему имя: Иисус. **Матфея.02:01а** 1а Когда же Иисус родился в Вифлееме Иудейском во дни царя Ирода... 1 ... [14]	6 Когда же они были там, наступило время родить Ей; 7 и родила Сына своего Первенца, и спеленала Его, и положила Его в ясли, потому что не было им места в гостинице.

Когда же они были в Вифлееме Иудейском, наступило время родить Ей. И родила Сына своего Первенца, и спеленала Его, и положила Его в	ясли, потому что не было им места в гостинице. Иосиф нарёк Ему имя: Иисус.

20. ПАСТУХИ НА ПОЛЕ И ЯВЛЕНИЕ АНГЕЛОВ
Вифлеем, Иудея

Луки.02:08-15	
8 В той стране были на поле пастухи, которые содержали ночную стражу у стада своего. 9 Вдруг предстал им Ангел Господень, и слава Господня осияла их; и убоялись страхом великим. 10 И сказал им Ангел: не бойтесь; я возвещаю вам великую радость, которая будет всем людям: 11 ибо ныне родился вам в городе Давидовом Спаситель, Который есть Христос Господь;	12 и вот вам знак: вы найдете Младенца в пеленах, лежащего в яслях. 13 И внезапно явилось с Ангелом многочисленное воинство небесное, славящее Бога и взывающее: 14 слава в вышних Богу, и на земле мир, в человеках благоволение! 15 Когда Ангелы отошли от них на небо, пастухи сказали друг другу: пойдем в Вифлеем и посмотрим, что там случилось, о чем возвестил нам Господь.

21. ПОСЕЩЕНИЕ ПАСТУХАМИ РОДИВШЕГОСЯ ИИСУСА
Вифлеем, Иудея

Луки.02:16-19	щено им о Младенце Сем.
16 И, поспешив, пришли и нашли Марию и Иосифа, и Младенца, лежащего в яслях. 17 Увидев же, рассказали о том, что было возве-	18 И все слышавшие дивились тому, что рассказывали им пастухи. 19 А Мария сохраняла все слова сии, слагая в сердце Своем.

22. ВОЗВРАЩЕНИЕ ПАСТУХОВ
Вифлеем, Иудея

Луки.02:20	все то, что слышали и видели, как им сказано было.
20 И возвратились пастухи, славя и хваля Бога за	

---

13 *Матфея.01:24-25а (Иосиф принимает Марию), стр. 8.*

14 *Матфея.02:01-06 (Приход волхвов к царю Ироду), стр. 11.*

23. ОБРЕЗАНИЕ И НАРЕЧЕНИЕ ИМЕНИ ИИСУС
Вифлеем, Иудея

Луки.02:21	обрезать *Младенца*, дали Ему имя Иисус, наречённое Ангелом прежде зачатия Его во чреве.
21 По прошествии восьми дней, когда надлежало	

24. ПОСВЯЩЕНИЕ ИИСУСА ГОСПОДУ
Иерусалим, Иудея

а. Иисус принесён для посвящения Господу

Луки.02:22-24	кий младенец мужеского пола, разверзающий ложесна, был посвящён Господу;
22 А когда исполнились дни очищения их по закону Моисееву, принесли Его в Иерусалим, чтобы представить пред Господа 23 как предписано в законе Господнем, чтобы вся-	24 и чтобы принести в жертву, по реченному в законе Господнем, две горлицы или двух птенцов голубиных.

б. Благословение Симеона

Луки.02:25-35	29 Ныне отпускаешь раба Твоего, Владыко, по слову Твоему, с миром
25 Тогда был в Иерусалиме человек, именем Симеон. Он был муж праведный и благочестивый, чающий утешения Израилева; и Дух Святый был на нем. 26 Ему было предсказано Духом Святым, что он не увидит смерти, доколе не увидит Христа Господня. 27 И пришел он по вдохновению в храм. И, когда родители принесли Младенца Иисуса, чтобы совершить над Ним законный обряд, 28 он взял Его на руки, благословил Бога и сказал:	30 ибо видели очи мои спасение Твое 31 которое Ты уготовал пред лицом всех народов 32 свет к просвещению язычников, и славу народа Твоего Израиля. 33 Иосиф же и Матерь Его дивились сказанному о Нем. 34 И благословил их Симеон, и сказал Марии, Матери Его: се, лежит Сей на падение и на восстание многих в Израиле и в предмет пререканий, — 35 и Тебе Самой оружие пройдет душу, — да откроются помышления многих сердец.

в. Анна пророчица

Луки.02:36-38	ходила от храма, постом и молитвою служа Богу день и ночь.
36 Тут была также Анна пророчица, дочь Фануилова, от колена Асирова, достигшая глубокой старости, прожив с мужем от девства своего семь лет 37 вдова лет восьмидесяти четырех, которая не от-	38 И она в то время, подойдя, славила Господа и говорила о Нем всем, ожидавшим избавления в Иерусалиме. 39 … 15

---

15 *Луки.02:39 (Переселение в Назарет), стр. 12.*

25. ПРИХОД ВОЛХВОВ К ЦАРЮ ИРОДУ
Иерусалим, Иудея

Матфея.02:01-06	Иерусалим с ним.
1:25 ... [16]	[4] И, собрав всех первосвященников и книжников народных, спрашивал у них: где должно родиться Христу?
[1] Когда же Иисус родился в Вифлееме Иудейском во дни царя Ирода, пришли в Иерусалим волхвы с востока и говорят:	[5] Они же сказали ему: в Вифлееме Иудейском, ибо так написано через пророка:
[2] где родившийся Царь Иудейский? Ибо мы видели звезду Его на востоке и пришли поклониться Ему.	[6] «И ты, Вифлеем, земля Иудина, ничем не меньше воеводств Иудиных, ибо из тебя произойдет Вождь, Который упасет народ Мой, Израиля».
[3] Услышав это, Ирод царь встревожился, и весь	

26. ТАЙНАЯ ВСТРЕЧА ЦАРЯ ИРОДА С ВОЛХВАМИ
Иерусалим, Иудея

Матфея.02:07-08	[8] И, послав их в Вифлеем, сказал: пойдите, тщательно разведайте о Младенце и, когда найдете, известите меня, чтобы и мне пойти поклониться Ему.
[7] Тогда Ирод, тайно призвав волхвов, выведал от них время появления звезды.	

27. ПУТЬ ВОЛХВОВ К ИИСУСУ
Иерусалим, Иудея → Вифлеем, Иудея

Матфея.02:09-10	наконец пришла и остановилась над *местом*, где был Младенец.
[9] Они, выслушав царя, пошли. И се, звезда, которую видели они на востоке, шла перед ними, *как*	[10] Увидев же звезду, они возрадовались радостью весьма великою

28. ПОКЛОНЕНИЕ ВОЛХВОВ ИИСУСУ
Вифлеем, Иудея

Матфея.02:11	Матерью Его, и, пав, поклонились Ему; и, открыв сокровища свои, принесли Ему дары: золото, ладан и смирну.
[11] и, войдя в дом, увидели Младенца с Мариею,	

29. ОТКРОВЕНИЕ ВОЛХВАМ И ВОЗВРАЩЕНИЕ ДОМОЙ
Вифлеем, Иудея → Страна волхвов

Матфея.02:12	[12] И, получив во сне откровение не возвращаться к Ироду, иным путем отошли в страну свою.

---

16 *Матфея.01:20-23 (Явление Ангела Господня Иосифу), стр. 8.*

30. ЯВЛЕНИЕ АНГЕЛА ИОСИФУ
Вифлеем, Иудея

Матфея.02:13	
13 Когда же они отошли, — се, Ангел Господень	является во сне Иосифу и говорит: встань, возьми Младенца и Матерь Его и беги в Египет, и будь там, доколе не скажу тебе, ибо Ирод хочет искать Младенца, чтобы погубить Его.

31. ПЕРЕСЕЛЕНИЕ ИОСИФА И МАРИИ В ЕГИПЕТ
Вифлеем, Иудея → Египет

Матфея.02:14-15	
14 Он встал, взял Младенца и Матерь Его ночью и пошел в Египет	15 и там был до смерти Ирода, да сбудется реченное Господом через пророка, который говорит: «из Египта воззвал Я Сына Моего».

32. УБИЙСТВО МЛАДЕНЦЕВ В ВИФЛЕЕМЕ
Вифлеем, Иудея

Матфея.02:16-18	
16 Тогда Ирод, увидев себя осмеянным волхвами, весьма разгневался, и послал избить всех младенцев в Вифлееме и во всех пределах его, от двух лет и ниже, по времени, которое выведал от	волхвов. 17 Тогда сбылось реченное через пророка Иеремию, который говорит: 18 «Глас в Раме слышен, плач и рыдание и вопль великий; Рахиль плачет о детях своих и не хочет утешиться, ибо их нет».

33. ЯВЛЕНИЕ АНГЕЛА ГОСПОДНЯ ИОСИФУ В ЕГИПТЕ
Египет

Матфея.02:19-20	
19 По смерти же Ирода, — се, Ангел Господень во сне является Иосифу в Египте	20 и говорит: встань, возьми Младенца и Матерь Его и иди в землю Израилеву, ибо умерли искавшие души Младенца.

34. ПЕРЕСЕЛЕНИЕ В НАЗАРЕТ
Египет → Назарет, Галилея

Матфея.02:21-23	Луки.02:39
21 Он встал, взял Младенца и Матерь Его и пришел в землю Израилеву. 22 Услышав же, что Архелай царствует в Иудее вместо Ирода, отца своего, убоялся туда идти; но, получив во сне откровение, пошел в пределы Галилейские 23 и, придя, поселился в городе, называемом Назарет, да сбудется реченное через пророков, что Он Назореем наречется.	38 ... 18 39 И когда они совершили все по закону Господню, возвратились в Галилею, в город свой Назарет.

---

18 *Луки.02:36-38 (Анна пророчица), стр. 10.*

3:1 ... [17]	
Иосиф встал, взял Младенца и Матерь Его и пришел в землю Израилеву. Услышав же, что Архелай царствует в Иудее вместо Ирода, отца своего, убоялся туда идти; но, по-	лучив во сне откровение, пошёл в пределы Галилейские и, придя, поселился в своём городе, называемом Назарет, да сбудется речённое через пророков, что Он Назореем наречётся.

35. ВОЗРАСТАНИЕ МЛАДЕНЦА ИИСУСА
Назарет, Галилея

Луки.02:40	
[40] Младенец же возрастал и укреплялся духом,	исполняясь премудрости, и благодать Божия была на Нем.

36. НА ПРАЗДНИКЕ ПАСХИ В ИЕРУСАЛИМЕ
Иерусалим, Иудея

Луки.02:41-42	
[41] Каждый год родители Его ходили в Иерусалим	на праздник Пасхи. [42] И когда Он был двенадцати лет, пришли они также по обычаю в Иерусалим на праздник.

37. В ПОИСКАХ ИИСУСА ПОСЛЕ ПРАЗДНИКА ПАСХИ
Иерусалим, Иудея

Луки.02:43-45	
[43] Когда же, по окончании дней *праздника*, возвращались, остался Отрок Иисус в Иерусалиме; и не заметили того Иосиф и Матерь Его	[44] но думали, что Он идет с другими. Пройдя же дневной путь, стали искать Его между родственниками и знакомыми [45] и, не найдя Его, возвратились в Иерусалим, ища Его.

38. ИИСУС В ХРАМЕ С УЧИТЕЛЯМИ
Иерусалим, Иудея

Луки.02:46-50	
[46] Через три дня нашли Его в храме, сидящего посреди учителей, слушающего их и спрашивающего их; [47] все слушавшие Его дивились разуму и ответам Его.	[48] И, увидев Его, удивились; и Матерь Его сказала Ему: Чадо! Что Ты сделал с нами? Вот, отец Твой и Я с великою скорбью искали Тебя. [49] Он сказал им: зачем было вам искать Меня? Или вы не знали, что Мне должно быть в том, что принадлежит Отцу Моему? [50] Но они не поняли сказанных Им слов.

39. ВЗРОСЛЕНИЕ ИИСУСА
Назарет, Галилея

Луки.02:51	
[51] И Он пошел с ними и пришел в Назарет; и был в повиновении у них. И Матерь Его сохраняла все	слова сии в сердце Своем. [52] Иисус же преуспевал в премудрости и возрасте и в любви у Бога и человеков.

---

17 *Матфея.03:01-03 (Служение Иоанна Крестителя), стр. 14.*

СЛУЖЕНИЕ ИОАННА КРЕСТИТЕЛЯ

40. ПРИЗЫВ ИОАННА КРЕСТИТЕЛЯ НА СЛУЖЕНИЕ
Пустыня Иудейская

Луки.03:01-02	Иоанна.01:06-08
[1] В пятнадцатый же год правления Тиверия кесаря, когда Понтий Пилат начальствовал в Иудее, Ирод был четвертовластником в Галилее, Филипп, брат его, четвертовластником в Итурее и Трахонитской области, а Лисаний четвертовластником в Авилинее	5 ... [19]
[2] при первосвященниках Анне и Каиафе, был глагол Божий к Иоанну, сыну Захарии, в пустыне.	[6] Был человек, посланный от Бога; имя ему Иоанн. [7] Он пришел для свидетельства, чтобы свидетельствовать о Свете, дабы все уверовали чрез него. [8] Он не был свет, но *был послан*, чтобы свидетельствовать о Свете. 9 ... [20]

В пятнадцатый же год правления Тиверия кесаря, когда Понтий Пилат начальствовал в Иудее, Ирод был четвертовластником в Галилее, Филипп, брат его, четвертовластником в Итурее и Трахонитской области, а Лисаний четвертовластником в Авили-	нее при первосвященниках Анне и Каиафе, был глагол Божий к Иоанну, сыну Захарии, в пустыне, чтобы свидетельствовать о Свете, дабы все уверовали чрез него. Он не был свет, но *был послан*, чтобы свидетельствовать о Свете.

41. СЛУЖЕНИЕ ИОАННА КРЕСТИТЕЛЯ
Пустыня Иудейская

Матфея.03:01-03	Марка.01:04	Луки.03:03-06
2:23 ... [21]	3 ... [24]	[3] И он проходил по всей окрестной стране Иорданской, проповедуя крещение покаяния для прощения грехов
[1] В те дни приходит Иоанн Креститель и проповедует в пустыне Иудейской	[4] Явился Иоанн, крестя в пустыне и проповедуя крещение покаяния для прощения грехов.	[4] как написано в книге слов пророка Исаии, который говорит: «глас вопиющего в пустыне: приготовьте путь Господу, прямыми сделайте стези Ему;[22]
[2] и говорит: покайтесь, ибо приблизилось Царство Небесное.		
[3] Ибо он тот, о котором сказал пророк Исаия: «глас вопиющего в пустыне: приготовьте путь Господу, прямыми сделайте стези Ему».[22] 4 ... [23]		[5] всякий дол да наполнится, и всякая гора и холм да понизятся, кривизны выпрямятся и неровные пути сделаются гладкими;[22]

---

19 *Иоанна.01:01-05 (В начале было Слово), стр. 3.*

20 *Иоанна.01:09-14 (В начале было Слово), стр. 3.*

21 *Матфея.02:21-23 (Переселение в Назарет), стр. 12.*

22 *Марк тоже ссылается на пророчество Исаии, когда начинает Евангелие (Марка.01:01-03 (Пророки), стр. 3). Далее, Матфей и Лука еще раз сослались на то же пророчество Исаии, когда описали слова Иисуса об Иоанне Крестителе (Матфея.11:07-15 и Луки.07:24-30 (Иоанн Креститель — Илия, которому должно прийти), стр. 56). Иоанн описывает ссылку на пророчество Исаии в ответе Иоанна Крестителя на вопрос священников и левитов о том, кто он (Иоанна.01:19-25 (Свидетельство Иоанна Иудеям о себе), стр. 17).*

23 *Матфея.03:04 (Одежда и пища Иоанна), стр. 15.*

24 *Марка.01:01-03 (Пророки), стр. 3.*

	[6] и узрит всякая плоть спасение Божие».[22] 7 ... [25]

В те дни Иоанн Креститель проходил по всей окрестной стране Иорданской, крестя в пустыне и проповедуя крещение покаяния для прощения грехов, говоря: покайтесь, ибо приблизилось Царство Небесное. Ибо Иоанн Креститель тот, о котором сказал про-	рок Исаия, говоря: «глас вопиющего в пустыне: приготовьте путь Господу, прямыми сделайте стези Ему; всякий дол да наполнится, и всякая гора и холм да понизятся, кривизны выпрямятся и неровные пути сделаются гладкими; и узрит всякая плоть спасение Божие».

а. Иоанн крестит народ

Матфея.03:05-06	*Марка.01:05*
4 ... [26] [5] Тогда Иерусалим и вся Иудея и вся окрестность Иорданская выходили к нему [6] и крестились от него в Иордане, исповедуя грехи свои. 7 ... [27]	[5] И выходили к нему вся страна Иудейская и Иерусалимляне, и крестились от него все в реке Иордане, исповедуя грехи свои.

Тогда Иерусалим и вся Иудея и вся окрестность Иорданская выходили к нему и крестились от него	все в реке Иордане, исповедуя грехи свои.

б. Одежда и пища Иоанна

Матфея.03:04	*Марка.01:06*
3 ... [28] [4] Сам же Иоанн имел одежду из верблюжьего волоса и пояс кожаный на чреслах своих, а пищею его были акриды и дикий мед. 5 ... [29]	[6] Иоанн же носил одежду из верблюжьего волоса и пояс кожаный на чреслах своих, и ел акриды и дикий мед. 7 ... [30]

Иоанн же носил одежду из верблюжьего волоса и пояс кожаный на чреслах своих. Пищею его были	акриды и дикий мед.

25 *Луки.03:07-09 (Проповедь Иоанна Крестителя), стр. 16.*
26 *Матфея.03:04 (Одежда и пища Иоанна), стр. 15.*
27 *Матфея.03:07-10 (Достойные плоды покаяния), стр. 16.*
28 *Матфея.03:01-03 (Служение Иоанна Крестителя), стр. 14.*
29 *Матфея.03:05-06 (Иоанн крестит народ), стр. 15.*
30 *Марка.01:07-08 (Иоанн говорит о явлении Иисуса), стр. 17.*

42. ПРОПОВЕДЬ ИОАННА КРЕСТИТЕЛЯ
Вифавара, при Иордане

а. Достойные плоды покаяния

Матфея.03:07-10	*Луки.03:07-09*
6 ... [31]	6 ... [34]
7 Увидев же Иоанна многих фарисеев и саддукеев, идущих к нему креститься, сказал им: порождения ехиднины! Кто внушил вам бежать от будущего гнева?[32]	7 Иоанн приходившему креститься от него народу говорил: порождения ехиднины! Кто внушил вам бежать от будущего гнева?[32]
8 сотворите же достойный плод покаяния	8 Сотворите же достойные плоды покаяния и не думайте говорить в себе: «отец у нас Авраам», ибо говорю вам, что Бог может из камней сих воздвигнуть детей Аврааму.
9 и не думайте говорить в себе: «отец у нас Авраам», ибо говорю вам, что Бог может из камней сих воздвигнуть детей Аврааму.	9 Уже и секира при корне дерев лежит: всякое дерево, не приносящее доброго плода, срубают и бросают в огонь.
10 Уже и секира при корне дерев лежит: всякое дерево, не приносящее доброго плода, срубают и бросают в огонь.	
11 ... [33]	

Увидев же Иоанн многих фарисеев и саддукеев, идущих к нему креститься, сказал им и народу: порождения ехиднины! Кто внушил вам бежать от будущего гнева?	говорю вам, что Бог может из камней сих воздвигнуть детей Аврааму.
Сотворите же достойный плод покаяния и не думайте говорить в себе: «отец у нас Авраам», ибо	Уже и секира при корне дерев лежит: всякое дерево, не приносящее доброго плода, срубают и бросают в огонь.

б. Что делать народу

Луки.03:10-11	11 Он сказал им в ответ: у кого две одежды, тот дай неимущему, и у кого есть пища, делай то же.
10 И спрашивал его народ: что же нам делать?	

в. Что делать мытарям

Луки.03:12-13	учитель! Что нам делать?
12 Пришли и мытари креститься, и сказали ему:	13 Он отвечал им: ничего не требуйте более определенного вам.

г. Что делать воинам

Луки.03:14	лать? И сказал им: никого не обижайте, не клевещите, и довольствуйтесь своим жалованьем.
14 Спрашивали его также и воины: а нам что де-	15 ... [35]

---

31 *Матфея.03:05-06 (Иоанн крестит народ), стр. 15.*

32 *Иисус задал похожий вопрос книжникам и фарисеям (Матфея.23:01-39 (Иисус говорит о книжниках и фарисеях), стр. 170).*

33 *Матфея.03:11-12 (Иоанн говорит о явлении Иисуса), стр. 17.*

34 *Луки.03:03-06 (Служение Иоанна Крестителя), стр. 14.*

д.   Свидетельство Иоанна Крестителя об Иисусе Христе

Иоанна.01:15-18	
14 ... [36] 15 Иоанн свидетельствует о Нем и, восклицая, говорит: Сей был Тот, о Котором я сказал, что Идущий за мною стал впереди меня, потому что был прежде меня.	16 И от полноты Его все мы приняли и благодать на благодать 17 ибо закон дан чрез Моисея; благодать же и истина произошли чрез Иисуса Христа. 18 Бога не видел никто никогда; Единородный Сын, сущий в недре Отчем, Он явил.

е.   Свидетельство Иоанна Иудеям о себе

Иоанна.01:19-25	
19 И вот свидетельство Иоанна, когда Иудеи прислали из Иерусалима священников и левитов спросить его: кто ты? 20 Он объявил, и не отрекся, и объявил, что: я не Христос. 21 И спросили его: что же? Ты Илия? Он сказал:	нет. Пророк? Он отвечал: нет. 22 Сказали ему: кто же ты? Чтобы нам дать ответ пославшим нас: что ты скажешь о себе самом? 23 Он сказал: Я «глас вопиющего в пустыне: исправьте путь Господу», как сказал пророк Исаия.[37] 24 А посланные были из фарисеев; 25 И они спросили его: что же ты крестишь, если ты ни Христос, ни Илия, ни пророк?

ж.   Иоанн говорит о явлении Иисуса

Матфея.03:11-12	Марка.01:07-08	Луки.03:15-18	Иоанна.01:26-28
10 ... [38] 11 Я крещу вас в воде в покаяние, но Идущий за мною сильнее меня; я не достоин понести обувь Его; Он будет крестить вас Духом Святым и огнем; 12 лопата Его в руке Его, и Он очистит гумно Свое и соберет пшеницу Свою в житницу, а солому сожжет огнем неугасимым.	6 ... [39] 7 И проповедывал, говоря: идет за мною Сильнейший меня, у Которого я недостоин, наклонившись, развязать ремень обуви Его; 8 я крестил вас водою, а Он будет крестить вас Духом Святым.	14 ... [40] 15 Когда же народ был в ожидании, и все помышляли в сердцах своих об Иоанне, не Христос ли он, — 16 Иоанн всем отвечал: я крещу вас водою, но идет Сильнейший меня, у Которого я недостоин развязать ремень обуви; Он будет крестить вас Духом Святым и огнем. 17 Лопата Его в руке Его, и Он очистит гумно Свое и соберет пшеницу в житницу Свою, а солому	26 Иоанн сказал им в ответ: я крещу в воде; но стоит среди вас Некто, Которого вы не знаете. 27 Он-то Идущий за мною, но Который стал впереди меня. Я недостоин развязать ремень у обуви Его. 28 Это происходило в Вифаваре при Иордане, где крестил Иоанн. 29 ... [42]

---

35 *Луки.03:15-18 (Иоанн говорит о явлении Иисуса), стр. 17.*

36 *Иоанна.01:09-14 (В начале было Слово), стр. 3.*

37 *Марк также ссылается на пророчество Исаии, когда начинает Евангелие (Марка.01:01-03 (Пророки), стр. 3). Матфей и Лука сослались на то же пророчество Исаии, когда описывали служение Иоанна Крестителя (Матфея.03:01-03 и Луки.03:03-06 (Служение Иоанна Крестителя), стр. 14) и когда описали слова Иисуса об Иоанне (Матфея.11:07-15 и Луки.07:24-30 (Иоанн Креститель — Илия, которому должно прийти), стр. 56).*

38 *Матфея.03:07-10 (Достойные плоды покаяния), стр. 16.*

39 *Марка.01:06 (Одежда и пища Иоанна), стр. 15.*

40 *Луки.03:14 (Что делать воинам), стр. 16.*

		сожжет огнем неугаси-мым. [18] Многое и другое благовествовал он народу, поучая его. 19 ... [41]

Когда же народ был в ожидании и все помышляли в сердцах своих об Иоанне, не Христос ли он, — Иоанн всем отвечал: «Я крещу вас в воде, но стоит среди вас Некто, Которого вы не знаете. Он-то Идущий за мною, но Который стал впереди меня. Я недостоин, наклонившись, развязать ремень обуви Его. Он будет крестить вас Духом Святым и огнём. Лопата Его, в руке Его и Он очистит	гумно Своё и соберёт пшеницу в житницу Свою, а солому сожжёт огнём неугасимым». Многое и другое благовествовал он народу, поучая его. Это происходило в Вифаваре при Иордане, где крестил Иоанн.

43. КРЕЩЕНИЕ ИИСУСА ХРИСТА
Вифавара, при Иордане

а. Иисус приходит креститься

Матфея.03:13-15	*Марка.01:09*	*Луки.03:21а*
[13] Тогда приходит Иисус из Галилеи на Иордан к Иоанну креститься от него. [14] Иоанн же удерживал Его и говорил: мне надобно креститься от Тебя, и Ты ли приходишь ко мне? [15] Но Иисус сказал ему в ответ: оставь теперь, ибо так надлежит нам исполнить всякую правду. Тогда *Иоанн* допускает Его.	[9] И было в те дни, пришел Иисус из Назарета Галилейского и крестился от Иоанна в Иордане.	20 ... [41] [21а] Когда же крестился весь народ, и Иисус, крестившись, молился...

И было в те дни, когда крестился весь народ, приходит Иисус из Галилеи на Иордан к Иоанну креститься от него. Иоанн же удерживал Его и говорил: «Мне надобно креститься от Тебя, и Ты ли приходишь ко мне?»	Но Иисус сказал ему в ответ: «Оставь теперь, ибо так надлежит нам исполнить всякую правду». Тогда *Иоанн* допускает Его. Иисус, крестившись, молился.

б. Дух Святой в виде голубя и глас с небес

Матфея.03:16-17	*Марка.01:10-11*	*Луки.03:21б-22*
[16] И, крестившись, Иисус тотчас	[10] И когда выходил из воды, тот-	[21б] ...отверзлось небо

---

[41] *Луки.03:19-20 (Арест Иоанна Крестителя), стр. 29.*
[42] *Иоанна.01:29-34 (Свидетельство Иоанна после крещения Иисуса), стр. 19.*

вышел из воды, — и се, отверзлись Ему небеса, и увидел *Иоанн* Духа Божия, Который сходил, как голубь, и ниспускался на Него. [17] И се, глас с небес глаголющий: Сей есть Сын Мой возлюбленный, в Котором Мое благоволение. 4:1 ... [43]	час увидел *Иоанн* разверзающиеся небеса и Духа, как голубя, сходящего на Него. [11] И глас был с небес: Ты Сын Мой возлюбленный, в Котором Мое благоволение. [12] ... [44]	[22] и Дух Святый нисшел на Него в телесном виде, как голубь, и был глас с небес, глаголющий: Ты Сын Мой Возлюбленный; в Тебе Мое благоволение! [23] ... [45]

И, крестившись, Иисус тотчас вышел из воды. И когда выходил из воды, тотчас отверзлось небо и Дух Святый нисшел на Иисуса в телесном виде,	как голубь. И глас был с небес: «Ты Сын Мой возлюбленный, в Котором Моё благоволение».

44. СВИДЕТЕЛЬСТВО ИОАННА ПОСЛЕ КРЕЩЕНИЯ ИИСУСА
Вифавара, при Иордане

Иоанна.01:29-34 28 ... [46] [29] На другой день видит Иоанн идущего к нему Иисуса и говорит: вот Агнец Божий, Который берет *на Себя* грех мира. [30] Сей есть, о Котором я сказал: «за мною идет Муж, Который стал впереди меня, потому что Он был прежде меня». [31] Я не знал Его; но для того пришел крестить в воде, чтобы Он явлен был Израилю.	[32] И свидетельствовал Иоанн, говоря: я видел Духа, сходящего с неба, как голубя, и пребывающего на Нем. [33] Я не знал Его; но Пославший меня крестить в воде сказал мне: «на Кого увидишь Духа сходящего и пребывающего на Нем, Тот есть крестящий Духом Святым». [34] И я видел и засвидетельствовал, что Сей есть Сын Божий. 35 ... [47]

45. ИСКУШЕНИЕ ИИСУСА ХРИСТА В ПУСТЫНЕ
Пустыня

Матфея.04:01-02	*Марка.01:12-13а*	*Луки.04:01-02*
3:17 ... [48] [1] Тогда Иисус возведен был Духом в пустыню, для искушения от диавола [2] и, постившись сорок дней и сорок ночей, напоследок взалкал.	11 ... [49] [12] Немедленно после того Дух ведет Его в пустыню. [13а] И был Он там в пустыне сорок дней, искушаемый сатаною, и был со зверями...	[1] Иисус, исполненный Духа Святого, возвратился от Иордана и поведен был Духом в пустыню. [2] Там сорок дней Он был искушаем от диавола и ничего не ел в эти дни, а по прошествии их напоследок взалкал. 3 ... [50]

---

43 *Матфея.04:01-02 (Искушение Иисуса Христа в пустыне), стр. 19.*

44 *Марка.01:12-13а (Искушение Иисуса Христа в пустыне) стр. 19.*

45 *Луки.03:23-38 (Родословие от Иисуса к Богу), стр. 4.*

46 *Иоанна.01:26-28 (Иоанн говорит о явлении Иисуса), стр. 17.*

47 *Иоанна.01:35-39 (Два ученика Иоанна Крестителя), стр. 22.*

48 *Матфея.03:16-17 (Дух Святой в виде голубя и глас с небес), стр. 18.*

49 *Марка.01:10-11 (Дух Святой в виде голубя и глас с небес) стр. 18.*

Иисус, исполненный Духа Святого, возвратился от Иордана и поведен был Духом в пустыню для искушения от диавола.	Там сорок дней Он был искушаем сатаною, был со зверями и ничего не ел в эти дни, а по прошествии их напоследок взалкал.

а. Искушение первое — хлеб из камней

Матфея.04:03-04	*Луки.04:03-04*
[3] И приступил к Нему искуситель и сказал: если Ты Сын Божий, скажи, чтобы камни сии сделались хлебами. [4] Он же сказал ему в ответ: написано: «Не хлебом одним будет жить человек, но всяким словом, исходящим из уст Божиих».	[3] И сказал Ему диавол: если Ты Сын Божий, то вели этому камню сделаться хлебом. [4] Иисус сказал ему в ответ: написано, что «Не хлебом одним будет жить человек, но всяким словом Божиим». [5] ... [51]

И приступил к Нему диавол и сказал: «Если Ты Сын Божий, скажи, чтобы камни сии сделались хлебами».	Он же сказал ему в ответ: «Написано: «не хлебом одним будет жить человек, но всяким словом, исходящим из уст Божиих».

б. Искушение второе — сброситься вниз с крыла храма[52]

Матфея.04:05-07	*Луки.04:09-12*
[5] Потом берет Его диавол в святой город и поставляет Его на крыле храма [6] и говорит Ему: если Ты Сын Божий, бросься вниз, ибо написано: «Ангелам Своим заповедает о Тебе, и на руках понесут Тебя, да не преткнешься о камень ногою Твоею». [7] Иисус сказал ему: написано также: «не искушай Господа Бога твоего».	[8] ... [51] [9] И повел Его в Иерусалим, и поставил Его на крыле храма, и сказал Ему: если Ты Сын Божий, бросься отсюда вниз [10] ибо написано: «Ангелам Своим заповедает о Тебе сохранить Тебя; [11] и на руках понесут Тебя, да не преткнешься о камень ногою Твоею». [12] Иисус сказал ему в ответ: сказано: «не искушай Господа Бога твоего». [13] ... [53]

И повёл Его в святой город, в Иерусалим, и поставил Его на крыле храма, и сказал Ему: «Если Ты Сын Божий, бросься отсюда вниз, ибо написано: «Ангелам Своим заповедает о Тебе сохранить Тебя; и на руках понесут Тебя, да не преткнёшься	о камень ногою Твоею». Иисус сказал ему в ответ: «Написано также: «Не искушай Господа Бога твоего».

---

50 *Луки.03:23-38 (Родословие от Иисуса к Богу), стр. 4.*

51 *Луки.04:05-08 (Искушение третье — все царства мира), стр. 21.*

52 *Матфей и Лука отличаются в последовательности описания второго искушения. Матфей говорит, что второе искушение было на крыле храма, а Лука говорит, что второе искушение было о даровании всего мира Иисусу. Матфей использует такие слова, как «потом» (ст. 5, Матфея.04:05-07) и «опять» (ст. 8, Матфея.04:08-10), в то время как Лука не использует никаких индикаторов хронологической последовательности.*

53 *Луки.04:13 (Окончание искушений и служение Ангелов), стр. 21.*

в.   Искушение третье — все царства мира[54]

Матфея.04:08-10	Луки.04:05-08
[8] Опять берет Его диавол на весьма высокую гору и показывает Ему все царства мира и славу их [9] и говорит Ему: все это дам Тебе, если, пав, поклонишься мне. [10] Тогда Иисус говорит ему: отойди от Меня, сатана, ибо написано: «Господу Богу твоему поклоняйся и Ему одному служи».	[4] ... [55] [5] И, возведя Его на высокую гору, диавол показал Ему все царства вселенной во мгновение времени [6] и сказал Ему диавол: Тебе дам власть над всеми сими *царствами* и славу их, ибо она предана мне, и я, кому хочу, даю ее; [7] итак, если Ты поклонишься мне, то все будет Твое. [8] Иисус сказал ему в ответ: отойди от Меня, сатана; написано: «Господу Богу твоему поклоняйся, и Ему одному служи». [9] ... [56]

И, возведя Его на весьма высокую гору, диавол показал Ему все царства вселенной и славу их во мгновение времени и сказал Ему диавол: «Тебе дам власть над всеми сими *царствами* и славу их, ибо она предана мне, и я, кому хочу, даю ее; итак, если Ты поклонишься мне, то все будет	Твое». Иисус сказал ему в ответ: «Отойди от Меня, сатана; написано: «Господу Богу твоему поклоняйся, и Ему одному служи».

г.   Окончание искушений и служение Ангелов

Матфея.04:11	Марка.01:13б	Луки.04:13
[11] Тогда оставляет Его диавол, и се, Ангелы приступили и служили Ему. [12] ... [57]	[13а] ... [58] [13б] ...и Ангелы служили Ему. [14а] ... [59]	[12] ... [56] [13] И, окончив все искушение, диавол отошел от Него до времени. [14а] ... [60]

И, окончив все искушение, диавол отошёл от Него до времени, и се, Ангелы приступили и служили	Ему.

---

54 *См. сноску 52.*

55 *Луки.04:03-04 (Искушение первое — хлеб из камней), стр. 20.*

56 *Луки.04:09-12 (Искушение второе — сброситься вниз с крыла храма) стр. 20.*

57 *Матфея.04:12 (Иисус в Галилее), стр. 29.*

58 *Марка.01:12-13а (Искушение Иисуса Христа в пустыне), стр. 19.*

59 *Марка.01:14а (Иисус в Галилее), стр. 29.*

60 *Луки.04:14а (Иисус в Галилее), стр. 29.*

НАЧАЛО СЛУЖЕНИЯ ИИСУСА ХРИСТА

46. ДВА УЧЕНИКА ИОАННА КРЕСТИТЕЛЯ
Вифавара, при Иордане

Иоанна.01:35-39	
34 … [61] 35 На другой день опять стоял Иоанн и двое из учеников его. 36 И, увидев идущего Иисуса, сказал: вот Агнец Божий.	37 Услышав от него сии слова, оба ученика пошли за Иисусом. 38 Иисус же, обратившись и увидев их идущих, говорит им: что вам надобно? Они сказали Ему: Равви (что значит: «учитель»), где живешь? 39 Говорит им: пойдите и увидите. Они пошли и увидели, где Он живет; и пробыли у Него день тот. Было около десятого часа.

47. АНДРЕЙ НАХОДИТ СИМОНА
Иудея

Иоанна.01:40-41	
40 Один из двух, слышавших от Иоанна *об Иисусе* и последовавших за Ним, был Андрей, брат Симо-	на Петра. 41 Он первый находит брата своего Симона и говорит ему: мы нашли Мессию, (что значит: «Христос»);

48. АНДРЕЙ ПРИВОДИТ СИМОНА К ИИСУСУ
Иудея

Иоанна.01:42	
42 и привел его к Иисусу. Иисус же, взглянув на	него, сказал: ты — Симон, сын Ионин; ты наречешься Кифа, что значит: «камень» (Петр).

49. НАМЕРЕНИЕ ИИСУСА ИДТИ В ГАЛИЛЕЮ
Иудея

Иоанна.01:43а	
	43а На другой день *Иисус* восхотел идти в Галилею…

50. ПРИЗЫВ ФИЛИППА
Иудея

Иоанна.01:43б-44	
43б …и находит Филиппа и говорит ему: иди за	Мною. 44 Филипп же был из Вифсаиды, из *одного* города с Андреем и Петром.

51. ФИЛИПП НАХОДИТ НАФАНАИЛА
Иудея

Иоанна.01:45-46	
45 Филипп находит Нафанаила и говорит ему: мы нашли Того, о Котором писали Моисей в законе и	пророки, Иисуса, сына Иосифова, из Назарета. 46 Но Нафанаил сказал ему: из Назарета может ли быть что доброе? Филипп говорит ему: пойди и посмотри.

---

61 *Иоанна.01:29-34 (Свидетельство Иоанна после крещения Иисуса) стр. 19.*

52. ВСТРЕЧА НАФАНАИЛА С ИИСУСОМ
Иудея

Иоанна.01:47-51	[49] Нафанаил отвечал Ему: Равви! Ты — Сын Божий, Ты — Царь Израилев.
[47] Иисус, увидев идущего к Нему Нафанаила, говорит о нем: вот подлинно Израильтянин, в котором нет лукавства.	[50] Иисус сказал ему в ответ: ты веришь, потому что Я тебе сказал: Я видел тебя под смоковницею; увидишь больше сего.
[48] Нафанаил говорит Ему: почему Ты знаешь меня? Иисус сказал ему в ответ: прежде нежели позвал тебя Филипп, когда ты был под смоковницею, Я видел тебя.	[51] И говорит ему: истинно, истинно говорю вам: отныне будете видеть небо отверстым и Ангелов Божиих восходящих и нисходящих к Сыну Человеческому.

53. БРАК В КАНЕ ГАЛИЛЕЙСКОЙ
Кана, Галилея

Иоанна.02:01-11	[7] Иисус говорит им: наполните сосуды водою. И наполнили их до верха.
[1] На третий день был брак в Кане Галилейской, и Матерь Иисуса была там.	[8] И говорит им: теперь почерпните и несите к распорядителю пира. И понесли.
[2] Был также зван Иисус и ученики Его на брак.	[9] Когда же распорядитель отведал воды, сделавшейся вином, — а он не знал, откуда это вино, знали только служители, почерпавшие воду, — тогда распорядитель зовет жениха
[3] И как недоставало вина, то Матерь Иисуса говорит Ему: вина нет у них.	
[4] Иисус говорит Ей: что Мне и Тебе, Жено? Еще не пришел час Мой.	[10] и говорит ему: всякий человек подает сперва хорошее вино, а когда напьются, тогда худшее; а ты хорошее вино сберег доселе.
[5] Матерь Его сказала служителям: что скажет Он вам, то сделайте.	[11] Так положил Иисус начало чудесам в Кане Галилейской и явил славу Свою; и уверовали в Него ученики Его.
[6] Было же тут шесть каменных водоносов, стоявших по обычаю очищения Иудейского, вмещавших по две или по три меры.	

54. НЕСКОЛЬКО ДНЕЙ ИИСУСА В КАПЕРНАУМЕ
Капернаум, Галилея

Иоанна.02:12	терь Его, и братья Его, и ученики Его; и там пробыли немного дней.
[12] После сего пришел Он в Капернаум, Сам и Ма-	

55. ПЕРВОЕ ОЧИЩЕНИЕ ХРАМА[62]
Иерусалим, Иудея

Иоанна.02:13-22	[15] И, сделав бич из веревок, выгнал из храма всех, *также* и овец и волов; и деньги у меновщиков рассыпал, а столы их опрокинул.
[13] Приближалась Пасха Иудейская, и Иисус пришел в Иерусалим	[16] И сказал продающим голубей: возьмите это отсюда и дома Отца Моего не делайте домом торговли.
[14] и нашел, что в храме продавали волов, овец и голубей, и сидели меновщики денег.	

---

62 *Второй раз Иисус очистил храм после Своего торжественного входа в Иерусалим (Матфея.21:12-16, Марка.11:15-17, и Луки.19:45-46 (Второе очищение храма), стр. 159).*

¹⁷ При сем ученики Его вспомнили, что написано: «ревность по доме Твоем снедает Меня». ¹⁸ На это Иудеи сказали: каким знамением докажешь Ты нам, что *имеешь власть* так поступать? ¹⁹ Иисус сказал им в ответ: разрушьте храм сей, и Я в три дня воздвигну его.	²⁰ На это сказали Иудеи: сей храм строился сорок шесть лет, и Ты в три дня воздвигнешь его? ²¹ А Он говорил о храме тела Своего. ²² Когда же воскрес Он из мертвых, то ученики Его вспомнили, что Он говорил это, и поверили Писанию и слову, которое сказал Иисус.

56. ЧУДЕСА ИИСУСА И ВЕРА МНОГИХ
Иерусалим, Иудея

Иоанна.02:23-28	
²³ И когда Он был в Иерусалиме на празднике Пасхи, то многие, видя чудеса, которые Он творил, уверовали во имя Его.	²⁴ Но Сам Иисус не вверял Себя им, потому что знал всех ²⁵ и не имел нужды, чтобы кто засвидетельствовал о человеке, ибо Сам знал, что в человеке.

57. БЕСЕДА С НИКОДИМОМ
Иерусалим, Иудея

Иоанна.03:01-02	
¹ Между фарисеями был некто, именем Никодим, *один* из начальников Иудейских.	² Он пришел к Иисусу ночью и сказал Ему: Равви! Мы знаем, что Ты — учитель, пришедший от Бога; ибо таких чудес, какие Ты творишь, никто не может творить, если не будет с ним Бог.

а. Рождение свыше

Иоанна.03:03-10	
³ Иисус сказал ему в ответ: истинно, истинно говорю тебе, если кто не родится свыше, не может увидеть Царствия Божия. ⁴ Никодим говорит Ему: как может человек родиться, будучи стар? Неужели может он в другой раз войти в утробу матери своей и родиться? ⁵ Иисус отвечал: истинно, истинно говорю тебе, если кто не родится от воды и Духа, не может войти в Царствие Божие.	⁶ Рожденное от плоти есть плоть, а рожденное от Духа есть дух. ⁷ Не удивляйся тому, что Я сказал тебе: должно вам родиться свыше. ⁸ Дух дышит, где хочет, и голос его слышишь, а не знаешь, откуда приходит и куда уходит: так бывает со всяким, рожденным от Духа. ⁹ Никодим сказал Ему в ответ: как это может быть? ¹⁰ Иисус отвечал и сказал ему: ты — учитель Израилев, и этого ли не знаешь?

б. Свидетельство Иисуса не принимают

Иоанна.03:11-12	
¹¹ Истинно, истинно говорю тебе: Мы говорим о том, что знаем, и свидетельствуем о том, что ви-	дели, а вы свидетельства Нашего не принимаете. ¹² Если Я сказал вам о земном, и вы не верите, — как поверите, если буду говорить вам о небесном?

в. Верующий имеет жизнь вечную

Иоанна.03:13-18	
	¹³ Никто не восходил на небо, как только сшедший с небес Сын Человеческий, сущий на небесах.

¹⁴ И как Моисей вознес змию в пустыне, так должно вознесену быть Сыну Человеческому, ¹⁵ дабы всякий, верующий в Него, не погиб, но имел жизнь вечную. ¹⁶ Ибо так возлюбил Бог мир, что отдал Сына Своего Единородного, дабы всякий верующий в	Него, не погиб, но имел жизнь вечную. ¹⁷ Ибо не послал Бог Сына Своего в мир, чтобы судить мир, но чтобы мир спасен был чрез Него. ¹⁸ Верующий в Него не судится, а неверующий уже осужден, потому что не уверовал во имя Единородного Сына Божия.

г.   Суть суда

Иоанна.03:19-21 ¹⁹ Суд же состоит в том, что свет пришел в мир; но люди более возлюбили тьму, нежели свет, потому что дела их были злы; ²⁰ ибо всякий, делающий злое, ненавидит свет и	не идет к свету, чтобы не обличились дела его, потому что они злы; ²¹ а поступающий по правде идет к свету, дабы явны были дела его, потому что они в Боге соделаны.

58.   ИИСУС КРЕСТИТ В ИУДЕЕ
Иудея

Иоанна.03:22	²² После сего пришел Иисус с учениками Своими в землю Иудейскую и там жил с ними и крестил.

59.   ИОАНН КРЕСТИТ В ЕНОНЕ
Енон, близ Салима

Иоанна.03:23-24 ²³ А Иоанн также крестил в Еноне, близ Салима,	потому что там было много воды; и приходили туда и крестились ²⁴ ибо Иоанн еще не был заключен в темницу.

60.   СПОР ОБ ОЧИЩЕНИИ
Иудея

Иоанна.03:25	²⁵ Тогда у Иоанновых учеников произошел спор с Иудеями об очищении.

61.   ИОАНН О КРЕЩЕНИИ ИИСУСОМ
Енон, близ Салима

Иоанна.03:26-36 ²⁶ И пришли к Иоанну и сказали ему: равви! Тот, Который был с тобою при Иордане и о Котором ты свидетельствовал, вот, Он крестит, и все идут к Нему. ²⁷ Иоанн сказал в ответ: не может человек ничего принимать *на себя*, если не будет дано ему с неба. ²⁸ Вы сами мне свидетели в том, что я сказал: «не я Христос, но я послан пред Ним».	²⁹ Имеющий невесту есть жених, а друг жениха, стоящий и внимающий ему, радостью радуется, слыша голос жениха. Сия-то радость моя исполнилась. ³⁰ Ему должно расти, а мне умаляться. ³¹ Приходящий свыше и есть выше всех; а сущий от земли — земной и есть и говорит, как сущий от земли; Приходящий с небес есть выше всех ³² и что Он видел и слышал, о том и свидетельствует; и никто не принимает свидетельства Его.

³³ Принявший Его свидетельство сим запечатлел, что Бог истинен, ³⁴ ибо Тот, Которого послал Бог, говорит слова Божии; ибо не мерою дает Бог Духа.	³⁵ Отец любит Сына и все дал в руку Его. ³⁶ Верующий в Сына имеет жизнь вечную, а не верующий в Сына не увидит жизни, но гнев Божий пребывает на нем.

62. ПУТЬ В ГАЛИЛЕЮ
Иудея → Галилея

Иоанна.04:01-04 ¹ Когда же узнал Иисус о *дошедшем до* фарисеев слухе, что Он более приобретает учеников и кре-	стит, нежели Иоанн, — ² хотя Сам Иисус не крестил, а ученики Его, — ³ то оставил Иудею и пошел опять в Галилею. ⁴ Надлежало же Ему проходить через Самарию.

63. БЕСЕДА С САМАРЯНКОЙ
Сихарь, Самария

Иоанна.04:05-06 ⁵ Итак, приходит Он в город Самарийский, называемый Сихарь, близ участка земли, данного Иако-	вом сыну своему Иосифу. ⁶ Там был колодезь Иаковлев. Иисус, утрудившись от пути, сел у колодезя. Было около шестого часа.

а. Иисус о живой воде

Иоанна.04:07-15 ⁷ Приходит женщина из Самарии почерпнуть воды. Иисус говорит ей: дай Мне пить. ⁸ Ибо ученики Его отлучились в город купить пищи. ⁹ Женщина Самарянская говорит Ему: как ты, будучи Иудей, просишь пить у меня, Самарянки? Ибо Иудеи с Самарянами не сообщаются. ¹⁰ Иисус сказал ей в ответ: если бы ты знала дар Божий и Кто говорит тебе: «дай Мне пить», то ты сама просила бы у Него, и Он дал бы тебе воду живую. ¹¹ Женщина говорит Ему: господин! Тебе и почерп-	нуть нечем, а колодезь глубок; откуда же у Тебя вода живая? ¹² Неужели ты больше отца нашего Иакова, который дал нам этот колодезь и сам из него пил, и дети его, и скот его? ¹³ Иисус сказал ей в ответ: всякий, пьющий воду сию, возжаждет опять, ¹⁴ а кто будет пить воду, которую Я дам ему, тот не будет жаждать вовек; но вода, которую Я дам ему, сделается в нем источником воды, текущей в жизнь вечную. ¹⁵ Женщина говорит Ему: господин! Дай мне этой воды, чтобы мне не иметь жажды и не приходить сюда черпать.

б. Муж Самарянки

Иоанна.04:16-18 ¹⁶ Иисус говорит ей: пойди, позови мужа твоего и приди сюда. ¹⁷ Женщина сказала в ответ: у меня нет мужа.	Иисус говорит ей: правду ты сказала, что у тебя нет мужа, ¹⁸ ибо у тебя было пять мужей, и тот, которого ныне имеешь, не муж тебе; это справедливо ты сказала.

в. Место поклонения и приход Мессии

Иоанна.04:19-26	чему кланяемся, ибо спасение — от Иудеев.
19 Женщина говорит Ему: Господи! Вижу, что Ты пророк.	23 Но настанет время, и настало уже, когда истинные поклонники будут поклоняться Отцу в духе и истине, ибо таких поклонников Отец ищет Себе.
20 Отцы наши поклонялись на этой горе, а вы говорите, что место, где должно поклоняться, находится в Иерусалиме.	24 Бог есть дух, и поклоняющиеся Ему должны поклоняться в духе и истине.
21 Иисус говорит ей: поверь Мне, что наступает время, когда и не на горе сей, и не в Иерусалиме будете поклоняться Отцу.	25 Женщина говорит Ему: знаю, что придет Мессия, то есть Христос; когда Он придет, то возвестит нам все.
22 Вы не знаете, чему кланяетесь, а мы знаем,	26 Иисус говорит ей: это Я, Который говорю с тобою.

г. Возвращение учеников

Иоанна.04:27	что Он разговаривал с женщиною; однакож ни один не сказал: «чего Ты требуешь?» или: «о чем говоришь с нею?»
27 В это время пришли ученики Его и удивились,	

64. САМАРЯНКА РАССКАЗЫВАЕТ ОБ ИИСУСЕ ДРУГИМ САМАРЯНАМ
Сихарь, Самария

Иоанна.04:28-30	29 пойдите, посмотрите Человека, Который сказал мне все, что я сделала: не Он ли Христос?
28 Тогда женщина оставила водонос свой и пошла в город, и говорит людям:	30 Они вышли из города и пошли к Нему.

65. ПИЩА ИИСУСА, О КОТОРОЙ НЕ ЗНАЮТ УЧЕНИКИ
Сихарь, Самария

Иоанна.04:31-38	35 Не говорите ли вы, что еще четыре месяца, и наступит жатва? А Я говорю вам: возведите очи ваши и посмотрите на нивы, как они побелели и поспели к жатве.
31 Между тем ученики просили Его, говоря: Равви! Ешь.	36 Жнущий получает награду и собирает плод в жизнь вечную, так что и сеющий и жнущий вместе радоваться будут,
32 Но Он сказал им: у Меня есть пища, которой вы не знаете.	37 ибо в этом случае справедливо изречение: «один сеет, а другой жнет».
33 Посему ученики говорили между собою: разве кто принес Ему есть?	38 Я послал вас жать то, над чем вы не трудились: другие трудились, а вы вошли в труд их.
34 Иисус говорит им: Моя пища есть творить волю Пославшего Меня и совершить дело Его.	

66. ВЕРА И ПРОСЬБА САМАРЯН
Сихарь, Самария

Иоанна.04:39-40a	что Он сказал ей все, что она сделала.
39 И многие Самаряне из города того уверовали в Него по слову женщины, свидетельствовавшей,	40a И потому, когда пришли к Нему Самаряне, то просили Его побыть у них...

67. ИИСУС С САМАРЯНАМИ
Сихарь, Самария

Иоанна.04:40б-42	42 А женщине той говорили: уже не по твоим речам веруем, ибо сами слышали и узнали, что Он — истинно Спаситель мира, Христос.
40б ...и Он пробыл там два дня. 41 И еще большее число уверовали по Его слову.	43 ... 63

---

63 *Иоанна.04:43 (Иисус в Галилее), стр. 29.*

СЛУЖЕНИЕ ИИСУСА ХРИСТА

68. АРЕСТ ИОАННА КРЕСТИТЕЛЯ
Галилея[64]

Матфея.14:03-05	Марка.06:17-20	Луки.03:19-20
2 ... [65]	16 ... [67]	18 ... [69]
3 Ибо Ирод, взяв Иоанна, связал его и посадил в темницу за Иродиаду, жену Филиппа, брата своего	17 Ибо сей Ирод, послав, взял Иоанна и заключил его в темницу за Иродиаду, жену Филиппа, брата своего, потому что женился на ней.	19 Ирод же четвертовластник, обличаемый от него за Иродиаду, жену брата своего, и за все, что сделал Ирод худого
4 потому что Иоанн говорил ему: не должно тебе иметь ее.	18 Ибо Иоанн говорил Ироду: не должно тебе иметь жену брата твоего.	20 прибавил ко всему прочему и то, что заключил Иоанна в темницу.
5 И хотел убить его, но боялся народа, потому что его почитали за пророка.	19 Иродиада же, злобясь на него, желала убить его; но не могла.	21 ... [70]
6 ... [66]	20 Ибо Ирод боялся Иоанна, зная, что он муж праведный и святой, и берег его; многое делал, слушаясь его, и с удовольствием слушал его.	
	21 ... [68]	

Ирод же четвертовластник, обличаемый от Иоанна за Иродиаду, жену брата своего, потому что женился на ней, и за все, что сделал Ирод худого, прибавил ко всему прочему и то, что, послав, взял Иоанна, связал и заключил его в темницу.	Ибо Иоанн говорил Ироду: «Не должно тебе иметь жену брата твоего». Иродиада же, злобясь на него, желала убить его, но не могла. Ибо Ирод боялся Иоанна, зная, что он муж праведный и святой, и берег его; многое делал, слушая его, и с удовольствием слушал его.

69. ИИСУС В ГАЛИЛЕЕ
Галилея

Матфея.04:12	Марка.01:14а	Луки.04:14а	Иоанна.04:43
11 ... [71]	13б ... [73]	13 ... [74]	42 ... [75]
12 Услышав же Иисус, что Иоанн отдан *под стражу*, удалился в Галилею	14а После же того, как предан был Иоанн, пришел Иисус в Галилею...	14а И возвратился Иисус в силе духа в Галилею...	43 По прошествии же двух дней Он вышел оттуда и пошел в Галилею
13а ... [72]			44 ... [76]

64 *Не указано местоположение этого события. Ирод правил Галилеей, а значит, Иоанн Креститель был заключён в Галилее.*

65 *Матфея.14:01-02 (Ирод слышит молву об Иисусе), стр. 91.*

66 *Матфея.14:06-11 (Убийство Иоанна Крестителя), стр. 90.*

67 *Марка.06:14-16 (Ирод слышит молву об Иисусе), стр. 91.*

68 *Марка.06:21-28 (Убийство Иоанна Крестителя), стр. 90.*

69 *Луки.03:15-18 (Иоанн говорит о явлении Иисуса), стр. 17.*

70 *Луки.03:21а (Иисус приходит креститься), стр. 18.*

71 *Матфея.04:11 (Окончание искушений и служение Ангелов), стр. 21.*

После же того, как отдан был Иоанн *под стражу*, пришел Иисус в силе духа в Галилею.

70. ПРОПОВЕДЬ ИИСУСА ПО ОКРЕСТНОСТЯМ
Галилея

Матфея.04:17	*Марка.01:14б-15*	*Луки.04:14б-15*
16 … 77 17 С того времени Иисус начал проповедывать и говорить: покайтесь, ибо приблизилось Царство Небесное. 18 … 78	14б …проповедуя Евангелие Царствия Божия. 15 и говоря, что исполнилось время и приблизилось Царствие Божие: покайтесь и веруйте в Евангелие. 16 … 79	14б …и разнеслась молва о Нем по всей окрестной стране. 15 Он учил в синагогах их, и от всех был прославляем.

С того времени Иисус начал проповедовать Евангелие Царствия Божия, говоря, что исполнилось время и приблизилось Царствие Божие: «Покайтесь и веруйте в Евангелие».	И разнеслась молва о Нем по всей окрестной стране. Он учил в синагогах их и от всех был прославляем.

71. ИИСУС В СИНАГОГЕ НАЗАРЕТА
Назарет, Галилея

а. Иисус читает из книги Исаии

Луки.04:16-22	
16 И пришел в Назарет, где был воспитан, и вошел, по обыкновению Своему, в день субботний в синагогу, и встал читать. 17 Ему подали книгу пророка Исаии; и Он, раскрыв книгу, нашел место, где было написано: 18 «Дух Господень на Мне; ибо Он помазал Меня благовествовать нищим, и послал Меня исцелять сокрушенных сердцем, проповедывать пленным	освобождение, слепым прозрение, отпустить измученных на свободу, 19 проповедывать лето Господне благоприятное». 20 И, закрыв книгу и отдав служителю, сел; и глаза всех в синагоге были устремлены на Него. 21 И Он начал говорить им: ныне исполнилось писание сие, слышанное вами. 22 И все засвидетельствовали Ему это, и дивились словам благодати, исходившим из уст Его, и говорили: не Иосифов ли это сын?

б. Нет пророка в своём отечестве

Луки.04:23-27	*Иоанна.04:44*
23 Он сказал им: конечно, вы скажете Мне присловие: «врач! Исцели Самого Себя; сделай и здесь, в	43 … 81

---

72 *Матфея.04:13а (Иисус оставляет Назарет), стр. 31.*

73 *Марка.01:13б (Окончание искушений и служение Ангелов), стр. 21.*

74 *Луки.04:13 (Окончание искушений и служение Ангелов), стр. 21.*

75 *Иоанна.04:40б-42 (Иисус с Самарянами), стр. 28.*

76 *Иоанна.04:44 (Нет пророка в своём отечестве), стр. 30.*

77 *Матфея.04:13б-16 (Иисус поселяется в Капернауме), стр. 32.*

78 *Матфея.04:18-20 (Иисус призывает Петра и Андрея), стр. 33.*

79 *Марка.01:16-18 (Иисус призывает Петра и Андрея), стр. 33.*

Твоем отечестве, то, что, мы слышали, было в Капернауме».	44 ибо Сам Иисус свидетельствовал, что пророк не имеет чести в своем отечестве.[80]
24 И сказал: истинно говорю вам: никакой пророк не принимается в своем отечестве.[80]	45 … [82]
25 Поистине говорю вам: много вдов было в Израиле во дни Илии, когда заключено было небо три года и шесть месяцев, так что сделался большой голод по всей земле.	
26 И ни к одной из них не был послан Илия, а только ко вдове в Сарепту Сидонскую;	
27 много также было прокаженных в Израиле при пророке Елисее, и ни один из них не очистился, кроме Неемана Сириянина.	

Он сказал им: «Конечно, вы скажете Мне присловие: «Врач! Исцели Самого Себя; сделай и здесь, в Твоем отечестве, то, что, как мы слышали, было в Капернауме».	вам: много вдов было в Израиле во дни Илии, когда заключено было небо три года и шесть месяцев, так что сделался большой голод по всей земле. И ни к одной из них не был послан Илия, а только ко вдове в Сарепту Сидонскую. Много также было прокаженных в Израиле при пророке Елисее, и ни один из них не очистился, кроме Неемана Сириянина».
И сказал: «Истинно говорю вам: никакой пророк не принимается в своем отечестве. Поистине говорю	

в.   Гнев слушателей на Иисуса

Луки.04:28-29	29 и, встав, выгнали Его вон из города и повели на вершину горы, на которой город их был построен, чтобы свергнуть Его;
28 Услышав это, все в синагоге исполнились ярости	

72.   ИИСУС ОСТАВЛЯЕТ НАЗАРЕТ
Назарет, Галилея

Матфея.04:13а	*Луки.04:30*
12 … [83]	30 но Он, пройдя посреди них, удалился.
13а и, оставив Назарет,…	31 … [85]
13б … [84]	

Но Он, пройдя посреди них, удалился, оставив Назарет.

---

80 *Иисус сказал похожее, когда учил в синагоге Своего отечества (Матфея.13:54-58 и Марка.06:01-06а (Иисус учит в синагоге Назарета), стр. 83).*

81 *Иоанна.04:43 (Иисус в Галилее), стр. 29.*

82 *Иоанна.04:45 (Галилеяне принимают Иисуса), стр. 32.*

83 *Матфея.04:12 (Иисус в Галилее), стр. 29.*

84 *Матфея.04:13б-16 (Иисус поселяется в Капернауме), стр. 32.*

85 *Луки.04:31-32 (Иисус учит в синагоге Капернаума), стр. 33.*

73. ГАЛИЛЕЯНЕ ПРИНИМАЮТ ИИСУСА
Галилея

Иоанна.04:45	няли Его, видев все, что Он сделал в Иерусалиме в праздник, — ибо и они ходили на праздник.
45 Когда пришел Он в Галилею, то Галилеяне при-	

74. ИСЦЕЛЕНИЕ СЫНА ЦАРЕДВОРЦА[86]
Кана, Галилея

Иоанна.04:46-50	48 Иисус сказал ему: вы не уверуете, если не увидите знамений и чудес.
46 Итак Иисус опять пришел в Кану Галилейскую, где претворил воду в вино. В Капернауме был некоторый царедворец, у которого сын был болен. 47 Он, услышав, что Иисус пришел из Иудеи в Галилею, пришел к Нему и просил Его придти и исцелить сына его, который был при смерти.	49 Царедворец говорит Ему: Господи! Приди, пока не умер сын мой. 50 Иисус говорит ему: пойди, сын твой здоров. Он поверил слову, которое сказал ему Иисус, и пошел.

75. ВЕРА ЦАРЕДВОРЦА
Кана, Галилея → Капернаум, Галилея

Иоанна.04:51-54	53 Из этого отец узнал, что это был тот час, в который Иисус сказал ему: «сын твой здоров», и уверовал сам и весь дом его.
51 На дороге встретили его слуги его и сказали: сын твой здоров. 52 Он спросил у них: в котором часу стало ему легче? Ему сказали: вчера в седьмом часу горячка оставила его.	54 Это второе чудо сотворил Иисус, возвратившись из Иудеи в Галилею. 5:1 … [87]

76. ИИСУС ПОСЕЛЯЕТСЯ В КАПЕРНАУМЕ
Капернаум, Галилея

Матфея.04:13б-16	15 «Земля Завулонова и земля Неффалимова, на пути приморском, за Иорданом, Галилея языческая
13а … [88] 13б …поселился в Капернауме приморском, в пределах Завулоновых и Неффалимовых 14 да сбудется реченное через пророка Исаию, который говорит:	16 народ, сидящий во тьме, увидел свет великий, и сидящим в стране и тени смертной воссиял свет». 17 … [89]

---

86 *Это событие не содержит в себе никаких хронологических индикаторов. Отрывок вставлен сюда просто потому, что Кана находится между Назаретом и Капернаумом. Если бы Иисус шёл в Капернаум, Он проходил бы через Кану. Тем более в этом событии Иисус, будучи в Кане, исцелят сына царедворца, находившегося в Капернауме. Следовательно, скорее всего, что после Каны Иисус пошел в Капернаум.*

87 *Иоанна.05:01 (Иисус в Иерусалиме на празднике), стр. 88.*

88 *Матфея.04:13а (Иисус оставляет Назарет), стр. 31.*

89 *Матфея.04:17 (Проповедь Иисуса по окрестностям), стр. 30.*

77. ИИСУС ПРИЗЫВАЕТ ПЕТРА И АНДРЕЯ
Возле Галилейского моря, Галилея

Матфея.04:18-20	*Марка.01:16-18*
17 ... [90]	15 ... [91]
18 Проходя же близ моря Галилейского, Он увидел двух братьев: Симона, называемого Петром, и Андрея, брата его, закидывающих сети в море, ибо они были рыболовы 19 и говорит им: идите за Мною, и Я сделаю вас ловцами человеков. 20 И они тотчас, оставив сети, последовали за Ним.	16 Проходя же близ моря Галилейского, увидел Симона и Андрея, брата его, закидывающих сети в море, ибо они были рыболовы. 17 И сказал им Иисус: идите за Мною, и Я сделаю, что вы будете ловцами человеков. 18 И они тотчас, оставив свои сети, последовали за Ним.
Проходя же близ моря Галилейского, Иисус увидел двух братьев: Симона, называемого Петром, и Андрея, брата его, закидывающих сети в море, ибо они были рыболовы.	И сказал им Иисус: «Идите за Мною, и Я сделаю вас ловцами человеков». И они тотчас, оставив сети, последовали за Ним.

78. ИИСУС ПРИЗЫВАЕТ ИАКОВА И ИОАННА
Возле Галилейского моря, Галилея

Матфея.04:21-22	*Марка.01:19-20*
21 Оттуда, идя далее, увидел Он других двух братьев, Иакова Зеведеева и Иоанна, брата его, в лодке с Зеведеем, отцом их, починивающих сети свои, и призвал их. 22 И они тотчас, оставив лодку и отца своего, последовали за Ним. 23 ... [92]	19 И, пройдя оттуда немного, Он увидел Иакова Зеведеева и Иоанна, брата его, также в лодке починивающих сети; 20 и тотчас призвал их. И они, оставив отца своего Зеведея в лодке с работниками, последовали за Ним.
Оттуда, пройдя немного, увидел Он других двух братьев, Иакова Зеведеева и Иоанна, брата его, в лодке с Зеведеем, отцом их, починивающих сети свои, и призвал их.	И они, оставив отца своего Зеведея в лодке с работниками, последовали за Ним.

79. ИИСУС УЧИТ В СИНАГОГЕ КАПЕРНАУМА
Капернаум, Галилея

Марка.01:21а-22	*Луки.04:31-32*
21а И приходят в Капернаум; 22 И дивились Его учению, ибо Он учил их, как	30 ... [93] 31 И пришел в Капернаум, город Галилейский, и

---

90 *Матфея.04:17 (Проповедь Иисуса по окрестностям), стр. 30.*

91 *Марка.01:14б-15 (Проповедь Иисуса по окрестностям), стр. 30.*

92 *Матфея.04:23-25 (Слух об Иисусе по окрестным местам), стр. 34.*

93 *Луки.04:30 (Иисус оставляет Назарет), стр. 31.*

власть имеющий, а не как книжники.	учил их в дни субботние. 32 И дивились учению Его, ибо слово Его было со властью.

И пришел в Капернаум, город Галилейский, и учил их в дни субботние. И дивились учению Его, ибо	Он учил их как власть имеющий, а не как книжники.

80. ИЗГНАНИЕ БЕСА
Капернаум, Галилея

Марка.01:21б	*Луки.04:33-36*
21б ...и вскоре в субботу вошёл Он в синагогу и учил. *Марка.01:23-27* 23 В синагоге их был человек, *одержимый* духом нечистым, и вскричал: 24 оставь! Что Тебе до нас, Иисус Назарянин? Ты пришел погубить нас! Знаю Тебя, кто Ты, Святый Божий. 25 Но Иисус запретил ему, говоря: замолчи и выйди из него. 26 Тогда дух нечистый, сотрясши его и вскричав громким голосом, вышел из него. 27 И все ужаснулись, так что друг друга спрашивали: что это? Что это за новое учение, что Он и духам нечистым повелевает со властью, и они повинуются Ему?	33 Был в синагоге человек, имевший нечистого духа бесовского, и он закричал громким голосом: 34 оставь; что Тебе до нас, Иисус Назарянин? Ты пришел погубить нас; знаю Тебя, кто Ты, Святый Божий. 35 Иисус запретил ему, сказав: замолчи и выйди из него. И бес, повергнув его посреди *синагоги*, вышел из него, нимало не повредив ему. 36 И напал на всех ужас, и рассуждали между собою: что это значит, что Он со властью и силою повелевает нечистым духам, и они выходят?

В одну субботу вошёл Он в синагогу и учил. Был в синагоге человек, имевший нечистого духа бесовского, и он закричал громким голосом: «Оставь; что Тебе до нас, Иисус Назарянин? Ты пришел погубить нас; знаю Тебя, кто Ты, Святый Божий». Иисус запретил ему, сказав: «Замолчи и выйди из	него». И бес, повергнув его посреди *синагоги*, сотрясши его и вскричав громким голосом, вышел из него, нимало не повредив ему. И напал на всех ужас, и рассуждали между собою: «Что это? Что это за новое учение, что Он со властью и силою повелевает нечистым духам, и они выходят, повинуясь Ему?»

81. СЛУХ ОБ ИИСУСЕ ПО ОКРЕСТНЫМ МЕСТАМ
Галилея

Матфея.04:23-25	*Марка.01:28*	*Луки.04:37*
22 ... 94 23 И ходил Иисус по всей Гали-	28 И скоро разошлась о Нем молва по всей окрестности в Гали-	37 И разнесся слух о Нем по всем окрестным местам.

---

94 *Матфея.04:21-22 (Иисус призывает Иакова и Иоанна), стр. 33.*

лее, уча в синагогах их и проповедуя Евангелие Царствия, и исцеляя всякую болезнь и всякую немощь в людях. ²⁴ И прошел о Нем слух по всей Сирии; и приводили к Нему всех немощных, одержимых различными болезнями и припадками, и бесноватых, и лунатиков, и расслабленных, и Он исцелял их. ²⁵ И следовало за Ним множество народа из Галилеи и Десятиградия, и Иерусалима, и Иудеи, и из-за Иордана. 5:1 ... ⁹⁵	лее.	

И ходил Иисус по всей Галилее, уча в синагогах их и проповедуя Евангелие Царствия, и исцеляя всякую болезнь и всякую немощь в людях. И прошёл о Нем слух по всей окрестности в Галилее и по всей Сирии; и приводили к Нему всех немощных, одержимых различными болезнями и	припадками, и бесноватых, и лунатиков, и расслабленных, и Он исцелял их. И следовало за Ним множество народа из Галилеи и Десятиградия, и Иерусалима, и Иудеи, и из-за Иордана.

82. ИСЦЕЛЕНИЕ ТЁЩИ СИМОНА⁹⁶
Галилея

Матфея.08:14-15	*Марка.01:29-31*	*Луки.04:38-39*
13 ... ⁹⁷ ¹⁴ Придя в дом Петров, Иисус увидел тещу его, лежащую в горячке ¹⁵ и коснулся руки ее, и горячка оставила ее; и она встала и служила им.	²⁹ Выйдя вскоре из синагоги, пришли в дом Симона и Андрея, с Иаковом и Иоанном. ³⁰ Теща же Симонова лежала в горячке; и тотчас говорят Ему о ней. ³¹ Подойдя, Он поднял ее, взяв ее за руку; и горячка тотчас оставила ее, и она стала служить им.	³⁸ Выйдя из синагоги, Он вошел в дом Симона; теща же Симонова была одержима сильною горячкою; и просили Его о ней. ³⁹ Подойдя к ней, Он запретил горячке; и оставила ее. Она тотчас встала и служила им.

Выйдя вскоре из синагоги, пришли в дом Симона и Андрея с Иаковом и Иоанном. Тёща же Симонова лежала, одержимая сильною горячкою; и тотчас говорят Ему о ней.	Подойдя к ней, Он запретил горячке и поднял ее, взяв её за руку; и горячка тотчас оставила ее, и она встала служить им.

---

95 *Матфея.05:01-02 (Нагорная проповедь), стр. 43.*
96 *Матфей описывает исцеление тёщи Симона после Нагорной проповеди, а Марк и Лука — до.*
97 *Матфея.08:05-13 (Исцеление слуги сотника), стр. 54.*

83. ИСЦЕЛЕНИЕ БОЛЬНЫХ
Галилея

Матфея.08:16-17	Марка.01:32-34	Луки.04:40-41
16 Когда же настал вечер, к Нему привели многих бесноватых, и Он изгнал духов словом и исцелил всех больных, 17 да сбудется реченное через пророка Исаию, который говорит: «Он взял на Себя наши немощи и понес болезни». 18 ... 98	32 При наступлении же вечера, когда заходило солнце, приносили к Нему всех больных и бесноватых. 33 И весь город собрался к дверям. 34 И Он исцелил многих, страдавших различными болезнями; изгнал многих бесов, и не позволял бесам говорить, что они знают, что Он Христос.	40 При захождении же солнца все, имевшие больных различными болезнями, приводили их к Нему и Он, возлагая на каждого из них руки, исцелял их. 41 Выходили также и бесы из многих с криком и говорили: Ты Христос, Сын Божий. А Он запрещал им сказывать, что они знают, что Он Христос.

При наступлении же вечера, когда заходило солнце, все, имевшие больных различными болезнями, приводили их к Нему. И весь город собрался к дверям. И Он, возлагая на каждого из них руки, исцелял страдавших различными болезнями. Выходили	также и бесы из многих с криком и говорили: «Ты Христос, Сын Божий». А Он запрещал им сказывать, что они знают, что Он Христос. Да сбудется речённое через пророка Исаию, который говорит: «Он взял на Себя наши немощи и понёс болезни».

84. УЕДИНЕНИЕ И МОЛИТВА ИИСУСА
Пустынное место

Марка.01:35	Луки.04:42а
35 А утром, встав весьма рано, вышел и удалился в пустынное место, и там молился.	42а Когда же настал день, Он, выйдя *из дома*, пошел в пустынное место...

Когда же настал день, встав весьма рано, Он, выйдя *из дома*, пошёл в пустынное место и там	молился.

85. ИИСУСА НАХОДЯТ В ПУСТЫННОМ МЕСТЕ
Пустынное место

Марка.01:36-38	Луки.04:42б-43
36 Симон и бывшие с ним пошли за Ним 37 и, найдя Его, говорят Ему: все ищут Тебя. 38 Он говорит им: пойдем в ближние селения и города, чтобы Мне и там проповедывать, ибо Я для того пришел.	42б ...и народ искал Его и, придя к Нему, удерживал Его, чтобы не уходил от них. 43 Но Он сказал им: и другим городам благовествовать Я должен Царствие Божие, ибо на то Я послан.

---

98 *Матфея.08:18 (Успокоение бури) стр. 76.*

Симон и бывшие с ним пошли за Ним и, найдя Его, говорят Ему: «Все ищут Тебя». И народ искал Его и, придя к Нему, удерживал Его, чтобы не уходил от них.	Он говорит им: «Пойдём в ближние селения и города, чтобы Мне и там проповедовать Царствие Божие, ибо Я для того пришел».

86. ПРОПОВЕДЬ И ИЗГНАНИЕ БЕСОВ В ГАЛИЛЕЕ
Галилея

Марка.01:39	*Луки.04:44*
[39] И Он проповедывал в синагогах их по всей Галилее и изгонял бесов. 40 … [99]	[44] И проповедывал в синагогах Галилейских.

И Он проповедывал в синагогах их по всей Галилее и изгонял бесов.

87. ИИСУС УЧИТ НАРОД НА ОЗЕРЕ ГЕННИСАРЕТСКОМ
Озеро Геннисаретское, Галилея

Луки.05:01-03	
[1] Однажды, когда народ теснился к Нему, чтобы слышать слово Божие, а Он стоял у озера Геннисаретского	[2] увидел Он две лодки, стоящие на озере; а рыболовы, выйдя из них, вымывали сети. [3] Войдя в одну лодку, которая была Симонова, Он просил его отплыть несколько от берега и, сев, учил народ из лодки.

88. ИИСУС ПОВЕЛЕВАЕТ ЗАКИНУТЬ СЕТИ[100]
Озеро Геннисаретское, Галилея

Луки.05:04-11	
[4] Когда же перестал учить, сказал Симону: отплыви на глубину, и закиньте сети свои для лова. [5] Симон сказал Ему в ответ: Наставник! Мы трудились всю ночь и ничего не поймали, но по слову Твоему закину сеть. [6] Сделав это, они поймали великое множество рыбы, и даже сеть у них прорывалась. [7] И дали знак товарищам, находившимся на другой лодке, чтобы пришли помочь им; и пришли, и наполнили обе лодки, так что они начинали тонуть.	[8] Увидев это, Симон Петр припал к коленям Иисуса и сказал: выйди от меня, Господи! Потому что я человек грешный. [9] Ибо ужас объял его и всех, бывших с ним, от этого лова рыб, ими пойманных; [10] также и Иакова и Иоанна, сыновей Зеведеевых, бывших товарищами Симону. И сказал Симону Иисус: не бойся; отныне будешь ловить человеков. [11] И, вытащив обе лодки на берег, оставили все и последовали за Ним. 12 … [101]

---

99 *Марка.01:40-44 (Исцеление прокажённого), стр. 53.*

100 *После Нагорной проповеди Матфей, Марк и Лука описали исцеление прокажённого. Лука описал это событие до исцеления прокажённого. Следовательно, это событие произошло до Нагорной проповеди.*

101 *Луки.05:12-14 (Исцеление прокажённого), стр. 53.*

89. ИСЦЕЛЕНИЕ РАССЛАБЛЕННОГО[102]
Капернаум, Галилея

а. Вера и прощение расслабленного

Матфея.09:02	Марка.02:01-05	Луки.05:17-20
1 ... [103]	1:45 ... [104]	16 ... [105]
² И вот, принесли к Нему расслабленного, положенного на постели. И, видя Иисус веру их, сказал расслабленному: дерзай, чадо! Прощаются тебе грехи твои.	¹ Через *несколько* дней опять пришел Он в Капернаум; и слышно стало, что Он в доме. ² Тотчас собрались многие, так что уже и у дверей не было места; и Он говорил им слово. ³ И пришли к Нему с расслабленным, которого несли четверо; ⁴ и, не имея возможности приблизиться к Нему за многолюдством, раскрыли кровлю *дома*, где Он находился, и, прокопав ее, спустили постель, на которой лежал расслабленный. ⁵ Иисус, видя веру их, говорит расслабленному: чадо! Прощаются тебе грехи твои.	¹⁷ В один день, когда Он учил, и сидели тут фарисеи и законоучители, пришедшие из всех мест Галилеи и Иудеи и из Иерусалима, и сила Господня являлась в исцелении *больных*, — ¹⁸ вот, принесли некоторые на постели человека, который был расслаблен, и старались внести его *в дом* и положить перед Иисусом; ¹⁹ и, не найдя, где пронести его за многолюдством, влезли на верх дома и сквозь кровлю спустили его с постелью на средину пред Иисуса. ²⁰ И Он, видя веру их, сказал человеку тому: прощаются тебе грехи твои.

Через *несколько* дней опять пришел Он в Капернаум; и слышно стало, что Он в доме. Тотчас собрались многие, так что уже и у дверей не было места; и Он говорил им слово.

И сидели тут фарисеи и законоучители, пришедшие из всех мест Галилеи и Иудеи и из Иерусалима, и сила Господня являлась в исцелении *больных*.

И пришли к Нему с расслабленным, которого несли четверо; и старались внести его *в дом* и положить перед Иисусом; и, не имея возможности приблизиться к Нему из-за многолюдства, влезли на верх дома и раскрыли кровлю *дома*, где Он находился, прокопав ее, и сквозь кровлю спустили постель, на которой лежал расслабленный, на средину пред Иисуса.

Иисус, видя веру их, говорит расслабленному: «Дерзай, чадо! Прощаются тебе грехи твои».

б. Обвинение Иисуса в богохульстве[106]

Матфея.09:03-08	Марка.02:06-12	Луки.05:21-26

---

[102] Это и последующие несколько событий не содержат в себе никаких хронологических индикаторов.

[103] *Матфея.09:01 (Возвращение Иисуса в Галилею), стр. 79.*

[104] *Марка.01:45 (Молва об Иисусе; Иисус молится в пустынных местах), стр. 54.*

[105] *Луки.05:15-16 (Молва об Иисусе; Иисус молится в пустынных местах), стр. 54.*

[106] *Иисуса впоследствии снова обвинили в богохульстве на празднике Обновления. Это произошло после ответа на вопрос Иудеев (Иоанна.10:24-39 (Является ли Иисус Христом), стр. 106), и когда Он был у первосвященника Каиафы, до распятия (Матфея.26:62-66 и Марка.14:60-64 (Вопрос первосвященника к Иисусу), стр. 207).*

3 При сем некоторые из книжников сказали сами в себе: Он богохульствует.	6 Тут сидели некоторые из книжников и помышляли в сердцах своих:	21 Книжники и фарисеи начали рассуждать, говоря: кто это, который богохульствует? Кто может прощать грехи, кроме одного Бога?
4 Иисус же, видя помышления их, сказал: для чего вы мыслите худое в сердцах ваших?	7 что Он так богохульствует? Кто может прощать грехи, кроме одного Бога?	22 Иисус, уразумев помышления их, сказал им в ответ: что вы помышляете в сердцах ваших?
5 ибо что легче сказать: «прощаются тебе грехи», или сказать: «встань и ходи»?	8 Иисус, тотчас узнав духом Своим, что они так помышляют в себе, сказал им: для чего так помышляете в сердцах ваших?	23 Что легче сказать: «прощаются тебе грехи твои», или сказать: «встань и ходи»?
6 Но чтобы вы знали, что Сын Человеческий имеет власть на земле прощать грехи, — тогда говорит расслабленному: встань, возьми постель твою, и иди в дом твой.	9 Что легче, сказать ли расслабленному: «прощаются тебе грехи», или сказать: «встань, возьми свою постель и ходи»?	24 Но чтобы вы знали, что Сын Человеческий имеет власть на земле прощать грехи, — сказал Он расслабленному: тебе говорю: встань, возьми постель твою и иди в дом твой.
7 И он встал, *взял постель свою* и пошел в дом свой.	10 Но чтобы вы знали, что Сын Человеческий имеет власть на земле прощать грехи, — говорит расслабленному:	25 И он тотчас встал перед ними, взял, на чем лежал, и пошел в дом свой, славя Бога.
8 Народ же, видев это, удивился и прославил Бога, давшего такую власть человекам.	11 тебе говорю: встань, возьми постель твою и иди в дом твой.	26 И ужас объял всех, и славили Бога и, быв исполнены страха, говорили: чудные дела видели мы ныне.
	12 Он тотчас встал и, взяв постель, вышел перед всеми, так что все изумлялись и прославляли Бога, говоря: никогда ничего такого мы не видали.	

При сем некоторые книжники и фарисеи сказали сами в себе: «Кто это, который богохульствует? Кто может прощать грехи, кроме одного Бога?» Иисус, тотчас узнав духом Своим, что они так помышляют в себе, сказал им в ответ: «Что вы помышляете в сердцах ваших? Что легче сказать расслабленному: «Прощаются тебе грехи твои», — или сказать: «Встань, возьми свою постель и хо-ди»?	Но чтобы вы знали, что Сын Человеческий имеет власть на земле прощать грехи, — сказал Он расслабленному: тебе говорю: встань, возьми постель твою и иди в дом твой». И он тотчас встал перед ними, взял, на чем лежал, и пошёл в дом свой, славя Бога. И ужас объял всех, и славили Бога, давшего такую власть человекам и, быв исполнены страха, говорили: «Чудные дела видели мы ныне, никогда ничего такого мы не видали».

90. ИИСУС УЧИТ НАРОД У МОРЯ
Озеро Геннисаретское, Галилея

Марка.02:13	13 И вышел *Иисус* опять к морю; и весь народ пошел к Нему, и Он учил их.

91. ИИСУС ПРИЗЫВАЕТ ЛЕВИЯ (МАТФЕЯ)
Капернаум, Галилея

Матфея.09:09	*Марка.02:14*	*Луки.05:27-28*
9 Проходя оттуда, Иисус увидел	14 Проходя, увидел Он Левия Ал-	27 После сего *Иисус* вышел и

человека, сидящего у сбора пошлин, по имени Матфея, и говорит ему: следуй за Мною. И он встал и последовал за Ним.	феева, сидящего у сбора пошлин, и говорит ему: следуй за Мною. И *он*, встав, последовал за Ним.	увидел мытаря, именем Левия, сидящего у сбора пошлин, и говорит ему: следуй за Мною. ²⁸ И он, оставив все, встал и последовал за Ним.

После сего, идя оттуда, *Иисус* вышел и увидел мытаря, именем Левия Алфеева (Матфея), сидящего у сбора пошлин, и говорит ему: «Следуй	за Мною». И он, оставив все, встал и последовал за Ним.

92. В ДОМЕ У ЛЕВИЯ
Капернаум, Галилея

Матфея.09:10-13	*Марка.02:15-17*	*Луки.05:29-32*
¹⁰ И когда Иисус возлежал в доме, многие мытари и грешники пришли и возлегли с Ним и учениками Его. ¹¹ Увидев то, фарисеи сказали ученикам Его: для чего Учитель ваш ест и пьет с мытарями и грешниками? ¹² Иисус же, услышав это, сказал им: не здоровые имеют нужду во враче, но больные, ¹³ пойдите, научитесь, что значит: «милости хочу, а не жертвы? Ибо Я пришел призвать не праведников, но грешников к покаянию».	¹⁵ И когда Иисус возлежал в доме его, возлежали с Ним и ученики Его и многие мытари и грешники: ибо много их было, и они следовали за Ним. ¹⁶ Книжники и фарисеи, увидев, что Он ест с мытарями и грешниками, говорили ученикам Его: как это Он ест и пьет с мытарями и грешниками. ¹⁷ Услышав *сие*, Иисус говорит им: не здоровые имеют нужду во враче, но больные; Я пришел призвать не праведников, но грешников к покаянию.	²⁹ И сделал для Него Левий в доме своем большое угощение; и там было множество мытарей и других, которые возлежали с ними. ³⁰ Книжники же и фарисеи роптали и говорили ученикам Его: зачем вы едите и пьете с мытарями и грешниками? ³¹ Иисус же сказал им в ответ: не здоровые имеют нужду во враче, но больные; ³² Я пришел призвать не праведников, а грешников к покаянию.

И сделал для Него Левий в доме своём большое угощение. И когда Иисус возлежал в доме его, возлежали с Ним и ученики Его, и многие мытари и грешники: ибо много их было и они следовали за Ним. Увидев то, фарисеи сказали ученикам Его: «Зачем	вы едите и пьёте с мытарями и грешниками». Иисус же, услышав это, сказал им: «Не здоровые имеют нужду во враче, но больные; пойдите, научитесь, что значит: «Милости хочу, а не жертвы.» Ибо Я пришел призвать не праведников, но грешников к покаянию».

93. ВОПРОС О ПОСТЕ УЧЕНИКОВ ИОАННА
Капернаум, Галилея

Матфея.09:14-17	*Марка.02:18-22*	*Луки.05:33-39*
¹⁴ Тогда приходят к Нему ученики Иоанновы и говорят: почему мы и фарисеи постимся много, а Твои ученики не постятся?	¹⁸ Ученики Иоанновы и фарисейские постились. Приходят к Нему и говорят: почему ученики Иоанновы и фарисейские постятся, а	³³ Они же сказали Ему: почему ученики Иоанновы постятся часто и молитвы творят, также и фарисейские, а Твои едят и

15 И сказал им Иисус: могут ли печалиться сыны чертога брачного, пока с ними жених? Но придут дни, когда отнимется у них жених, и тогда будут поститься.
16 И никто к ветхой одежде не приставляет заплаты из небеленой ткани, ибо вновь пришитое отдерет от старого, и дыра будет еще хуже.
17 Не вливают также вина молодого в мехи ветхие; а иначе прорываются мехи, и вино вытекает, и мехи пропадают, но вино молодое вливают в новые мехи, и сберегается то и другое.
18 ... 107

Твои ученики не постятся?
19 И сказал им Иисус: могут ли поститься сыны чертога брачного, когда с ними жених? Доколе с ними жених, не могут поститься,
20 но придут дни, когда отнимется у них жених, и тогда будут поститься в те дни.
21 Никто к ветхой одежде не приставляет заплаты из небеленой ткани: иначе вновь пришитое отдерет от старого, и дыра будет еще хуже.
22 Никто не вливает вина молодого в мехи ветхие: иначе молодое вино прорвет мехи, и вино вытечет, и мехи пропадут; но вино молодое надобно вливать в мехи новые.
23 ... 108

пьют?
34 Он сказал им: можете ли заставить сынов чертога брачного поститься, когда с ними жених?
35 Но придут дни, когда отнимется у них жених, и тогда будут поститься в те дни.
36 При сем сказал им притчу: никто не приставляет заплаты к ветхой одежде, отодрав от новой одежды; а иначе и новую раздерет, и к старой не подойдет заплата от новой.
37 И никто не вливает молодого вина в мехи ветхие; а иначе молодое вино прорвет мехи, и само вытечет, и мехи пропадут;
38 но молодое вино должно вливать в мехи новые; тогда сбережется и то и другое.
39 И никто, пив старое *вино*, не захочет тотчас молодого, ибо говорит: старое лучше.
6:1 ... 109

Ученики Иоанновы и фарисейские постились.

Тогда приходят к Иисусу ученики Иоанновы и фарисейские и говорят: «Почему мы постимся много, молитвы творим, а Твои ученики не постятся, а едят и пьют?»

И сказал им Иисус: «Могут ли печалиться и поститься сыны чертога брачного, когда с ними жених? Доколе с ними жених, не могут поститься, но придут дни, когда отнимется у них жених, и тогда будут поститься в те дни».

При сем сказал им притчу:

«Никто не приставляет заплаты к ветхой одежде из небелёной ткани, отодрав от новой одежды; а иначе и новую раздерёт, и к старой не подойдёт заплата от новой, и дыра будет ещё хуже.

И никто не вливает молодого вина в мехи ветхие; а иначе молодое вино прорвёт мехи и само вытечет, и мехи пропадут. Но молодое вино должно вливать в мехи новые; тогда сбережётся и то, и другое. И никто, пив старое *вино*, не захочет тотчас молодого, ибо говорит: старое лучше».

94. ИСЦЕЛЕНИЕ ДВУХ СЛЕПЫХ
Капернаум, Галилея

Матфея.09:27-31

26 ... 110
27 Когда Иисус шел оттуда, за Ним следовали

двое слепых и кричали: помилуй нас, Иисус, сын Давидов!
28 Когда же Он пришел в дом, слепые приступили к Нему. И говорит им Иисус: веруете ли, что Я могу это сделать? Они говорят Ему: ей, Господи!

107 *Матфея.09:18-19 (Просьба начальника об исцелении дочери), стр. 80.*
108 *Марка.02:23-28 (Иисус проходит засеянными полями), стр. 59.*
109 *Луки.06:01-05 (Иисус проходит засеянными полями), стр. 59.*
110 *Матфея.09:23-26 (Воскрешение дочери начальника), стр. 81.*

29 Тогда Он коснулся глаз их и сказал: по вере вашей да будет вам. 30 И открылись глаза их; и Иисус строго сказал им:	смотрите, чтобы никто не узнал. 31 А они, выйдя, разгласили о Нем по всей земле той.

95. ИСЦЕЛЕНИЕ НЕМОГО БЕСНОВАТОГО
Капернаум, Галилея

Матфея.09:32-34	народ, удивляясь, говорил: никогда не бывало такого явления в Израиле.
32 Когда же те выходили, то привели к Нему человека немого бесноватого. 33 И когда бес был изгнан, немой стал говорить. И	34 А фарисеи говорили: Он изгоняет бесов силою князя бесовского.

96. ПРОПОВЕДЬ И ИСЦЕЛЕНИЯ ИИСУСА
Галилея

Матфея.09:35-38	они были изнурены и рассеяны, как овцы, не имеюие пастыря.
35 И ходил Иисус по всем городам и селениям, уча в синагогах их, проповедуя Евангелие Царствия и исцеляя всякую болезнь и всякую немощь в людях. 36 Видя толпы народа, Он сжалился над ними, что	37 Тогда говорит ученикам Своим: жатвы много, а делателей мало; 38 итак молите Господина жатвы, чтобы выслал делателей на жатву Свою.[111] 10:1 ... [112]

97. ИЗБРАНИЕ ДВЕНАДЦАТИ УЧЕНИКОВ
Галилея

Матфея.10:02-04	*Марка.03:13-19*	*Луки.06:12-16*
1 ... [112] 2 Двенадцати же Апостолов имена суть сии: первый Симон, называемый Петром, и Андрей, брат его, Иаков Зеведеев и Иоанн, брат его 3 Филипп и Варфоломей, Фома и Матфея мытарь, Иаков Алфеев и Леввей, прозванный Фаддеем 4 Симон Кананит и Иуда Искариот, который и предал Его. 5 ... [113]	12 ... [114] 13 Потом взошел на гору и позвал к Себе, кого Сам хотел; и пришли к Нему. 14 И поставил *из них* двенадцать, чтобы с Ним были и чтобы посылать их на проповедь 15 и чтобы они имели власть исцелять от болезней и изгонять бесов; 16 *поставил* Симона, нарекши ему имя Петр 17 Иакова Зеведеева и Иоанна, брата Иакова, нарекши им имена Воанергес, то есть «сыны громо-	11 ... [116] 12 В те дни взошел Он на гору помолиться и пробыл всю ночь в молитве к Богу. 13 Когда же настал день, призвал учеников Своих и избрал из них двенадцать, которых и наименовал Апостолами: 14 Симона, которого и назвал Петром, и Андрея, брата его, Иакова и Иоанна, Филиппа и Варфоломея 15 Матфея и Фому, Иакова Алфеева и Симона, прозываемого Зилотом

---

111 *Иисус заповедал похожее семидесяти ученикам, восходя в Иерусалим (Луки.10:01-03 (Иисус призывает и посылает учеников), стр. 133).*

112 *Матфея.10:01 (Иисус призывает и наставляет учеников), стр. 83.*

113 *Матфея.10:05-08 (Куда идти), стр. 84.*

114 *Марка.03:07-12 (Иисус удаляется к морю и исцеляет многих), стр. 62.*

	вы» **18** Андрея, Филиппа, Варфоломея, Матфея, Фому, Иакова Алфеева, Фаддея, Симона Кананита **19** и Иуду Искариотского, который и предал Его. **20** … [115]	**16** Иуду Иаковлева и Иуду Искариота, который потом сделался предателем.

В те дни взошёл Он на гору помолиться и пробыл всю ночь в молитве к Богу. Когда же настал день, призвал учеников Своих, и когда они пришли, избрал из них двенадцать, которых и наименовал Апостолами. И поставил их, чтобы с Ним были и чтобы посылать их на проповедь, и чтобы они имели власть врачевать всякую болезнь и всякую немощь и изгонять бесов.	Двенадцати же Апостолов имена суть сии: первый Симон, называемый Петром, и Андрей, брат его, Иаков Зеведеев и Иоанн, брат его, которым нарёк имена Воанергес, то есть «сыны громовы», Филипп и Варфоломей, Фома и Матфей мытарь, Иаков Алфеев и Леввей, прозванный Фаддеем, Симон Кананит и Иуда Искариот, который и предал Его.

98. ИИСУС ИСЦЕЛЯЕТ
Галилея

Луки.06:17-19 **17** И, сойдя с ними, стал Он на ровном месте, и множество учеников Его, и много народа из всей Иудеи и Иерусалима и приморских мест Тирских и Сидонских	**18** которые пришли послушать Его и исцелиться от болезней своих, также и страждущие от нечистых духов; и исцелялись. **19** И весь народ искал прикасаться к Нему, потому что от Него исходила сила и исцеляла всех.

99. НАГОРНАЯ ПРОПОВЕДЬ[117]
Гора, Галилея

Матфея.05:01-02 4:25 … [118] **1** Увидев народ, Он взошел на гору; и, когда сел, приступили к Нему ученики Его. **2** И Он, отверзши уста Свои, учил их, говоря:	*Луки.06:20а* **20а** И Он, возведя очи Свои на учеников Своих, говорил:

Иисус, возведя очи Свои на учеников Своих и увидев народ, взошёл на гору; и, когда сел, при-	ступили к Нему ученики Его. И Он, отверзши уста Свои, учил их, говоря:

---

115 *Марка.03:20 (Иисус с учениками в доме), стр. 62.*

116 *Луки.06:11 (Совещание фарисеев с иродианами), стр. 61.*

117 *Следует согласиться с тем, что Иисус повторял части проповедей. Следовательно, может быть то, что Нагорная проповедь, описанная Матфеем, и проповедь, описанная Лукой — разные события. Изложение проповеди Лукой значительно короче описанной Матфеем. Но так как в изложениях обеих проповедей много сходств, и сходя из событий, которые были до и после неё, можно заключить, что Матфей и Лука, скорее всего, описывают одно и то же событие. Лука остальное описал (то, что не в Нагорной проповеди описано Матфеем) в проповедях Иисуса, когда Он с учениками восходил в Иерусалим.*

118 *Матфея.04:23-25 (Слух об Иисусе по окрестным местам), стр. 34.*

в. Блаженство

Матфея.05:03-12	Луки.06:20б-23
³ Блаженны нищие духом, ибо их есть Царство Небесное. ⁴ Блаженны плачущие, ибо они утешатся. ⁵ Блаженны кроткие, ибо они наследуют землю. ⁶ Блаженны алчущие и жаждущие правды, ибо они насытятся. ⁷ Блаженны милостивые, ибо они помилованы будут. ⁸ Блаженны чистые сердцем, ибо они Бога узрят. ⁹ Блаженны миротворцы, ибо они будут наречены сынами Божиими. ¹⁰ Блаженны изгнанные за правду, ибо их есть Царство Небесное. ¹¹ Блаженны вы, когда будут поносить вас и гнать и всячески неправедно злословить за Меня. ¹² Радуйтесь и веселитесь, ибо велика ваша награда на небесах: так гнали и пророков, бывших прежде вас. ¹³ ... ¹¹⁹	²⁰б блаженны нищие духом, ибо ваше есть Царствие Божие. ²¹ Блаженны алчущие ныне, ибо насытитесь. Блаженны плачущие ныне, ибо воссмеетесь. ²² Блаженны вы, когда возненавидят вас люди и когда отлучат вас, и будут поносить, и пронесут имя ваше, как бесчестное, за Сына Человеческого. ²³ Возрадуйтесь в тот день и возвеселитесь, ибо велика вам награда на небесах. Так поступали с пророками отцы их.

«Блаженны нищие духом, ибо их есть Царство Небесное. Блаженны плачущие, ибо они утешатся, воссмеются. Блаженны кроткие, ибо они наследуют землю. Блаженны алчущие и жаждущие правды, ибо они насытятся. Блаженны милостивые, ибо они помилованы будут. Блаженны чистые сердцем, ибо они Бога узрят. Блаженны миротворцы, ибо они будут наречены сынами Божиими. Блаженны изгнанные за правду, ибо их	есть Царство Небесное. Блаженны вы, когда возненавидят вас люди и когда отлучат вас, и будут поносить, и пронесут имя ваше как бесчестное, за Сына Человеческого, когда будут поносить вас и гнать и всячески неправедно злословить за Меня. Радуйтесь и веселитесь, ибо велика ваша награда на небесах: так гнали и пророков, бывших прежде вас».

г. Горе

Луки.06:24-26	
²⁴ Напротив, горе вам, богатые! Ибо вы уже получили свое утешение. ²⁵ Горе вам, пресыщенные ныне! Ибо взалчете. Горе вам, смеющиеся ныне! Ибо восплачете и	возрыдаете. ²⁶ Горе вам, когда все люди будут говорить о вас хорошо! Ибо так поступали с лжепророками отцы их. ²⁷ ... ¹²⁰

---

119 *Матфея.05:13-16 (Соль земли и свет мира), стр. 45.*

120 *Луки.06:27-28 (Враги; любовь ближних), стр. 47.*

д. Соль земли и свет мира

Матфея.05:13-16	¹⁴ Вы — свет мира. Не может укрыться город, стоящий на верху горы.
¹² ... ¹²¹	¹⁵ И, зажегши свечу, не ставят ее под сосудом, но на подсвечнике, и светит всем в доме.¹²³
¹³ Вы — соль земли. Если же соль потеряет силу, то чем сделаешь ее соленою? Она уже ни к чему не годна, как разве выбросить ее вон на попрание людям.¹²²	¹⁶ Так да светит свет ваш пред людьми, чтобы они видели ваши добрые дела и прославляли Отца вашего Небесного.

е. Исполнение закона и пророков

Матфея.05:17-20	¹⁹ Итак, кто нарушит одну из заповедей сих малейших и научит так людей, тот малейшим наречется в Царстве Небесном; а кто сотворит и научит, тот великим наречется в Царстве Небесном.
¹⁷ Не думайте, что Я пришел нарушить закон или пророков: не нарушить пришел Я, но исполнить.	
¹⁸ Ибо истинно говорю вам: доколе не прейдет небо и земля, ни одна иота или ни одна черта не прейдет из закона, пока не исполнится все.¹²⁴	²⁰ Ибо, говорю вам, если праведность ваша не превзойдет праведности книжников и фарисеев, то вы не войдете в Царство Небесное.

ж. Гнев на брата

Матфея.05:21-24	ной.
	²³ Итак, если ты принесешь дар твой к жертвеннику и там вспомнишь, что брат твой имеет что-нибудь против тебя,
²¹ Вы слышали, что сказано древним: «не убивай, кто же убьет, подлежит суду».	
²² А Я говорю вам, что всякий, гневающийся на брата своего напрасно, подлежит суду; кто же скажет брату своему: «рака», подлежит синедриону; а кто скажет: «безумный», подлежит геенне огнен-	²⁴ оставь там дар твой пред жертвенником, и пойди прежде примирись с братом твоим, и тогда приди и принеси дар твой.

з. Мир с соперником¹²⁵

Матфея.05:25-26	судье, а судья не отдал бы тебя слуге, и не ввергли бы тебя в темницу;
²⁵ Мирись с соперником твоим скорее, пока ты еще на пути с ним, чтобы соперник не отдал тебя	²⁶ истинно говорю тебе: ты не выйдешь оттуда, пока не отдашь до последнего кодранта.

---

¹²¹ *Матфея.05:03-12 (Блаженство), стр. 44.*

¹²² *Иисус сказал похожее в Капернауме, беседуя с учениками (Марка.09:41-50 (Соблазны), стр. 123) и в Своей проповеди в Иудее, восходя в Иерусалим (Луки.14:25-35 (Что значит быть учеником Христа), стр. 143).*

¹²³ *Иисус сказал похожее после исцеления одержимого слепого и немого (Луки.11:29-36 (От Иисуса просят знамения; суд с родом этим), стр. 62), а также объясняя значение притчи о сеятеле (Марка.04:13-25 и Луки.08:11-18 (Значение притчи о сеятеле), стр. 71).*

¹²⁴ *Иисус сказал похожее в Своей проповеди в Иудее, восходя в Иерусалим (Луки.16:15-17 (Вход в Царствие Божие), стр. 145).*

¹²⁵ *Иисус сказал похожее в Своей проповеди в Иудее, восходя в Иерусалим (Луки.12:58-59 (Грядущий суд с соперником, стр. 139).*

и.   Прелюбодеяние

Матфея.05:27-28	
27 Вы слышали, что сказано древним: «не прелюбодействуй».	28 А Я говорю вам, что всякий, кто смотрит на женщину с вожделением, уже прелюбодействовал с нею в сердце своем.

к.   Соблазны[126]

Матфея.05:29-30	
29 Если же правый глаз твой соблазняет тебя, вырви его и брось от себя, ибо лучше для тебя, чтобы погиб один из членов твоих, а не все тело твое	было ввержено в геенну. 30 И если правая твоя рука соблазняет тебя, отсеки ее и брось от себя, ибо лучше для тебя, чтобы погиб один из членов твоих, а не все тело твое было ввержено в геенну.

л.   Развод[127]

Матфея.05:31-32	
31 Сказано также, что если кто разведется с женою своею, пусть даст ей разводную.	32 А Я говорю вам: кто разводится с женою своею, кроме вины любодеяния, тот подает ей повод прелюбодействовать; и кто женится на разведенной, тот прелюбодействует.

м.   Клятва

Матфея.05:33-37	
33 Еще слышали вы, что сказано древним: «не преступай клятвы, но исполняй пред Господом клятвы твои». 34 А Я говорю вам: не клянись вовсе: ни небом, потому что оно престол Божий;	35 ни землею, потому что она подножие ног Его; ни Иерусалимом, потому что он город великого Царя; 36 ни головою твоею не клянись, потому что не можешь ни одного волоса сделать белым или черным. 37 Но да будет слово ваше: «да, да»; «нет, нет»; а что сверх этого, то от лукавого.

н.   Месть; просящий

Матфея.05:38-42	Луки.06:29-31
38 Вы слышали, что сказано: «око за око и зуб за зуб». 39 А Я говорю вам: не противься злому. Но кто ударит тебя в правую щеку твою, обрати к нему и другую; 40 и кто захочет судиться с тобою и взять у тебя рубашку, отдай ему и верхнюю одежду; 41 и кто принудит тебя идти с ним одно поприще,	28 ... [128] 29 Ударившему тебя по щеке подставь и другую, и отнимающему у тебя верхнюю одежду не препятствуй взять и рубашку. 30 Всякому, просящему у тебя, давай, и от взявшего твое не требуй назад. 31 И как хотите, чтобы с вами поступали люди, так и вы поступайте с ними.[129]

---

126 *Иисус сказал похожее в Капернауме, беседуя с учениками (Матфея.18:06-14, Марка.09:41-50, и Луки.17:01-02 (Соблазны), стр. 123).*

127 *Иисус также говорил о разводе в Своём ответе на вопрос фарисеев (Матфея.19:03-12 (Фарисеи о разводе), стр. 127), объясняя Своим ученикам (Марка.10:10-12 (Ученики переспрашивают о разводе), стр. 129), и в Своей проповеди в Иудее, восходя в Иерусалим (Луки.16:18 (Развод), стр. 145).*

128 *Луки.06:27-28 (Враги; любовь ближних), стр. 47.*

иди с ним два. [42] Просящему у тебя дай, и от хотящего занять у тебя не отвращайся.	

«Вы слышали, что сказано: «Око за око и зуб за зуб». А Я говорю вам: не противься злому. А Я говорю вам: не противься злому. Ударившему тебя по щеке подставь и другую, и кто захочет судиться с тобою и взять у тебя рубашку, отдай ему и верхнюю одежду; и кто принудит тебя идти с ним	одно поприще, иди с ним два. Всякому, просящему у тебя, давай, и от взявшего твое не требуй назад. И как хотите, чтобы с вами поступали люди, так и вы поступайте с ними».

o.   **Враги; любовь ближних**

Матфея.05:43-48	*Луки.06:27-28*
[43] Вы слышали, что сказано: «люби ближнего твоего и ненавидь врага твоего». [44] А Я говорю вам: любите врагов ваших, благословляйте проклинающих вас, благотворите ненавидящим вас и молитесь за обижающих вас и гонящих вас, [45] да будете сынами Отца вашего Небесного, ибо Он повелевает солнцу Своему восходить над злыми и добрыми и посылает дождь на праведных и неправедных. [46] Ибо если вы будете любить любящих вас, какая вам награда? Не то же ли делают и мытари? [47] И если вы приветствуете только братьев ваших, что особенного делаете? Не так же ли поступают и язычники? [48] Итак будьте совершенны, как совершен Отец ваш Небесный.	[26] ... [130] [27] Но вам, слушающим, говорю: любите врагов ваших, благотворите ненавидящим вас, [28] благословляйте проклинающих вас и молитесь за обижающих вас. [29] ... [131] *Луки.06:32-36* [32] И если любите любящих вас, какая вам за то благодарность? Ибо и грешники любящих их любят. [33] И если делаете добро тем, которые вам делают добро, какая вам за то благодарность? Ибо и грешники то же делают. [34] И если взаймы даете тем, от которых надеетесь получить обратно, какая вам за то благодарность? Ибо и грешники дают взаймы грешникам, чтобы получить обратно столько же. [35] Но вы любите врагов ваших, и благотворите, и взаймы давайте, не ожидая ничего; и будет вам награда великая, и будете сынами Всевышнего; ибо Он благ и к неблагодарным и злым. [36] Итак, будьте милосерды, как и Отец ваш милосерд. [37] ... [132]

«Вы слышали, что сказано: «Люби ближнего твоего и ненавидь врага твоего».	А Я говорю вам: любите врагов ваших, благословляйте проклинающих вас, благотворите ненавидящим вас и молитесь за обижающих вас и го-

---

129 *Иисус сказал похожее, но только в контексте "просите и ищите" (Матфея.07:07-12 (Просите и ищите), стр. 51.*

130 *Луки.06:24-26 (Горе), стр. 44.*

131 *Луки.06:29-31 (Месть; просящий), стр. 46.*

132 *Луки.06:37-42 (Суд ближнего), стр. 50.*

нящих вас, да будете сынами Отца вашего Небесного, ибо Он повелевает солнцу Своему восходить над злыми и добрыми и посылает дождь на праведных и неправедных.

И если любите любящих вас, какая вам за то благодарность? Не то же ли делают мытари и грешники, любя любящих их? И если делаете добро тем, которые вам делают добро, какая вам за то благодарность? Ибо и грешники то же делают. И если взаймы даёте тем, от которых надеетесь получить обратно, какая вам за то благодарность? Ибо и

грешники дают взаймы грешникам, чтобы получить обратно столько же. И если вы приветствуете только братьев ваших, что особенного делаете? Не так же ли поступают и язычники?

Но вы любите врагов ваших, и благотворите, и взаймы давайте, не ожидая ничего; и будет вам награда великая, и будете сынами Всевышнего; ибо Он благ и к неблагодарным, и к злым.

Итак, будьте милосердны, как и Отец ваш милосерд, и будьте совершенны, как совершенен Отец ваш Небесный».

п.   Милостыня

Матфея.06:01-04

[1] Смотрите, не творите милостыни вашей пред людьми с тем, чтобы они видели вас: иначе не будет вам награды от Отца вашего Небесного.
[2] Итак, когда творишь милостыню, не труби перед собою, как делают лицемеры в синагогах и на ули-

цах, чтобы прославляли их люди. Истинно говорю вам: они уже получают награду свою.
[3] У тебя же, когда творишь милостыню, пусть левая рука твоя не знает, что делает правая,
[4] чтобы милостыня твоя была втайне; и Отец твой, видящий тайное, воздаст тебе явно.

р.   Молитва[133]

Матфея.06:05-15

[5] И, когда молишься, не будь, как лицемеры, которые любят в синагогах и на углах улиц, останавливаясь, молиться, чтобы показаться перед людьми. Истинно говорю вам, что они уже получают награду свою.
[6] Ты же, когда молишься, войди в комнату твою и, затворив дверь твою, помолись Отцу твоему, Который втайне; и Отец твой, видящий тайное, воздаст тебе явно.
[7] А молясь, не говорите лишнего, как язычники, ибо они думают, что в многословии своем будут услышаны;
[8] не уподобляйтесь им, ибо знает Отец ваш, в чем вы имеете нужду, прежде вашего прошения у Не-

го.
[9] Молитесь же так: «Отче наш, сущий на небесах! Да святится имя Твое;
[10] да приидет Царствие Твое; да будет воля Твоя и на земле, как на небе;
[11] хлеб наш насущный дай нам на сей день;
[12] и прости нам долги наши, как и мы прощаем должникам нашим;
[13] и не введи нас в искушение, но избавь нас от лукавого. Ибо Твое есть Царство и сила и слава во веки. Аминь».
[14] Ибо если вы будете прощать людям согрешения их, то простит и вам Отец ваш Небесный,
[15] а если не будете прощать людям согрешения их, то и Отец ваш не простит вам согрешений ваших.[134]

---

133 *Иисус ещё раз учил учеников молиться в Своей проповеди в Иудее, восходя в Иерусалим (Луки.11:01-04 (Молитва), стр. 136).*
134 *Иисус сказал похожее после проклятия смоковницы (Марка.11:20-26 (Проклятая смоковница засохла), стр 161).*

c. Пост

Матфея.06:16-18	свою.
16 Также, когда поститесь, не будьте унылы, как лицемеры, ибо они принимают на себя мрачные лица, чтобы показаться людям постящимися. Истинно говорю вам, что они уже получают награду	**17** А ты, когда постишься, помажь голову твою и умой лицо твое, **18** чтобы явиться постящимся не пред людьми, но пред Отцом твоим, Который втайне; и Отец твой, видящий тайное, воздаст тебе явно.

т. Сокровища[135]

Матфея.06:19-21	**20** но собирайте себе сокровища на небе, где ни моль, ни ржа не истребляют и где воры не подкапывают и не крадут,
19 Не собирайте себе сокровищ на земле, где моль и ржа истребляют и где воры подкапывают и крадут,	**21** ибо где сокровище ваше, там будет и сердце ваше.

у. Светильник для тела[136]

Матфея.06:22-23	**23** если же око твое будет худо, то все тело твое будет темно. Итак, если свет, который в тебе, — тьма, то какова же тьма?
22 Светильник для тела есть око. Итак, если око твое будет чисто, то все тело твое будет светло;	

ф. Служба двум господам[137]

Матфея.06:24	или одного будет ненавидеть, а другого любить; или одному станет усердствовать, а о другом нерадеть. Не можете служить Богу и маммоне.
24 Никто не может служить двум господам: ибо	

х. Забота о завтрашнем дне[138]

Матфея.06:25-34	левые лилии, как они растут: ни трудятся, ни прядут;
25 Посему говорю вам: не заботьтесь для души вашей, что вам есть и что пить, ни для тела вашего, во что одеться. Душа не больше ли пищи, и тело одежды? **26** Взгляните на птиц небесных: они ни сеют, ни жнут, ни собирают в житницы; и Отец ваш Небесный питает их. Вы не гораздо ли лучше их? **27** Да и кто из вас, заботясь, может прибавить себе росту хотя на один локоть? **28** И об одежде что заботитесь? Посмотрите на по-	**29** но говорю вам, что и Соломон во всей славе своей не одевался так, как всякая из них; **30** если же траву полевую, которая сегодня есть, а завтра будет брошена в печь, Бог так одевает, кольми паче вас, маловеры! **31** Итак не заботьтесь и не говорите: «Что нам есть?» или «Что пить?» или «Во что одеться?» **32** потому что всего этого ищут язычники, и потому что Отец ваш Небесный знает, что вы имеете нужду во всем этом.

---

135 *Иисус сказал похожее в Своей проповеди в Иудее, восходя в Иерусалим (Луки.12:33-34 (Сбор сокровищ), стр. 138).*

136 *Иисус сказал похожее после исцеления слепого и немого (Луки.11:29-36 (От Иисуса просят знамения; суд с родом этим), стр. 62).*

137 *Иисус сказал похожее в Своей проповеди в Иудее, восходя в Иерусалим (Луки.16:13-14 (Служба двум господам), стр. 145).*

138 *Иисус сказал похожее в Своей проповеди в Иудее, восходя в Иерусалим (Луки.12:22-32 (Забота о завтрашнем дне), стр. 138).*

| 33 Ищите же прежде Царства Божия и правды Его, и это все приложится вам. | 34 Итак не заботьтесь о завтрашнем дне, ибо завтрашний сам будет заботиться о своем: довольно для каждого дня своей заботы. |

ц. Суд ближнего

Матфея.07:01-05	*Луки.06:37-42*
1 Не судите, да не судимы будете,	36 ... [139]
2 ибо каким судом судите, таким будете судимы; и какою мерою мерите, такою и вам будут мерить.	37 Не судите, и не будете судимы; не осуждайте, и не будете осуждены; прощайте, и прощены будете;
3 И что ты смотришь на сучок в глазе брата твоего, а бревна в твоем глазе не чувствуешь?	38 давайте, и дастся вам: мерою доброю, утрясенною, нагнетенною и переполненною отсыплют вам в лоно ваше; ибо, какою мерою мерите, такою же отмерится и вам. [140]
4 Или как скажешь брату твоему: «дай, я выну сучок из глаза твоего», а вот, в твоем глазе бревно?	39 Сказал также им притчу: может ли слепой водить слепого? Не оба ли упадут в яму? [141]
5 Лицемер! Вынь прежде бревно из твоего глаза и тогда увидишь, как вынуть сучок из глаза брата твоего.	40 Ученик не бывает выше своего учителя; но, и усовершенствовавшись, будет всякий, как учитель его. [142]
	41 Что ты смотришь на сучок в глазе брата твоего, а бревна в твоем глазе не чувствуешь?
	42 Или, как можешь сказать брату твоему: «брат! Дай, я выну сучок из глаза твоего», когда сам не видишь бревна в твоем глазе? Лицемер! Вынь прежде бревно из твоего глаза, и тогда увидишь, как вынуть сучок из глаза брата твоего.
	43 ... [143]

| «Не судите и не будете судимы, ибо каким судом судите, таким будете судимы; не осуждайте и не будете осуждены; прощайте и прощены будете; давайте и дастся вам: мерою доброю, утрясённою, нагнетённою и переполненною отсыплют вам в лоно ваше; ибо какою мерою мерите, такою же отмерится и вам». | ет выше своего учителя; но и усовершенствовавшись, будет всякий, как учитель его. |
| Сказал также им притчу: «Может ли слепой водить слепого? Не оба ли упадут в яму? Ученик не быва- | Что ты смотришь на сучок в глазе брата твоего, а бревна в твоём глазе не чувствуешь? Или как можешь сказать брату твоему: «Брат! Дай, я выну сучок из глаза твоего», — когда сам не видишь бревна в твоём глазе? Лицемер! Вынь прежде бревно из твоего глаза и тогда увидишь, как вынуть сучок из глаза брата твоего». |

---

139 *Луки.06:32-36 (Враги; любовь ближних), стр. 47.*

140 *Иисус сказал похожее, когда объяснял значение притчи о сеятеле (Марка.04:13-25 (Значение притчи о сеятеле), стр. 71.*

141 *Иисус сказал похожее, когда разъяснял о еде нечистыми руками (Матфея.15:12-20 (Разъяснение о принятии пищи нечистыми руками), стр. 109.*

142 *Иисус сказал похожее ученикам, когда послал их проповедовать и исцелять (Матфея.10:24-25 (Ученик не выше учителя), стр. 86.*

143 *Луки.06:43-45 (Плоды), стр. 51.*

ч. Святыня псам

Матфея.07:06	вашего перед свиньями, чтобы они не попрали его ногами своими и, обратившись, не растерзали вас.
6 Не давайте святыни псам и не бросайте жемчуга	

ш. Просите и ищите[144]

Матфея.07:07-12	камень?
7 Просите, и дано будет вам; ищите, и найдете; стучите, и отворят вам; 8 ибо всякий просящий получает, и ищущий находит, и стучащему отворят. 9 Есть ли между вами такой человек, который, когда сын его попросит у него хлеба, подал бы ему	10 и когда попросит рыбы, подал бы ему змею? 11 Итак если вы, будучи злы, умеете даяния благие давать детям вашим, тем более Отец ваш Небесный даст блага просящим у Него. 12 Итак во всем, как хотите, чтобы с вами поступали люди, так поступайте и вы с ними, ибо в этом закон и пророки. [145]

щ. Тесные врата, узкий путь[146]

Матфея.07:13-14	многие идут ими;
13 Входите тесными вратами, потому что широки врата и пространен путь, ведущие в погибель, и	14 потому что тесны врата и узок путь, ведущие в жизнь, и немногие находят их.

ы. Плоды[147]

Матфея.07:15-20	Луки.06:43-45
15 Берегитесь лжепророков, которые приходят к вам в овечьей одежде, а внутри суть волки хищные. 16 По плодам их узнаете их. Собирают ли с терновника виноград, или с репейника смоквы? 17 Так всякое дерево доброе приносит и плоды добрые, а худое дерево приносит и плоды худые. 18 Не может дерево доброе приносить плоды худые, ни дерево худое приносить плоды добрые. 19 Всякое дерево, не приносящее плода доброго, срубают и бросают в огонь. 20 Итак по плодам их узнаете их.	42 ... [148] 43 Нет доброго дерева, которое приносило бы худой плод; и нет худого дерева, которое приносило бы плод добрый, 44 ибо всякое дерево познается по плоду своему, потому что не собирают смокв с терновника и не снимают винограда с кустарника. 45 Добрый человек из доброго сокровища сердца своего выносит доброе, а злой человек из злого сокровища сердца своего выносит злое, ибо от избытка сердца говорят уста его.

---

144 *Иисус сказал похожее в Своей проповеди в Иудее, восходя в Иерусалим (Луки.11:09-13 (Просите и ищите), стр. 136.*

145 *Иисус сказал похожее, только в контексте ударившего по щеке (Луки.06:29-31 (Месть; просящий), стр. 46.)*

146 *Иисус сказал похожее в Своей проповеди в Иудее, восходя в Иерусалим Луки.13:23-30 (Иисус говорит о спасении), стр. 141.*

147 *Иисус сказал похожее после исцеления одержимого слепого и немого (Матфея.12:33-37 (Признание дерева по плоду), стр. 66).*

148 *Луки.06:37-42 (Суд ближнего), стр. 50.*

«Берегитесь лжепророков, которые приходят к вам в овечьей одежде, а внутри суть волки хищные. По плодам их узнаете их. Собирают ли с терновника виноград или с репейника смоквы? Так всякое дерево доброе приносит и плоды добрые, а худое дерево приносит и плоды худые. Не может дерево доброе приносить плоды худые, ни дерево худо приносить плоды добрые, ибо всякое дерево познаётся по плоду своему, потому что не собирают смокв с терновника и не снимают	винограда с кустарника. Всякое дерево, не приносящее плода доброго, срубают и бросают в огонь. Итак, по плодам их узнаете их. Добрый человек из доброго сокровища сердца своего выносит доброе, а злой человек из злого сокровища сердца своего выносит злое, ибо от избытка сердца говорят уста его».

э.   Царство Небесное и исполнение воли Отца

Матфея.07:21-27	*Луки.06:46-49*
21 Не всякий, говорящий Мне: «Господи! Господи!», войдет в Царство Небесное, но исполняющий волю Отца Моего Небесного. 22 Многие скажут Мне в тот день: «Господи! Господи! Не от Твоего ли имени мы пророчествовали? И не Твоим ли именем бесов изгоняли? И не Твоим ли именем многие чудеса творили?» 23 И тогда объявлю им: «Я никогда не знал вас; отойдите от Меня, делающие беззаконие».[149] 24 Итак всякого, кто слушает слова Мои сии и исполняет их, уподоблю мужу благоразумному, который построил дом свой на камне; 25 и пошел дождь, и разлились реки, и подули ветры, и устремились на дом тот, и он не упал, потому что основан был на камне. 26 А всякий, кто слушает сии слова Мои и не исполняет их, уподобится человеку безрассудному, который построил дом свой на песке; 27 и пошел дождь, и разлились реки, и подули ветры, и налегли на дом тот; и он упал, и было падение его великое.	46 Что вы зовете Меня: «Господи! Господи!» — и не делаете того, что Я говорю? 47 Всякий, приходящий ко Мне и слушающий слова Мои и исполняющий их, скажу вам, кому подобен. 48 Он подобен человеку, строящему дом, который копал, углубился и положил основание на камне; почему, когда случилось наводнение и вода напёрла на этот дом, то не могла поколебать его, потому что он основан был на камне. 49 А слушающий и неисполняющий подобен человеку, построившему дом на земле без основания, который, когда напёрла на него вода, тотчас обрушился; и разрушение дома сего было великое. 7:1 …[150]

«Что вы зовёте Меня: «Господи! Господи!» — и не делаете того, что Я говорю? Не всякий, говорящий Мне: «Господи! Господи!» — войдёт в Царство Небесное, но исполняющий волю Отца Моего Небесного. Многие скажут Мне в тот день: «Господи! Господи! Не от Твоего ли имени мы пророчествовали? И не Твоим ли именем бесов изгоняли? И не Твоим ли именем многие чудеса творили?»	И тогда объявлю им: «Я никогда не знал вас; отойдите от Меня, делающие беззаконие». Всякий, приходящий ко Мне и слушающий слова Мои, и исполняющий их, скажу вам, кому подобен. Он подобен мужу благоразумному, который построил дом свой на камне; и пошёл дождь, и разлились реки, и подули ветры, и устремились на дом тот, и он не упал, потому что основан был на камне».

---

149 *Иисус сказал похожее в Своей проповеди в Иудее, восходя в Иерусалим Луки.13:23-30 (Иисус говорит о спасении), стр. 141.*
150 *Луки.07:01-10 (Исцеление слуги сотника), стр. 54.*

А слушающий и не исполняющий слов Моих подобен человеку безрассудному, который построил дом свой на песке; и пошёл дождь, и разлились	реки, и подули ветры, и налегли на дом тот; и он упал, и было падение его великое.

ю. Реакция народа на учение Христа

Матфея.07:28-29	ся учению Его
[28] И когда Иисус окончил слова сии, народ дивил-	[29] ибо Он учил их, как власть имеющий, а не как книжники и фарисеи.

100. ИСЦЕЛЕНИЕ ПРОКАЖЁННОГО[151]
Галилея

Матфея.08:01-04	*Марка.01:40-44*	*Луки.05:12-14*
[1] Когда же сошел Он с горы, за Ним последовало множество народа. [2] И вот подошел прокаженный и, кланяясь Ему, сказал: Господи! если хочешь, можешь меня очистить. [3] Иисус, простерши руку, коснулся его и сказал: хочу, очистись. И он тотчас очистился от проказы. [4] И говорит ему Иисус: смотри, никому не сказывай, но пойди, покажи себя священнику и принеси дар, какой повелел Моисей, во свидетельство им. [5] … [152]	[39] … [153] [40] Приходит к Нему прокаженный и, умоляя Его и падая пред Ним на колени, говорит Ему: если хочешь, можешь меня очистить. [41] Иисус, умилосердившись над ним, простер руку, коснулся его и сказал ему: хочу, очистись. [42] После сего слова проказа тотчас сошла с него, и он стал чист. [43] И, посмотрев на него строго, тотчас отослал его [44] и сказал ему: смотри, никому ничего не говори, но пойди, покажись священнику и принеси за очищение твое, что повелел Моисей, во свидетельство им.	[11] … [154] [12] Когда Иисус был в одном городе, пришел человек весь в проказе и, увидев Иисуса, пал ниц, умоляя Его и говоря: Господи! если хочешь, можешь меня очистить. [13] Он простер руку, прикоснулся к нему и сказал: хочу, очистись. И тотчас проказа сошла с него. [14] И Он повелел ему никому не сказывать, а пойти показаться священнику и принести *жертву* за очищение свое, как повелел Моисей, во свидетельство им.

Когда же сошёл Он с горы, за Ним последовало множество народа. И вот приходит к Нему прокажённый и, умоляя Его и падая пред Ним на колени, кланяясь, говорит Ему: «Если хочешь, можешь меня очистить». Иисус, умилосердившись над ним, простёр руку, коснулся его и сказал ему: «Хочу, очистись». По-	сле сего слова проказа тотчас сошла с него, и он стал чист. И, посмотрев на него строго, тотчас отослал его и сказал ему: «Смотри, никому ничего не говори, но пойди, покажись священнику и принеси за очищение твоё, что повелел Моисей, во свидетельство им».

---

151 *Кроме этого прокаженного Иисус потом исцелил группу из десяти прокажённых (Луки.17:11-14 (Исцеление десяти прокажённых), стр. 146).*

152 *Матфея.08:05-13 (Исцеление слуги сотника) стр. 54.*

153 *Марка.01:39 (Проповедь и изгнание бесов в Галилее), стр. 37.*

154 *Луки.05:04-11 (Иисус повелевает закинуть сети), стр. 37.*

101. МОЛВА ОБ ИИСУСЕ; ИИСУС МОЛИТСЯ В ПУСТЫННЫХ МЕСТАХ
Галилея

Марка.01:45	Луки.05:15-16
[45] А он, выйдя, начал провозглашать и рассказывать о происшедшем, так что *Иисус* не мог уже явно войти в город, но находился вне, в местах пустынных. И приходили к Нему отовсюду. 2:1 … [155]	[15] Но тем более распространялась молва о Нем, и великое множество народа стекалось к Нему слушать и врачеваться у Него от болезней своих. [16] Но Он уходил в пустынные места и молился. 17 … [156]
А он, выйдя, начал провозглашать и рассказывать о происшедшем, и более распространялась молва о Нем, и великое множество народа стекалось к Нему слушать и врачеваться у Него от болезней своих, так что *Иисус* не мог уже явно войти в	город. Но Он уходил в пустынные места и молился. И приходили к Нему отовсюду.

102. ИСЦЕЛЕНИЕ СЛУГИ СОТНИКА
Капернаум, Галилея

Матфея.08:05-13	Луки.07:01-10
4 … [157] [5] Когда же вошел Иисус в Капернаум, к Нему подошел сотник и просил Его:[158] [6] Господи! Слуга мой лежит дома в расслаблении и жестоко страдает. [7] Иисус говорит ему: Я приду и исцелю его. [8] Сотник же, отвечая, сказал: Господи! Я недостоин, чтобы Ты вошел под кров мой, но скажи только слово, и выздоровеет слуга мой; [9] ибо я и подвластный человек, но, имея у себя в подчинении воинов, говорю одному: «пойди», и идет; и другому: «приди», и приходит; и слуге моему: «сделай то», и делает. [10] Услышав сие, Иисус удивился и сказал идущим за Ним: истинно говорю вам, и в Израиле не нашел Я такой веры. [11] Говорю же вам, что многие придут с востока и запада и возлягут с Авраамом, Исааком и Иаковом в Царстве Небесном; [12] а сыны царства извержены будут во тьму внешнюю: там будет плач и скрежет зубов.[159]	6:49 … [161] [1] Когда Он окончил все слова Свои к слушавшему народу, то вошел в Капернаум. [2] У одного сотника слуга, которым он дорожил, был болен при смерти. [3] Услышав об Иисусе, он послал к Нему Иудейских старейшин просить Его, чтобы пришел исцелить слугу его.[158] [4] И они, придя к Иисусу, просили Его убедительно, говоря: он достоин, чтобы Ты сделал для него это [5] ибо он любит народ наш и построил нам синагогу. [6] Иисус пошел с ними. И когда Он недалеко уже был от дома, сотник прислал к Нему друзей сказать Ему: не трудись, Господи! Ибо я недостоин, чтобы Ты вошел под кров мой; [7] потому и себя самого не почел я достойным придти к Тебе; но скажи слово, и выздоровеет слуга мой. [8] Ибо я и подвластный человек, но, имея у себя в подчинении воинов, говорю одному: «пойди», и

---

155 *Марка.02:01-05 (Вера и прощение расслабленного), стр. 38.*

156 *Луки.05:17-20 (Вера и прощение расслабленного), стр. 38.*

157 *Матфея.08:01-04 (Исцеление прокажённого), стр. 53.*

158 *Матфей говорит, что к Иисусу пришел сам сотник, а Лука говорит, что к Иисусу пришли Иудейские старейшины, которых послал сотник.*

159 *Иисус сказал похожее, говоря о спасении, в Иудее, восходя в Иерусалим (Луки.13:23-30 (Иисус говорит о спасении), стр. 141).*

13 И сказал Иисус сотнику: иди, и, как ты веровал, да будет тебе. И выздоровел слуга его в тот час. **14** ... [160]	идет; и другому: «приди», и приходит; и слуге моему: «сделай то», и делает. **9** Услышав сие, Иисус удивился ему и, обратившись, сказал идущему за Ним народу: сказываю вам, что и в Израиле не нашел Я такой веры. **10** Посланные, возвратившись в дом, нашли больного слугу выздоровевшим.

Когда Он окончил все слова Свои к слушавшему народу, то вошёл в Капернаум. У одного сотника слуга, которым он дорожил, был болен, при смерти. Услышав об Иисусе, он послал к Нему Иудейских старейшин просить Его, чтобы пришел исцелить слугу его. И они, придя к Иисусу, просили Его убедительно, говоря: «Он достоин, чтобы Ты сделал для него это, ибо он любит народ наш и построил нам синагогу». Иисус сказал им: «Я приду и исцелю его». Иисус пошёл с ними. И когда Он недалеко уже был от дома, сотник прислал к Нему друзей сказать Ему: «Не трудись, Господи! Ибо я недостоин, чтобы Ты вошёл под кров мой; потому и себя самого не почёл я достойным прийти к Тебе; но скажи слово, и выздоровеет слуга мой. Ибо я и подвластный человек, но, имея у	себя в подчинении воинов, говорю одному: «Пойди», — и идёт; и другому: «Приди», — и приходит; и слуге моему: «Сделай то», — и делает». Услышав сие, Иисус удивился ему и, обратившись, сказал идущему за Ним народу: «Истинно говорю вам, и в Израиле не нашёл Я такой веры. Говорю же вам, что многие придут с востока и запада и возлягут с Авраамом, Исааком и Иаковом в Царстве Небесном; а сыны Царства извержены будут во тьму внешнюю: там будет плач и скрежет зубов». И сказал Иисус посланным: «Идите и скажите сотнику: как ты веровал, да будет тебе». И выздоровел слуга его в тот час. Посланные, возвратившись в дом, нашли больного слугу выздоровевшим.

103. ВОСКРЕШЕНИЕ СЫНА ВДОВЫ [162]
Наин

Луки.07:11-17 **11** После сего Иисус пошел в город, называемый Наин; и с Ним шли многие из учеников Его и множество народа. **12** Когда же Он приблизился к городским воротам, тут выносили умершего, единственного сына у матери, а она была вдова; и много народа шло с нею из города. **13** Увидев ее, Господь сжалился над нею и сказал	ей: не плачь. **14** И, подойдя, прикоснулся к одру; несшие остановились, и Он сказал: юноша! Тебе говорю, встань! **15** Мертвый, поднявшись, сел и стал говорить; и отдал его *Иисус* матери его. **16** И всех объял страх, и славили Бога, говоря: великий пророк восстал между нами, и Бог посетил народ Свой. **17** Такое мнение о Нем распространилось по всей Иудее и по всей окрестности.

---

160 *Матфея.08:14-15 (Исцеление тёщи Симона), стр. 35.*
161 *Луки.06:46-49 (Царство Небесное и исполнение воли Отца), стр. 52.*
162 *Данное и несколько следующих событий не содержат в себе никаких индикаторов хронологической последовательности.*

104. ИОАНН КРЕСТИТЕЛЬ УЗНАЕТ О ДЕЛАХ ИИСУСА
Галилея[163]

Луки.07:18-19	[19] Иоанн, призвав двоих из учеников своих, послал к Иисусу спросить: Ты ли Тот, Который должен придти, или ожидать нам другого?
[18] И возвестили Иоанну ученики его о всем том.	

105. ВОПРОС ИОАННА КРЕСТИТЕЛЯ ИИСУСУ
Галилея[164]

Матфея.11:02-06	*Луки.07:20-23*
[2] Иоанн же, услышав в темнице о делах Христовых, послал двоих из учеников своих [3] сказать Ему: Ты ли Тот, Который должен придти, или ожидать нам другого? [4] И сказал им Иисус в ответ: пойдите, скажите Иоанну, что слышите и видите: [5] слепые прозревают и хромые ходят, прокаженные очищаются и глухие слышат, мертвые воскресают и нищие благовествуют; [6] и блажен, кто не соблазнится о Мне.	[20] Они, придя к Иисусу, сказали: Иоанн Креститель послал нас к Тебе спросить: Ты ли Тот, Которому должно придти, или другого ожидать нам? [21] А в это время Он многих исцелил от болезней и недугов и от злых духов, и многим слепым даровал зрение. [22] И сказал им Иисус в ответ: пойдите, скажите Иоанну, что вы видели и слышали: слепые прозревают, хромые ходят, прокаженные очищаются, глухие слышат, мертвые воскресают, нищие благовествуют; [23] и блажен, кто не соблазнится о Мне!
Иоанн же, услышав в темнице о делах Христовых, послал двоих из учеников своих сказать Ему: «Ты ли Тот, Который должен прийти, или ожидать нам другого?» Они, придя к Иисусу, сказали: «Иоанн Креститель послал нас к Тебе спросить: Ты ли Тот, Которому должно прийти, или другого ожидать нам?»	А в это время Он многих исцелил от болезней и недугов, и от злых духов, и многим слепым даровал зрение. И сказал им Иисус в ответ: «Пойдите, скажите Иоанну, что вы видели и слышали: слепые прозревают, хромые ходят, прокажённые очищаются, глухие слышат, мёртвые воскресают, нищие благовествуют; и блажен, кто не соблазнится о Мне!»

106. ИИСУС ГОВОРИТ ОБ ИОАННЕ КРЕСТИТЕЛЕ
Галилея

а. Иоанн Креститель — Илия, которому должно прийти

Матфея.11:07-15	*Луки.07:24-30*
[7] Когда же они пошли, Иисус начал говорить народу об Иоанне: что смотреть ходили вы в пустыню? Трость ли, ветром колеблемую? [8] Что же смотреть ходили вы? Человека ли, одето-	[24] По отшествии же посланных Иоанном, начал говорить к народу об Иоанне: что смотреть ходили вы в пустыню? Трость ли, ветром колеблемую? [25] Что же смотреть ходили вы? Человека ли, оде-

---

163 *Не указано местоположение этого события. Ирод правил Галилеей, и следовательно, скорее всего, Иоанн Креститель был заключён в Галилее.*

164 *Не указано местоположение этого события. Так как Иисус проповедовал в Галилее, скорее всего, что Иисус находился в Галилее, когда к Нему пришли ученики Иоанна.*

го в мягкие одежды? Носящие мягкие одежды находятся в чертогах царских.	того в мягкие одежды? Но одевающиеся пышно и роскошно живущие находятся при дворах царских.
9 Что же смотреть ходили вы? Пророка? Да, говорю вам, и больше пророка.	26 Что же смотреть ходили вы? Пророка ли? Да, говорю вам, и больше пророка.
10 Ибо он тот, о котором написано: «се, Я посылаю Ангела Моего пред лицом Твоим, который приготовит путь Твой пред Тобою».[165]	27 Сей есть, о котором написано: «вот, Я посылаю Ангела Моего пред лицом Твоим, который приготовит путь Твой пред Тобою».[165]
11 Истинно говорю вам: из рожденных женами не восставал больший Иоанна Крестителя; но меньший в Царстве Небесном больше его.	28 Ибо говорю вам: из рожденных женами нет ни одного пророка больше Иоанна Крестителя; но меньший в Царствии Божием больше его.
12 От дней же Иоанна Крестителя доныне Царство Небесное силою берется, и употребляющие усилие восхищают его,	29 И весь народ, слушавший *Его*, и мытари воздали славу Богу, крестившись крещением Иоанновым;
13 ибо все пророки и закон прорекли до Иоанна.	30 а фарисеи и законники отвергли волю Божию о себе, не крестившись от него.
14 И если хотите принять, он есть Илия, которому должно придти.	
15 Кто имеет уши слышать, да слышит!	

По отшествии же посланных Иоанном начал говорить к народу об Иоанне:	из рождённых жёнами не восставал больший Иоанна Крестителя; но меньший в Царстве Небесном больше его. От дней же Иоанна Крестителя доныне Царство Небесное силою берётся, и употребляющие усилие восхищают его, ибо все пророки и закон прорекли до Иоанна. И если хотите принять, он есть Илия, которому должно прийти. Кто имеет уши слышать, да слышит!»
«Что смотреть ходили вы в пустыню? Трость ли, ветром колеблемую? Что же смотреть ходили вы? Человека ли, одетого в мягкие одежды? Но одевающиеся пышно и роскошно живущие находятся при дворах царских. Что же смотреть ходили вы? Пророка? Да, говорю вам, и больше пророка.	
Ибо он тот, о котором написано: «Се, Я посылаю Ангела Моего пред лицом Твоим, который приготовит путь Твой пред Тобою». Истинно говорю вам:	И весь народ, слушавший *Его*, и мытари воздали славу Богу, крестившись крещением Иоанновым; а фарисеи и законники отвергли волю Божию о себе, не крестившись от него.

б.   Кому подобен род сей

Матфея.11:16-19	*Луки.07:31-35*
16 Но кому уподоблю род сей? Он подобен детям, которые сидят на улице и, обращаясь к своим товарищам,	31 Тогда Господь сказал: с кем сравню людей рода сего? И кому они подобны?
17 говорят: «мы играли вам на свирели, и вы не плясали; мы пели вам печальные песни, и вы не рыдали».	32 Они подобны детям, которые сидят на улице, кличут друг друга и говорят: «мы играли вам на свирели, и вы не плясали; мы пели вам плачевные песни, и вы не плакали».
18 Ибо пришел Иоанн, ни ест, ни пьет; и говорят: «в нем бес».	33 Ибо пришел Иоанн Креститель: ни хлеба не ест, ни вина не пьет; и говорите: «в нем бес».
19 Пришел Сын Человеческий, ест и пьет; и гово-	34 Пришел Сын Человеческий: ест и пьет; и гово-

---

165 *Марк тоже ссылается на пророчество Исаии, когда начинает Евангелие (Марка.01:01-03 (Пророки), стр. 3). Матфей и Лука ранее ссылались на то же пророчество Исаии, когда описывали служение Иоанна Крестителя (Матфея.03:01-03 и Луки.03:03-06 (Служение Иоанна Крестителя), стр. 14), а Евангелист Иоанн — в ответе Иоанна Крестителя на вопрос священников и левитов о том, кто он (Иоанна.01:19-25 (Свидетельство Иоанна Иудеям о себе), стр. 17).*

рят: «вот человек, который любит есть и пить вино, друг мытарям и грешникам». И оправдана премудрость чадами ее.	рите: «вот человек, который любит есть и пить вино, друг мытарям и грешникам». 35 И оправдана премудрость всеми чадами ее. 36 … 166

Тогда Господь сказал: «С кем сравню людей рода сего? И кому они подобны? Они подобны детям, которые сидят на улице, кличут друг друга и говорят: «Мы играли вам на свирели, и вы не плясали; мы пели вам плачевные песни, и вы не плакали». Ибо пришел Иоанн Креститель: ни хлеба не ест,	ни вина не пьёт; и говорите: «В нем бес». Пришел Сын Человеческий: ест и пьёт; и говорите: «Вот человек, который любит есть и пить вино, друг мытарям и грешникам». И оправдана премудрость всеми чадами её».

в.   Иисус укоряет города[167]

Матфея.11:20-24	
20 Тогда начал Он укорять города, в которых наиболее явлено было сил Его, за то, что они не покаялись: 21 горе тебе, Хоразин! Горе тебе, Вифсаида! Ибо если бы в Тире и Сидоне явлены были силы, явленные в вас, то давно бы они во вретище и пепле покаялись,	22 но говорю вам: Тиру и Сидону отраднее будет в день суда, нежели вам. 23 И ты, Капернаум, до неба вознесшийся, до ада низвергнешься, ибо если бы в Содоме явлены были силы, явленные в тебе, то он оставался бы до сего дня; 24 но говорю вам, что земле Содомской отраднее будет в день суда, нежели тебе.

г.   Прославление Отца[168]

Матфея.11:25-26	
25 В то время, продолжая речь, Иисус сказал: славлю Тебя, Отче, Господи неба и земли, что Ты	утаил сие от мудрых и разумных и открыл то младенцам; 26 ей, Отче! Ибо таково было Твое благоволение.

д.   Труждающиеся и обременённые

Матфея.11:27-30	
27 Все предано Мне Отцем Моим, и никто не знает Сына, кроме Отца; и Отца не знает никто, кроме Сына, и кому Сын хочет открыть.[169] 28 Придите ко Мне все труждающиеся и обреме-	ненные, и Я успокою вас; 29 возьмите иго Мое на себя и научитесь от Меня, ибо Я кроток и смирен сердцем, и найдете покой душам вашим; 30 ибо иго Мое благо, и бремя Мое легко. 12:1 … 170

---

166 *Луки.07:36-50 (Омовение ног Иисуса), стр. 59.*

167 *Иисус сказал похожее, наставляя избранных семьдесят учеников (Луки.10:10-16 (Если не примут вас; Иисус укоряет города), стр. 133).*

168 *Иисус сказал похожее после возвращения семидесяти учеников (Луки.10:21 (Радость Иисуса), стр. 134).*

169 *Иисус сказал похожее после возвращения семидесяти учеников (Луки.10:22-24 (Обращение к ученикам), стр. 134).*

170 *Матфея.12:01-08 (Иисус проходит засеянными полями), стр. 59.*

107. ОМОВЕНИЕ НОГ ИИСУСА[171] [172]
Галилея[173]

Луки.07:36-50	
35 … [174]	42 но как они не имели чем заплатить, он простил обоим. Скажи же, который из них более возлюбит его?
36 Некто из фарисеев просил Его вкусить с ним пищи; и Он, войдя в дом фарисея, возлег.	43 Симон отвечал: думаю, тот, которому более простил. Он сказал ему: правильно ты рассудил.
37 И вот, женщина того города, которая была грешница, узнав, что Он возлежит в доме фарисея, принесла алавастровый сосуд с миром	44 И, обратившись к женщине, сказал Симону: видишь ли ты эту женщину? Я пришел в дом твой, и ты воды Мне на ноги не дал, а она слезами облила Мне ноги и волосами головы своей отерла;
38 и, став позади у ног Его и плача, начала обливать ноги Его слезами и отирать волосами головы своей, и целовала ноги Его, и мазала миром.	45 ты целования Мне не дал, а она, с тех пор как Я пришел, не перестает целовать у Меня ноги;
39 Видя это, фарисей, пригласивший Его, сказал сам в себе: если бы Он был пророк, то знал бы, кто и какая женщина прикасается к Нему, ибо она грешница.	46 ты головы Мне маслом не помазал, а она миром помазала Мне ноги.
	47 А потому сказываю тебе: прощаются грехи ее многие за то, что она возлюбила много, а кому мало прощается, тот мало любит.
40 Обратившись к нему, Иисус сказал: Симон! Я имею нечто сказать тебе. Он говорит: скажи, Учитель.	48 Ей же сказал: прощаются тебе грехи.
	49 И возлежавшие с Ним начали говорить про себя: кто это, что и грехи прощает?
41 Иисус сказал: у одного заимодавца было два должника: один должен был пятьсот динариев, а другой пятьдесят,	50 Он же сказал женщине: вера твоя спасла тебя, иди с миром.

108. ИИСУС БЛАГОВЕСТВУЕТ ЦАРСТВИЕ БОЖИЕ С УЧЕНИКАМИ И ЖЕНЩИНАМИ
Галилея

Луки.08:01-03	
1 После сего Он проходил по городам и селениям, проповедуя и благовествуя Царствие Божие, и с Ним двенадцать	злых духов и болезней: Мария, называемая Магдалиною, из которой вышли семь бесов
	3 и Иоанна, жена Хузы, домоправителя Иродова, и Сусанна, и многие другие, которые служили Ему имением своим.
2 и некоторые женщины, которых Он исцелил от	4 … [175]

109. ИИСУС ПРОХОДИТ ЗАСЕЯННЫМИ ПОЛЯМИ
Галилея

Матфея.12:01-08	Марка.02:23-28	Луки.06:01-05
11:30 … [176]	22 … [177]	5:39 … [178]

---

171 *Данное и несколько следующих событий не содержат в себе никаких индикаторов последовательности.*

172 *Здесь впервые Иисусу умывают ноги. Иоанн говорит, что женщиной была Мария, сестра Лазаря (Иоанна.11:01-03 (Болезнь Лазаря), стр. 152). Мария затем ещё раз омыла Иисусу ноги за шесть дней до Пасхи (Иоанна.12:01-09 (Иисус на вечере за шесть дней до Пасхи), стр. 155). За два дня до Пасхи женщина омыла Иисусу голову миром (Матфея.26:06-13 и Марка.14:03-09 (Иисус на вечере за два дня до Пасхи), стр. 186). А значит, Иисуса омыли миром три раза.*

173 *Не указано местоположение данного события. Так как Иисус проповедовал в Галилее, скорее всего, Он был в Галилее, когда происходило это и несколько следующих событий.*

174 *Луки.07:31-35 (Кому подобен род сей), стр. 57.*

175 *Луки.08:04 (Иисус учит у моря), стр. 69.*

176 *Матфея.11:27-30 (Труждающиеся и обременённые), стр. 58.*

[1] В то время проходил Иисус в субботу засеянными полями; ученики же Его взалкали и начали срывать колосья и есть.	[23] И случилось Ему в субботу проходить засеянными *полями*, и ученики Его дорогою начали срывать колосья.	[1] В субботу, первую по втором дне Пасхи, случилось Ему проходить засеянными полями, и ученики Его срывали колосья и ели, растирая руками.
[2] Фарисеи, увидев это, сказали Ему: вот, ученики Твои делают, чего не должно делать в субботу.	[24] И фарисеи сказали Ему: смотри, что они делают в субботу, чего не должно *делать*?	[2] Некоторые же из фарисеев сказали им: зачем вы делаете то, чего не должно делать в субботы?
[3] Он же сказал им: разве вы не читали, что сделал Давид, когда взалкал сам и бывшие с ним?	[25] Он сказал им: неужели вы не читали никогда, что сделал Давид, когда имел нужду и взалкал сам и бывшие с ним?	[3] Иисус сказал им в ответ: разве вы не читали, что сделал Давид, когда взалкал сам и бывшие с ним?
[4] Как он вошел в дом Божий и ел хлебы предложения, которых не должно было есть ни ему, ни бывшим с ним, а только одним священникам?	[26] Как вошел он в дом Божий при первосвященнике Авиафаре и ел хлебы предложения, которых не должно было есть никому, кроме священников, и дал и бывшим с ним?	[4] Как он вошел в дом Божий, взял хлебы предложения, которых не должно было есть никому, кроме одних священников, и ел, и дал бывшим с ним?
[5] Или не читали ли вы в законе, что в субботы священники в храме нарушают субботу, однако невиновны?	[27] И сказал им: суббота для человека, а не человек для субботы;	[5] И сказал им: Сын Человеческий есть господин и субботы.
[6] Но говорю вам, что здесь Тот, Кто больше храма;	[28] посему Сын Человеческий есть господин и субботы.	
[7] если бы вы знали, что значит: «милости хочу, а не жертвы», то не осудили бы невиновных,		
[8] ибо Сын Человеческий есть господин и субботы.		

В субботу, первую по втором дне Пасхи, случилось Ему проходить засеянными полями, и ученики Его, взалкав, срывали колосья и ели, растирая руками.	одним священникам?
	Или не читали ли вы в законе, что в субботы священники в храме нарушают субботу, однако невиновны?
Некоторые же из фарисеев сказали Иисусу: «Смотри, они делают в субботу то, чего не должно делать!»	
	Но говорю вам, что здесь Тот, Кто больше храма; если бы вы знали, что значит: «Милости хочу, а не жертвы», — то не осудили бы невиновных.
Он же сказал им: «Разве вы не читали, что сделал Давид, когда взалкал сам и бывшие с ним? Как он вошёл в дом Божий при первосвященнике Авиафаре и ел хлебы предложения, которых не должно было есть ни ему, ни бывшим с ним, а только	
	Суббота для человека, а не человек для субботы; посему Сын Человеческий есть господин и субботы».

110. ИСЦЕЛЕНИЕ ЧЕЛОВЕКА С СУХОЙ РУКОЙ
Галилея

Матфея.12:09-13	*Марка.03:01-05*	*Луки.06:06-10*
[9] И, отойдя оттуда, вошел Он в	[1] И пришел опять в синагогу; там	[6] Случилось же и в другую суб-

---

177 *Марка.02:18-22 (Вопрос о посте учеников Иоанна), стр. 40.*

178 *Луки.05:33-39 (Вопрос о посте учеников Иоанна), стр. 40.*

синагогу их. ¹⁰ И вот, там был человек, имеющий сухую руку. И спросили Иисуса, чтобы обвинить Его: можно ли исцелять в субботы? ¹¹ Он же сказал им: кто из вас, имея одну овцу, если она в субботу упадет в яму, не возьмет ее и не вытащит? ¹² Сколько же лучше человек овцы! Итак можно в субботы делать добро. ¹³ Тогда говорит человеку тому: протяни руку твою. И он протянул, и стала она здорова, как другая.	был человек, имевший иссохшую руку. ² И наблюдали за Ним, не исцелит ли его в субботу, чтобы обвинить Его. ³ Он же говорит человеку, имевшему иссохшую руку: стань на средину. ⁴ А им говорит: должно ли в субботу добро делать, или зло делать? Душу спасти, или погубить? Но они молчали. ⁵ И, воззрев на них с гневом, скорбя об ожесточении сердец их, говорит тому человеку: протяни руку твою. Он протянул, и стала рука его здорова, как другая.	боту войти Ему в синагогу и учить. Там был человек, у которого правая рука была сухая. ⁷ Книжники же и фарисеи наблюдали за Ним, не исцелит ли в субботу, чтобы найти обвинение против Него. ⁸ Но Он, зная помышления их, сказал человеку, имеющему сухую руку: встань и выступи на средину. И он встал и выступил. ⁹ Тогда сказал им Иисус: спрошу Я вас: что должно делать в субботу? Добро, или зло? Спасти душу, или погубить? Они молчали. ¹⁰ И, посмотрев на всех их, сказал тому человеку: протяни руку твою. Он так и сделал; и стала рука его здорова, как другая.

Случилось же и в другую субботу войти Ему в синагогу и учить. Там был человек, у которого правая рука была сухая. И спросили Иисуса, можно ли исцелять в субботы? Книжники же и фарисеи наблюдали за Ним, не исцелит ли в субботу, чтобы найти обвинение против Него. Но Он, зная помышления их, сказал человеку, имеющему сухую руку: «Встань и выступи на средину». И он встал и выступил.	Тогда сказал им Иисус: «Спрошу Я вас: что должно делать в субботу? Добро или зло? Спасти душу или погубить? Кто из вас, имея одну овцу, если она в субботу упадёт в яму, не возьмёт её и не вытащит? Сколько же лучше человек овцы! Итак, можно в субботы делать добро». И, посмотрев на них с гневом, скорбя об ожесточении сердец их, сказал тому человеку: «Протяни руку твою». Он так и сделал; и стала рука его здорова, как другая.

111. СОВЕЩАНИЕ ФАРИСЕЕВ С ИРОДИАНАМИ
Галилея

Матфея.12:14а	*Марка.03:06*	*Луки.06:11*
¹⁴ᵃ Фарисеи же, выйдя, имели совещание против Него, как бы погубить Его.	⁶ Фарисеи, выйдя, немедленно составили с иродианами совещание против Него, как бы погубить Его.	¹¹ Они же пришли в бешенство и говорили между собою, что бы им сделать с Иисусом. ¹² … ¹⁷⁹

Они же пришли в бешенство и говорили между собою, что бы им сделать с Иисусом.	Выйдя, фарисеи имели совещание с иродианами против Него, как бы погубить Его.

---

179 *Луки.06:12-16 (Избрание двенадцати учеников), стр. 42.*

112. ИИСУС УДАЛЯЕТСЯ К МОРЮ И ИСЦЕЛЯЕТ МНОГИХ
Галилея

Матфея.12:14б-21	*Марка.03:07-12*
[14б] Но Иисус, узнав, удалился оттуда.	[7] Но Иисус с учениками Своими удалился к морю; и за Ним последовало множество народа из Галилеи, Иудеи
[15] И последовало за Ним множество народа, и Он исцелил их всех	[8] Иерусалима, Идумеи и из-за Иордана. И *живущие* в окрестностях Тира и Сидона, услышав, что Он делал, шли к Нему в великом множестве.
[16] и запретил им объявлять о Нем	
[17] да сбудется реченное через пророка Исаию, который говорит:	[9] И сказал ученикам Своим, чтобы готова была для Него лодка по причине многолюдства, дабы не теснили Его.
[18] «Се, Отрок Мой, Которого Я избрал, Возлюбленный Мой, Которому благоволит душа Моя. Положу дух Мой на Него, и возвестит народам суд;	[10] Ибо многих Он исцелил, так что имевшие язвы бросались к Нему, чтобы коснуться Его.
[19] не воспрекословит, не возопиет, и никто не услышит на улицах голоса Его;	[11] И духи нечистые, когда видели Его, падали пред Ним и кричали: Ты Сын Божий.
[20] трости надломленной не переломит, и льна курящегося не угасит, доколе не доставит суду победы;	[12] Но Он строго запрещал им, чтобы не делали Его известным.
[21] и на имя Его будут уповать народы».	
[22] ... [180]	[13] ... [181]

Но Иисус с учениками Своими удалился к морю; и за Ним последовало множество народа из Галилеи, Иудеи, Иерусалима, Идумеи и из-за Иордана. И *живущие* в окрестностях Тира и Сидона, услышав, что Он делал, шли к Нему в великом множестве.

И сказал ученикам Своим, чтобы готова была для Него лодка по причине многолюдства, дабы не теснили Его. Ибо многих Он исцелил, так что имевшие язвы бросались к Нему, чтобы коснуться Его. И духи нечистые, когда видели Его, падали пред Ним и кричали: «Ты Сын Божий». Но Он строго запрещал им, чтобы не делали Его известным.

Да сбудется речённое через пророка Исаию, который говорит: «Се, Отрок Мой, Которого Я избрал, Возлюбленный Мой, Которому благоволит душа Моя. Положу дух Мой на Него, и возвестит народам суд; не воспрекословит, не возопиет, и никто не услышит на улицах голоса Его; трости надломленной не переломит, и льна курящегося не угасит, доколе не доставит суду победы; и на имя Его будут уповать народы».

113. ИСЦЕЛЕНИЕ ОДЕРЖИМОГО СЛЕПОГО И НЕМОГО
Галилея

а. Иисус с учениками в доме

Марка.03:20	
	[20] Приходят в дом; и опять сходится народ, так что им невозможно было и хлеба есть.
[19] ... [182]	[21] ... [183]

---

180 *Матфея.12:22-23 (Исцеление бесноватого слепого и немого), стр. 63.*
181 *Марка.03:13-19 (Избрание двенадцати учеников), стр. 42.*
182 *Марка.03:13-19 (Избрание двенадцати учеников), стр. 42.*
183 *Марка.03:21 (Реакция ближних на Иисуса), стр. 63.*

б.   Исцеление бесноватого слепого и немого

Матфея.12:22-23	Луки.11:14
21 ... [184]	13 ... [185]
22 Тогда привели к Нему бесноватого слепого и немого; и исцелил его, так что слепой и немой стал и говорить и видеть. 23 И дивился весь народ и говорил: не это ли Христос, сын Давидов?	14 Однажды изгнал Он беса, который был нем; и когда бес вышел, немой стал говорить; и народ удивился. 15 ... [186]

Тогда привели к Нему бесноватого слепого и немого; и исцелил его, так что слепой и немой стал и говорить, и видеть.	И дивился весь народ и говорил: «Не это ли Христос, сын Давидов?»

в.   Реакция ближних на Иисуса

Марка.03:21	
20 ... [187]	21 И, услышав, ближние Его пошли взять Его, ибо говорили, что Он вышел из себя.

г.   Сила Иисуса по изгнанию бесов

Матфея.12:24-30	Марка.03:22-27	Луки.11:15
23 ... [188]	22 А книжники, пришедшие из Иерусалима, говорили, что Он имеет в Себе веельзевула и что изгоняет бесов силою бесовского князя.	14 ... [192]
24 Фарисеи же, услышав сие, сказали: Он изгоняет бесов не иначе, как силою веельзевула, князя бесовского.		15 Некоторые же из них говорили: Он изгоняет бесов силою веельзевула, князя бесовского. 16 ... [193]
25 Но Иисус, зная помышления их, сказал им: всякое царство, разделившееся само в себе, опустеет; и всякий город или дом, разделившийся сам в себе, не устоит.	23 И, призвав их, говорил им притчами: как может сатана изгонять сатану?	Луки.11:17-23
26 И если сатана сатану изгоняет, то он разделился сам с собою: как же устоит царство его?	24 Если царство разделится само в себе, не может устоять царство то;	17 Но Он, зная помышления их, сказал им: всякое царство, разделившееся само в себе, опустеет, и дом, разделившийся сам в себе, падет;
27 И если Я силою веельзевула изгоняю бесов, то сыновья ваши чьею силою изгоняют? Посему они будут вам судьями.	25 и если дом разделится сам в себе, не может устоять дом тот;	18 если же и сатана разделится сам в себе, то как устоит царство его? А вы говорите, что Я силою веельзевула изгоняю бесов;
28 Если же Я Духом Божиим изгоняю бесов, то конечно достигло	26 и если сатана восстал на самого себя и разделился, не может устоять, но пришел конец его. 27 Никто, войдя в дом сильного, не может расхитить вещей его, если прежде не свяжет сильного,	19 и если Я силою веельзевула изгоняю бесов, то сыновья ваши чьею силою изгоняют их? Посему

184 Матфея.12:14б-21 (Иисус удаляется к морю и исцеляет многих), стр. 62.

185 Луки.11:09-13 (Просите и ищите), стр. 136.

186 Луки.11:15 (Сила Иисуса по изгнанию бесов), стр. 63.

187 Марка.03:20 (Иисус с учениками в доме), стр. 62.

188 Матфея.12:22-23 (Исцеление бесноватого слепого и немого), стр. 63.

до вас Царствие Божие. ²⁹ Или, как может кто войти в дом сильного и расхитить вещи его, если прежде не свяжет сильного? И тогда расхитит дом его. ³⁰ Кто не со Мною, тот против Меня; и кто не собирает со Мною, тот расточает.[189] ³¹ ... [190]	и тогда расхитит дом его. ²⁸ ... [191]	они будут вам судьями. ²⁰ Если же Я перстом Божиим изгоняю бесов, то, конечно, достигло до вас Царствие Божие. ²¹ Когда сильный с оружием охраняет свой дом, тогда в безопасности его имение; ²² когда же сильнейший его нападет на него и победит его, тогда возьмет все оружие его, на которое он надеялся, и разделит похищенное у него. ²³ Кто не со Мною, тот против Меня; и кто не собирает со Мною, тот расточает.[189]

А книжники, пришедшие из Иерусалима, говорили, что Он имеет *в Себе* веельзевула и что изгоняет бесов силою бесовского князя. Но Он, зная помышления их, сказал им притчею: «Всякое царство, разделившееся само в себе, опустеет, и всякий город или дом, разделившийся сам в себе, падёт; если же и сатана разделится сам в себе, то как устоит царство его? А вы говорите, что Я силою веельзевула изгоняю бесов; и если Я силою веельзевула изгоняю бесов, то сыновья ваши чьею силою изгоняют их? Посему	они будут вам судьями. Если же Я перстом Божиим изгоняю бесов, то, конечно, достигло до вас Царствие Божие. Когда сильный с оружием охраняет свой дом, тогда в безопасности его имение; когда же сильнейший его нападёт на него и победит его, тогда возьмёт все оружие его, на которое он надеялся, и разделит похищенное у него. Кто не со Мною, тот против Меня; и кто не собирает со Мною, тот расточает».

д. Нечистый дух после выхода из человека

Матфея.12:43-45	*Луки.11:24-26*
⁴² ... [194] ⁴³ Когда нечистый дух выйдет из человека, то ходит по безводным местам, ища покоя, и не находит; ⁴⁴ тогда говорит: «возвращусь в дом мой, откуда я вышел». И, придя, находит его незанятым, выметенным и убранным; ⁴⁵ тогда идет и берет с собою семь других духов, злейших себя, и, войдя, живут там; и бывает для человека того последнее хуже первого. Так будет и с этим злым родом.	²⁴ Когда нечистый дух выйдет из человека, то ходит по безводным местам, ища покоя, и, не находя, говорит: «возвращусь в дом мой, откуда вышел»; ²⁵ и, придя, находит его выметенным и убранным; ²⁶ тогда идет и берет с собою семь других духов, злейших себя, и, войдя, живут там, — и бывает для человека того последнее хуже первого.

189 *Иисус сказал похожее, беседуя с учениками в Капернауме, Галилее (Марка.09:38-40 и Луки.09:49-50 (Кто не против, тот за), стр. 122).*

193 *Луки.11:16 (От Иисуса просят знамения; суд с родом этим), стр. 66.*

192 *Луки.11:14 (Исцеление бесноватого слепого и немого), стр. 63.*

190 *Матфея.12:31-32 (Хула на Духа Святого), стр. 65.*

191 *Марка.03:28-30 (Хула на Духа Святого), стр. 65.*

194 *Матфея.12:38-42 (От Иисуса просят знамения; суд с родом этим), стр. 66.*

46 ... [195]	
«Когда нечистый дух выйдет из человека, то ходит по безводным местам, ища покоя, и, не находя, говорит: «Возвращусь в дом мой, откуда я вышел», — и, придя, находит его не занятым, выметенным и убранным.	Тогда идёт и берет с собою семь других духов, злейших себя, и, войдя, живут там, — и бывает для человека того последнее хуже первого. Так будет и с этим злым родом».

е. Блаженство слышащих и соблюдающих Слово Божие

Луки.11:27-28 [27] Когда же Он говорил это, одна женщина, возвысив голос из народа, сказала Ему: блаженно чре-	во, носившее Тебя, и сосцы, Тебя питавшие! [28] А Он сказал: блаженны слышащие слово Божие и соблюдающие его. 29 ... [196]

ж. Хула на Духа Святого[197]

Матфея.12:31-32	*Марка.03:28-30*
30 ... [198] [31] Посему говорю вам: всякий грех и хула простятся человекам, а хула на Духа не простится человекам; [32] если кто скажет слово на Сына Человеческого, простится ему; если же кто скажет на Духа Святого, не простится ему ни в сем веке, ни в будущем.	27 ... [199] [28] Истинно говорю вам: будут прощены сынам человеческим все грехи и хуления, какими бы ни хулили; [29] но кто будет хулить Духа Святого, тому не будет прощения вовек, но подлежит он вечному осуждению. [30] *Сие сказал Он*, потому что говорили: в Нем нечистый дух. 31 ... [200]

«Истинно говорю вам: будут прощены сынам человеческим все грехи и хуления, какими бы ни хулили; но кто будет хулить Духа Святого, тому не будет прощения вовек, но подлежит он вечному осуждению. Если кто скажет слово на Сына Человеческого, простится ему; если же кто скажет на	Духа Святого, не простится ему ни в сем веке, ни в будущем». *Сие сказал Он*, потому что говорили: «В Нем нечистый дух».

---

195 *Матфея.12:46-50 (Мать и братья Иисуса желают видеть Его), стр. 67.*

196 *Луки.11:29-36 (От Иисуса просят знамения; суд с родом этим), стр. 66.*

197 *Иисус сказал похожее в Своей проповеди в Иудее, восходя в Иерусалим (Луки.12:08-10 (Исповедание Иисуса и хула на Духа Святого), стр. 137).*

198 *Матфея.12:24-30 (Сила Иисуса по изгнанию бесов), стр. 63.*

199 *Марка.03:22-27 (Сила Иисуса по изгнанию бесов), стр. 63.*

200 *Марка.03:31-35 (Мать и братья Иисуса желают видеть Его), стр. 67.*

з. Признание дерева по плоду[201]

Матфея.12:33-37	
33 Или признайте дерево хорошим и плод его хорошим; или признайте дерево худым и плод его худым, ибо дерево познается по плоду. 34 Порождения ехиднины! Как вы можете говорить доброе, будучи злы? Ибо от избытка сердца говорят уста.	35 Добрый человек из доброго сокровища выносит доброе, а злой человек из злого сокровища выносит злое. 36 Говорю же вам, что за всякое праздное слово, какое скажут люди, дадут они ответ в день суда: 37 ибо от слов своих оправдаешься, и от слов своих осудишься.

и. От Иисуса просят знамения[202]; суд с родом этим

Матфея.12:38-42	*Луки.11:16*
38 Тогда некоторые из книжников и фарисеев сказали: Учитель! Хотелось бы нам видеть от Тебя знамение. 39 Но Он сказал им в ответ: род лукавый и прелюбодейный ищет знамения; и знамение не дастся ему, кроме знамения Ионы пророка; 40 ибо как Иона был во чреве кита три дня и три ночи, так и Сын Человеческий будет в сердце земли три дня и три ночи. 41 Ниневитяне восстанут на суд с родом сим и осудят его, ибо они покаялись от проповеди Иониной; и вот, здесь больше Ионы. 42 Царица южная восстанет на суд с родом сим и осудит его, ибо она приходила от пределов земли послушать мудрости Соломоновой; и вот, здесь больше Соломона. 43 … [203]	15 … [204] 16 А другие, искушая, требовали от Него знамения с неба. 17 … [205] *Луки.11:29-36* 28 … [206] 29 Когда же народ стал сходиться во множестве, Он начал говорить: род сей лукав, он ищет знамения, и знамение не дастся ему, кроме знамения Ионы пророка; 30 ибо как Иона был знамением для Ниневитян, так будет и Сын Человеческий для рода сего. 31 Царица южная восстанет на суд с людьми рода сего и осудит их, ибо она приходила от пределов земли послушать мудрости Соломоновой; и вот, здесь больше Соломона. 32 Ниневитяне восстанут на суд с родом сим и осудят его, ибо они покаялись от проповеди Иониной, и вот, здесь больше Ионы. 33 Никто, зажегши свечу, не ставит ее в сокровенном месте, ни под сосудом, но на подсвечнике, чтобы входящие видели свет.[207] 34 Светильник тела есть око; итак, если око твое будет чисто, то и все тело твое будет светло; а

---

201 *Иисус сказал похожее в Своей Нагорной проповеди (Матфея.07:15-20 и Луки.06:43-45 (Плоды), стр. 51).*

202 *У Иисуса ещё раз требовали знамения, когда Он проповедовал в синагоге в Капернауме (Иоанна.06:30-34 (Хлеб, сошедший с небес), стр. 97) и когда Иисус был в пределах Магдалинских (Матфея.16:01-04 и Марка.08:09б-13а (Фарисеи и саддукеи просят знамения с неба), стр. 112).*

203 *Матфея.12:43-45 (Нечистый дух после выхода из человека), стр. 64.*

204 *Луки.11:15 (Сила Иисуса по изгнанию бесов), стр. 63.*

205 *Луки.11:17-23 (Сила Иисуса по изгнанию бесов), стр. 63.*

206 *Луки.11:27-28 (Блаженство слышащих и соблюдающих Слово Божие), стр. 65.*

207 *Иисус сказал похожее в Своей Нагорной проповеди (Матфея.05:13-16 (Соль земли и свет мира), стр. 45) и когда объяснял значение притчи о сеятеле (Марка.04:13-25 и Луки.08:11-18 (Значение притчи о сеятеле), стр. 71).*

	если оно будет худо, то и тело твое будет темно. [35] Итак, смотри: свет, который в тебе, не есть ли тьма? [36] Если же тело твое все светло и не имеет ни одной темной части, то будет светло все так, как бы светильник освещал тебя сиянием.[208] [37] … [209]

Тогда некоторые из книжников и фарисеев сказали: «Учитель! Хотелось бы нам видеть от Тебя знамение».	Ниневитяне восстанут на суд с родом сим и осудят его, ибо они покаялись от проповеди Иониной, и вот, здесь больше Ионы.
Когда же народ стал сходиться во множестве, Он начал говорить: «Род сей лукав, он ищет знамения, и знамение не дастся ему, кроме знамения Ионы пророка; ибо как Иона был во чреве кита три дня и три ночи, так и Сын Человеческий будет в сердце земли три дня и три ночи.	Никто, зажёгши свечу, не ставит её в сокровенном месте, ни под сосудом, но на подсвечнике, чтобы входящие видели свет.
Царица южная восстанет на суд с людьми рода сего и осудит их, ибо она приходила от пределов земли послушать мудрости Соломоновой; и вот, здесь больше Соломона.	Светильник тела есть око; итак, если око твоё будет чисто, то и все тело твоё будет светло; а если оно будет худо, то и тело твоё будет темно. Итак, смотри: свет, который в тебе, не есть ли тьма? Если же тело твоё все светло и не имеет ни одной тёмной части, то будет светло все так, как бы светильник освещал тебя сиянием».

114. МАТЬ И БРАТЬЯ ИИСУСА ЖЕЛАЮТ ВИДЕТЬ ЕГО
Галилея

Матфея.12:46-50	*Марка.03:31-35*	*Луки.08:19-21*
[45] … [210]	[30] … [213]	[18] … [215]
[46] Когда же Он еще говорил к народу, Матерь и братья Его стояли вне *дома*, желая говорить с Ним.	[31] И пришли Матерь и братья Его и, стоя вне *дома*, послали к Нему звать Его.	[19] И пришли к Нему Матерь и братья Его, и не могли подойти к Нему по причине народа.
[47] И некто сказал Ему: вот Матерь Твоя и братья Твои стоят вне, желая говорить с Тобою.[211]	[32] Около Него сидел народ. И сказали Ему: вот, Матерь Твоя и братья Твои и сестры Твои, вне *дома*, спрашивают Тебя.[211]	[20] И дали знать Ему: Матерь и братья Твои стоят вне, желая видеть Тебя.[211]
[48] Он же сказал в ответ говорившему: кто Матерь Моя? И кто братья Мои?	[33] И отвечал им: кто матерь Моя и братья Мои?	[21] Он сказал им в ответ: матерь Моя и братья Мои суть слушающие слово Божие и исполняющие его.
[49] И, указав рукою Своею на учеников Своих, сказал: вот матерь Моя и братья Мои;	[34] И обозрев сидящих вокруг Себя, говорит: вот матерь Моя и братья Мои;	[22] … [216]
[50] ибо, кто будет исполнять волю Отца Моего Небесного, тот Мне брат, и сестра, и матерь.	[35] ибо кто будет исполнять волю Божию, тот Мне брат, и сестра, и матерь.	
[13:1] … [212]	[4:1] … [214]	

---

208 *Иисус сказал похожее в Своей Нагорной проповеди (Матфея.06:22-23 (Светильник для тела), стр. 49).*

209 *Луки.11:37 (На обеде у фарисея), стр. 68.*

210 *Матфея.12:43-45 (Нечистый дух после выхода из человека), стр. 64.*

211 *Матфей пишет, что «некто» сказал, что к Нему пришли, а Марк и Лука говорят, что народ. Марк говорит, что к Иисусу пришли Его сестры — Матфей и Лука не упоминают сестёр.*

Когда же Он ещё говорил к народу, Матерь и братья Его пришли и не могли подойти к Нему по причине народа, и стояли вне *дома*, желая говорить с Ним, и послали к Нему звать Его. Около Него сидел народ. И некто сказал Ему: «Вот Матерь Твоя и братья Твои, и сестры Твои стоят вне дома, спрашивают Тебя, желая говорить	с Тобою». Он же сказал в ответ говорившему: «Кто Матерь Моя? И кто братья Мои? И обозрев сидящих вокруг и указав рукою Своею на учеников Своих, сказал: «Вот матерь Моя и братья Мои; ибо кто будет исполнять волю Отца Моего Небесного, тот Мне брат, и сестра, и матерь».

115. НА ОБЕДЕ У ФАРИСЕЯ
Галилея

Луки.11:37	36 ... [217] 37 Когда Он говорил это, один фарисей просил Его к себе обедать. Он пришел и возлег.

а. Неумытые руки[218]

Луки.11:38-41	ность ваша исполнена хищения и лукавства. 40 Неразумные! Не Тот же ли, Кто сотворил внешнее, сотворил и внутреннее? 41 Подавайте лучше милостыню из того, что у вас есть, тогда все будет у вас чисто.
38 Фарисей же удивился, увидев, что Он не умыл *рук* перед обедом. 39 Но Господь сказал ему: ныне вы, фарисеи, внешность чаши и блюда очищаете, а внутрен-	

б. Иисус упрекает фарисеев и законников[219]

Луки.11:42-52	лагаете на людей бремена неудобоносимые, а сами и одним перстом своим не дотрагиваетесь до них.
42 Но горе вам, фарисеям, что даете десятину с мяты, руты и всяких овощей, и нерадите о суде и любви Божией: сие надлежало делать, и того не оставлять. 43 Горе вам, фарисеям, что любите председания в синагогах и приветствия в народных собраниях. 44 Горе вам, книжники и фарисеи, лицемеры, что вы — как гробы скрытые, над которыми люди ходят и не знают того. 45 На это некто из законников сказал Ему: Учитель! Говоря это, Ты и нас обижаешь. 46 Но Он сказал: и вам, законникам, горе, что на-	47 Горе вам, что строите гробницы пророкам, которых избили отцы ваши: 48 сим вы свидетельствуете о делах отцов ваших и соглашаетесь с ними, ибо они избили пророков, а вы строите им гробницы. 49 Потому и премудрость Божия сказала: пошлю к ним пророков и Апостолов, и из них одних убьют, а других изгонят; 50 да взыщется от рода сего кровь всех пророков, пролитая от создания мира,

---

212 *Матфея.13:01-02 (Иисус учит у моря), стр. 69.*

213 *Марка.03:28-30 (Хула на Духа Святого), стр. 65.*

214 *Марка.04:01 (Иисус учит у моря), стр. 69.*

215 *Луки.08:11-18 (Значение притчи о сеятеле) стр. 71.*

216 *Луки.08:22-25 (Успокоение бури), стр. 76.*

217 *Луки.11:29-36 (От Иисуса просят знамения; суд с родом этим), стр. 66.*

218 *Иисус сказал похоже, когда был спрошен, почему Его ученики едят хлеб неумытыми руками (Матфея.15:01-11 и Марка.07:01-16 (Ученики едят хлеб неумытыми руками), стр. 107).*

219 *Иисус, когда был уже в Иерусалиме до распятия, ещё раз упрекал книжников и фарисеев (Матфея.23:01-39, Марка.12:38-40, и Луки.20:45-47 (Иисус говорит о книжниках и фарисеях), стр. 170).*

51 от крови Авеля до крови Захарии, убитого между жертвенником и храмом. Ей, говорю вам, взыщется от рода сего.	52 Горе вам, законникам, что вы взяли ключ разумения: сами не вошли, и входящим воспрепятствовали.

в. Книжники и фарисеи провоцируют Иисуса

Луки.11:53-54 53 Когда Он говорил им это, книжники и фарисеи начали сильно приступать к Нему, вынуждая у	Него ответы на многое 54 подыскиваясь под Него и стараясь уловить что-нибудь из уст Его, чтобы обвинить Его. 12:1 ... 220

116. ИИСУС УЧИТ У МОРЯ
У моря, Галилея

Матфея.13:01-02	Марка.04:01	Луки.08:04
12:45 ... 221 1 Выйдя же в день тот из дома, Иисус сел у моря. 2 И собралось к Нему множество народа, так что Он вошел в лодку и сел; а весь народ стоял на берегу.	3:35 ... 222 1 И опять начал учить при море; и собралось к Нему множество народа, так что Он вошел в лодку и сидел на море, а весь народ был на земле, у моря.	3 ... 223 4 Когда же собралось множество народа, и из всех городов жители сходились к Нему, Он начал говорить притчею:

Выйдя же в день тот из дома, Иисус сел у моря и начал учить. И собралось к Нему множество народа, и из всех	городов жители сходились к Нему, так что Он вошёл в лодку и сел; а весь народ стоял на берегу.

а. Притча о сеятеле

Матфея.13:03-09	Марка.04:02-09	Луки.08:05-08
3 И поучал их много притчами, говоря: вот, вышел сеятель сеять; 4 и когда он сеял, иное упало при дороге, и налетели птицы и поклевали то;224 5 иное упало на места каменистые, где немного было земли, и скоро взошло, потому что земля была неглубока.	2 И учил их притчами много, и в учении Своем говорил им: 3 слушайте: вот, вышел сеятель сеять; 4 и, когда сеял, случилось, что иное упало при дороге, и налетели птицы и поклевали то.224 5 Иное упало на каменистое место, где немного было земли, и скоро взошло, потому что земля	5 вышел сеятель сеять семя свое, и когда он сеял, иное упало при дороге и было потоптано, и птицы небесные поклевали его;224 6 а иное упало на камень и, взойдя, засохло, потому что не имело влаги; 7 а иное упало между тернием, и выросло терние и заглушило его;

---

220 *Луки.12:01-03 (Закваска фарисейская), стр. 136.*

221 *Матфея.12:43-45 (Нечистый дух после выхода из человека), стр. 64.*

222 *Марка.03:31-35 (Мать и братья Иисуса желают видеть Его), стр. 67.*

223 *Луки.08:01-03 (Иисус благовествует Царствие Божие с учениками и женщинами), стр. 59.*

224 *Лука говорит, что семя, которое упало на каменистые места, было не только поклёвано птицами, но и потоптано людьми.*

⁶ Когда же взошло солнце, увяло, и, как не имело корня, засохло; ⁷ иное упало в терние, и выросло терние и заглушило его; ⁸ иное упало на добрую землю и принесло плод: одно во сто крат, а другое в шестьдесят, иное же в тридцать. ⁹ Кто имеет уши слышать, да слышит!	была неглубока; ⁶ когда же взошло солнце, увяло и, как не имело корня, засохло. ⁷ Иное упало в терние, и терние выросло, и заглушило семя, и оно не дало плода. ⁸ И иное упало на добрую землю и дало плод, который взошел и вырос, и принесло иное тридцать, иное шестьдесят, и иное сто. ⁹ И сказал им: кто имеет уши слышать, да слышит!	⁸ а иное упало на добрую землю и, взойдя, принесло плод сторичный. Сказав сие, возгласил: кто имеет уши слышать, да слышит!

И учил их притчами много, и в учении Своём говорил им: «Слушайте: вот, вышел сеятель сеять; и когда сеял, случилось, что иное упало при дороге и было потоптано, и налетели птицы небесные и поклевали то. Иное упало на каменистое место, где не много было земли, и скоро взошло, потому что земля была неглубока; когда же взошло солн-	це, увяло и, как не имело корня, засохло. Иное упало между тернием, и терние выросло и заглушило семя, и оно не дало плода. И иное упало на добрую землю и дало плод, который взошёл и вырос, и принесло иное тридцать, иное шестьдесят, и иное сто. И сказал им: кто имеет уши слышать, да слышит!»

б. Почему Иисус говорит притчами

Матфея.13:10-17	*Марка.04:10-12*	*Луки.08:09-10*
¹⁰ И, приступив, ученики сказали Ему: для чего притчами говоришь им?[225] ¹¹ Он сказал им в ответ: для того, что вам дано знать тайны Царствия Небесного, а им не дано, ¹² ибо кто имеет, тому дано будет и приумножится, а кто не имеет, у того отнимется и то, что имеет;[226] ¹³ потому говорю им притчами, что они видя не видят, и слыша не слышат, и не разумеют; ¹⁴ и сбывается над ними пророчество Исаии, которое говорит: «слухом услышите — и не уразумеете, и глазами смотреть будете — и не увидите, ¹⁵ ибо огрубело сердце людей	¹⁰ Когда же остался без народа, окружающие Его, вместе с двенадцатью, спросили Его о притче.[225] ¹¹ И сказал им: вам дано знать тайны Царствия Божия, а тем внешним все бывает в притчах; ¹² так что они своими глазами смотрят, и не видят; своими ушами слышат, и не разумеют, да не обратятся, и прощены будут им грехи.	⁹ Ученики же Его спросили у Него: что бы значила притча сия?[225] ¹⁰ Он сказал: вам дано знать тайны Царствия Божия, а прочим в притчах, так что они видя не видят и слыша не разумеют.

---

225 *Матфей говорит, что окружающие и ученики приступили к Иисусу для того, чтоб спросить, почему Он учит притчами, а Марк и Лука говорят, что они приступили, чтоб спросить, что означала притча о сеятеле.*

226 *Иисус сказал похожее, объясняя значение притчи о сеятеле (Марка.04:13-25 и Луки.08:11-18 (Значение притчи о сеятеле), стр. 71) и в притче о правителе и распоряжении мин (Луки.19:11-28 (Притча о правителе и распределении мин), стр. 151).*

сих и ушами с трудом слышат, и глаза свои сомкнули, да не увидят глазами и не услышат ушами, и не уразумеют сердцем, и да не обратятся, чтобы Я исцелил их». ¹⁶ Ваши же блаженны очи, что видят, и уши ваши, что слышат, ¹⁷ ибо истинно говорю вам, что многие пророки и праведники желали видеть, что вы видите, и не видели, и слышать, что вы слышите, и не слышали.		

Когда же остался без народа, окружающие Его, вместе с двенадцатью, приступив, сказали Ему: «Для чего притчами говоришь им? Что бы значила притча сия?» Он сказал им в ответ: «Для того, что вам дано знать тайны Царствия Небесного, а тем внешним все бывает в притчах, ибо кто имеет, тому дано будет и приумножится, а кто не имеет, у того отнимется и то, что имеет. Потому говорю им притчами, что они видя не видят, и слыша не слышат, и не разумеют; и сбыва-	ется над ними пророчество Исаии, которое говорит: «Слухом услышите — и не уразумеете, и глазами смотреть будете — и не увидите, ибо огрубело сердце людей сих, и ушами с трудом слышат, и глаза свои сомкнули, да не увидят глазами и не услышат ушами, и не уразумеют сердцем, и да не обратятся, чтобы Я исцелил их». Ваши же блаженны очи, что видят, и уши ваши, что слышат, ибо истинно говорю вам, что многие пророки и праведники желали видеть, что вы видите, и не видели, и слышать, что вы слышите, и не слышали».

в. Значение притчи о сеятеле

Матфея.13:18-23	Марка.04:13-25	Луки.08:11-18
¹⁸ Вы же выслушайте значение притчи о сеятеле: ¹⁹ ко всякому, слушающему слово о Царствии и не разумеющему, приходит лукавый и похищает посеянное в сердце его — вот кого означает посеянное при дороге. ²⁰ А посеянное на каменистых местах означает того, кто слышит слово и тотчас с радостью принимает его; ²¹ но не имеет в себе корня и непостоянен: когда настанет скорбь или гонение за слово, тотчас соблазняется. ²² А посеянное в тернии означает того, кто слышит слово, но забота века сего и обольщение	¹³ И говорит им: не понимаете этой притчи? Как же вам уразуметь все притчи? ¹⁴ Сеятель слово сеет. ¹⁵ Посеянное при дороге означает тех, в которых сеется слово, но к которым, когда услышат, тотчас приходит сатана и похищает слово, посеянное в сердцах их. ¹⁶ Подобным образом и посеянное на каменистом месте означает тех, которые, когда услышат слово, тотчас с радостью принимают его, ¹⁷ но не имеют в себе корня и непостоянны; потом, когда настанет скорбь или гонение за слово, тотчас соблазняются. ¹⁸ Посеянное в тернии означает	¹¹ Вот что значит притча сия: семя есть слово Божие; ¹² а упавшее при пути, это суть слушающие, к которым потом приходит диавол и уносит слово из сердца их, чтобы они не уверовали и не спаслись; ¹³ а упавшее на камень, это те, которые, когда услышат слово, с радостью принимают, но которые не имеют корня, и временем веруют, а во время искушения отпадают; ¹⁴ а упавшее в терние, это те, которые слушают слово, но, отходя, заботами, богатством и наслаждениями житейскими подавляются и не приносят плода; ¹⁵ а упавшее на добрую землю,

богатства заглушает слово, и оно бывает бесплодно.

²³ Посеянное же на доброй земле означает слышащего слово и разумеющего, который и бывает плодоносен, так что иной приносит плод во сто крат, иной в шестьдесят, а иной в тридцать.

слышащих слово,

¹⁹ но в которых заботы века сего, обольщение богатством и другие пожелания, входя в них, заглушают слово, и оно бывает без плода.

²⁰ А посеянное на доброй земле означает тех, которые слушают слово и принимают, и приносят плод, один в тридцать, другой в шестьдесят, иной во сто крат.

²¹ И сказал им: для того ли приносится свеча, чтобы поставить ее под сосуд или под кровать? Не для того ли, чтобы поставить ее на подсвечнике?²²⁷

²² Нет ничего тайного, что не сделалось бы явным, и ничего не бывает потаенного, что не вышло бы наружу.²²⁸

²³ Если кто имеет уши слышать, да слышит!

²⁴ И сказал им: замечайте, что слышите: какою мерою мерите, такою отмерено будет вам и прибавлено будет вам, слушающим.²²⁹

²⁵ Ибо кто имеет, тому дано будет, а кто не имеет, у того отнимется и то, что имеет.²³⁰

это те, которые, услышав слово, хранят его в добром и чистом сердце и приносят плод в терпении. Сказав это, Он возгласил: кто имеет уши слышать, да слышит!

¹⁶ Никто, зажегши свечу, не покрывает ее сосудом, или не ставит под кровать, а ставит на подсвечник, чтобы входящие видели свет.

¹⁷ Ибо нет ничего тайного, что не сделалось бы явным, ни сокровенного, что не сделалось бы известным и не обнаружилось бы.²²⁹

¹⁸ Итак, наблюдайте, как вы слушаете: ибо, кто имеет, тому дано будет, а кто не имеет, у того отнимется и то, что он думает иметь.²²⁷

¹⁹ … ²³¹

И говорит им: «Не понимаете этой притчи? Как же вам уразуметь все притчи? Выслушайте значение притчи о сеятеле.

Сеятель слово сеет. Семя есть слово Божие.

Посеянное при дороге означает слушающих слово о Царствии и не разумеющих, в которых сеется слово, но к которым, когда услышат, тотчас приходит сатана и похищает слово, посеянное в сердцах их, чтобы они не уверовали и не спаслись.

Подобным образом и посеянное на каменистом месте означает тех, которые, когда услышат слово, тотчас с радостью принимают его, но не имеют в себе корня и непостоянны; потом, когда настанет скорбь, искушение или гонение за слово, тотчас соблазняются и отпадают.

Посеянное в тернии означает слышащих слово, но в которых заботы века сего, обольщение богатством и другие пожелания и наслаждения житейские, входя в них, заглушают слово, и оно бывает без плода».

---

227 *Иисус сказал похожее в Своей Нагорной проповеди (Матфея.05:13-16 (Соль земли и свет мира), стр. 45) и после того, когда исцелил одержимого слепого и немого (Луки.11:29-36 (От Иисуса просят знамения; суд с родом этим), стр. 62).*

228 *Иисус сказал похожее, наставляя двенадцать учеников на проповедь (Матфея.10:26-27 (Нет ничего сокровенного), стр. 86) и проповедуя ученикам на пути в Иерусалим (Луки.12:01-03 (Закваска фарисейская), стр. 136).*

229 *Иисус сказал похожее в Своей Нагорной проповеди (Матфея.07:01-05 и Луки.06:37-42 (Суд ближнего), стр. 50).*

230 *Иисус сказал похожее, объясняя, почему Он говорит притчами (Матфея.13:10-17 (Почему Иисус говорит притчами), стр. 70) и в притче о правителе и распределении мин (Луки.19:11-28 (Притча о правителе и распределении мин), стр. 151).*

231 *Луки.08:19-21 (Мать и братья Иисуса желают видеть Его), стр. 67.*

А посеянное на доброй земле означает тех, которые слушают слово, разумеют и принимают, храня его в добром и чистом сердце, и приносят плод — один в тридцать, другой в шестьдесят, иной во сто крат».

Сказав это, Он возгласил: «Кто имеет уши слышать, да слышит!»

И сказал им: «Для того ли приносится свеча, чтобы поставить её под сосуд или под кровать? Не для того ли, чтобы поставить её на подсвечнике? Нет ничего тайного, что не сделалось бы явным, и ничего не бывает потаённого, что не вышло бы наружу».

И сказал им: «Замечайте, что слышите; какою мерою мерите, такою отмерено будет вам и прибавлено будет вам, слушающим. Ибо кто имеет, тому дано будет, а кто не имеет, у того отнимется и то, что имеет».

г.   Подобие Царства Небесного — плевелы[232]

Матфея.13:24-30	Марка.04:26-29
[24] Другую притчу предложил Он им, говоря: Царство Небесное подобно человеку, посеявшему доброе семя на поле своем;	[26] И сказал: Царствие Божие подобно тому, как если человек бросит семя в землю,
[25] когда же люди спали, пришел враг его и посеял между пшеницею плевелы и ушел;	[27] и спит, и встает ночью и днем; и как семя всходит и растет, не знает он,
[26] когда взошла зелень и показался плод, тогда явились и плевелы.	[28] ибо земля сама собою производит сперва зелень, потом колос, потом полное зерно в колосе.
[27] Придя же, рабы домовладыки сказали ему: «господин! Не доброе ли семя сеял ты на поле твоем? Откуда же на нем плевелы?»	[29] Когда же созреет плод, немедленно посылает серп, потому что настала жатва.
[28] Он же сказал им: «враг человек сделал это». А рабы сказали ему: «хочешь ли, мы пойдем, выберем их?»	
[29] Но он сказал: «нет, — чтобы, выбирая плевелы, вы не выдергали вместе с ними пшеницы,	
[30] оставьте расти вместе то и другое до жатвы; и во время жатвы я скажу жнецам: соберите прежде плевелы и свяжите их в связки, чтобы сжечь их, а пшеницу уберите в житницу мою».	

Другую притчу предложил Он им, говоря: «Царство Небесное подобно человеку, посеявшему доброе семя на поле своём; когда же люди спали, пришел враг его, посеял между пшеницею плевелы и ушёл; когда взошла зелень и показался плод, тогда явились и плевелы.	«Враг человек сделал это». А рабы сказали ему: «Хочешь ли, мы пойдём и выберем их?»
Придя же, рабы домовладыки сказали ему: «Господин! Не доброе ли семя сеял ты на поле твоём? Откуда же на нем плевелы?» Он же сказал им:	Но он сказал: «Нет, чтобы, выбирая плевелы, вы не выдергали вместе с ними пшеницы, оставьте расти вместе то и другое до жатвы; и во время жатвы я скажу жнецам: «Соберите прежде плевелы и свяжите их в связки, чтобы сжечь их, а пшеницу уберите в житницу мою».

---

232 Матфей и Марк как будто говорят о двух разных притчах. Марк, видимо, обобщает и не упоминает ничего про врага и плевелах, тогда как Матфей говорит о том и другом.

д.   Подобие Царства Небесного — горчичное зерно

Матфея.13:31-32	Марка.04:30-32	Луки.13:18-19
[31] Иную притчу предложил Он им, говоря: Царство Небесное подобно зерну горчичному, которое человек взял и посеял на поле своем, [32] которое, хотя меньше всех семян, но, когда вырастет, бывает больше всех злаков и становится деревом, так что прилетают птицы небесные и укрываются в ветвях его. [33] ...[233]	[30] И сказал: чему уподобим Царствие Божие? Или какою притчею изобразим его? [31] Оно — как зерно горчичное, которое, когда сеется в землю, есть меньше всех семян на земле; [32] а когда посеяно, всходит и становится больше всех злаков, и пускает большие ветви, так что под тенью его могут укрываться птицы небесные.	[17] ...[234] [18] Он же сказал: чему подобно Царствие Божие? И чему уподоблю его? [19] Оно подобно зерну горчичному, которое, взяв, человек посадил в саду своем; и выросло, и стало большим деревом, и птицы небесные укрывались в ветвях его.

Иную притчу предложил Он им, говоря: «Чему уподобим Царствие Божие? Или какою притчею изобразим его?	рое, когда сеется в землю, есть меньше всех семян на земле, но когда посеяно и вырастет, бывает больше всех злаков и становится деревом, пуская большие ветви, так что прилетают птицы небесные и укрываются под тенью в ветвях его».
Царство Небесное подобно зерну горчичному, которое человек взял и посеял на поле своём, кото-	

е.   Подобие Царства Небесного — закваска

Матфея.13:33	Луки.13:20-21
[33] Иную притчу сказал Он им: Царство Небесное подобно закваске, которую женщина, взяв, положила в три меры муки, доколе не вскисло все.	[20] Еще сказал: чему уподоблю Царствие Божие? [21] Оно подобно закваске, которую женщина, взяв, положила в три меры муки, доколе не вскисло все. [22] ...[235]

Иную притчу сказал Он им: «Чему уподоблю Царствие Божие?	Царство Небесное подобно закваске, которую женщина, взяв, положила в три меры муки, доколе не вскисло все».

ж.   Иисус говорит народу притчами

Матфея.13:34-35	Марка.04:33-34
[34] Все сие Иисус говорил народу притчами, и без притчи не говорил им [35] да сбудется реченное через пророка, который говорит: «отверзу в притчах уста Мои; изреку сокровенное от создания мира».	[32] ...[236] [33] И таковыми многими притчами проповедывал им слово, сколько они могли слышать. [34] Без притчи же не говорил им, а ученикам наедине изъяснял все. [35] ...[237]

---

233 *Марка.04:33-34 (Иисус говорит народу притчами), стр. 74.*

234 *Луки.13:14-17 (Негодование начальника синагоги), стр. 140.*

235 *Луки.13:22 (Иисус направляет свой путь к Иерусалиму), стр. 141.*

236 *Марка.04:30-32 (Подобие Царства Небесного — горчичное зерно), стр. 74.*

Все сие Иисус говорил народу притчами, сколько они могли слышать. Без притчи же не говорил им, а ученикам наедине изъяснял все.	Да сбудется речённое через пророка, который говорит: «Отверзу в притчах уста Мои; изреку сокровенное от создания мира».

117. ИИСУС ОБЪЯСНЯЕТ ПРИТЧИ УЧЕНИКАМ
В доме, Галилея

а. Объяснение притчи о плевелах

Матфея.13:36-43 36 Тогда Иисус, отпустив народ, вошел в дом. И, приступив к Нему, ученики Его сказали: изъясни нам притчу о плевелах на поле. 37 Он же сказал им в ответ: сеющий доброе семя есть Сын Человеческий; 38 поле есть мир; доброе семя — это сыны Царствия, а плевелы — сыны лукавого; 39 враг, посеявший их, есть диавол; жатва есть	кончина века, а жнецы суть Ангелы. 40 Посему как собирают плевелы и огнем сжигают, так будет при кончине века сего: 41 пошлет Сын Человеческий Ангелов Своих, и соберут из Царства Его все соблазны и делающих беззаконие, 42 и ввергнут их в печь огненную; там будет плач и скрежет зубов; 43 тогда праведники воссияют, как солнце, в Царстве Отца их. Кто имеет уши слышать, да слышит!

б. Подобие Царства Небесного — сокрытое сокровище

Матфея.13:44-46 44 Еще подобно Царство Небесное сокровищу, скрытому на поле, которое, найдя, человек утаил, и от радости о нем идет и продает все, что имеет,	и покупает поле то. 45 Еще подобно Царство Небесное купцу, ищущему хороших жемчужин, 46 который, найдя одну драгоценную жемчужину, пошел и продал все, что имел, и купил ее.

в. Подобие Царства Небесного — невод

Матфея.13:47-53 47 Еще подобно Царство Небесное неводу, закинутому в море и захватившему рыб всякого рода, 48 который, когда наполнился, вытащили на берег и, сев, хорошее собрали в сосуды, а худое выбросили вон. 49 Так будет при кончине века: изыдут Ангелы, и отделят злых из среды праведных, 50 и ввергнут их в печь огненную: там будет плач и	скрежет зубов. 51 И спросил их Иисус: поняли ли вы все это? Они говорят Ему: так, Господи! 52 Он же сказал им: поэтому всякий книжник, наученный Царству Небесному, подобен хозяину, который выносит из сокровищницы своей новое и старое. 53 И, когда окончил Иисус притчи сии, пошел оттуда. 54 … 238

237 *Марка.04:35-41 (Успокоение бури), стр. 76.*
238 *Матфея.13:54-58 (Иисус учит в синагоге Назарета), стр. 83.*

118. СЛЕДОВАНИЕ ЗА ИИСУСОМ[239]
Озеро, Галилея

Матфея.08:19-22	
[19] Тогда один книжник, подойдя, сказал Ему: Учитель! Я пойду за Тобою, куда бы Ты ни пошел. [20] И говорит ему Иисус: лисицы имеют норы и птицы небесные — гнезда, а Сын Человеческий не	имеет, где приклонить голову. [21] Другой же из учеников Его сказал Ему: Господи! Позволь мне прежде пойти и похоронить отца моего. [22] Но Иисус сказал ему: иди за Мною, и предоставь мертвым погребать своих мертвецов.

119. УСПОКОЕНИЕ БУРИ[240]
Озеро, Галилея → Страна Гадаринская

Матфея.08:18	Марка.04:35-41	Луки.08:22-25
[17] … [241]	[34] … [243]	[21] … [244]
[18] Увидев же Иисус вокруг Себя множество народа, велел *ученикам* отплыть на другую сторону.	[35] Вечером того дня сказал им: переправимся на ту сторону.	[22] В один день Он вошел с учениками Своими в лодку и сказал им: переправимся на ту сторону озера. И отправились.
Матфея.08:23-27	[36] И они, отпустив народ, взяли Его с собою, как Он был в лодке; с Ним были и другие лодки.	[23] Во время плавания их Он заснул. На озере поднялся бурный ветер, и заливало *их волнами*, и они были в опасности.
[23] И когда вошел Он в лодку, за Ним последовали ученики Его. [24] И вот, сделалось великое волнение на море, так что лодка покрывалась волнами; а Он спал.	[37] И поднялась великая буря; волны били в лодку, так что она уже наполнялась *водою*. [38] А Он спал на корме на возглавии. Его будят и говорят Ему: Учитель! Неужели Тебе нужды нет, что мы погибаем?	[24] И, подойдя, разбудили Его и сказали: Наставник! Наставник! Погибаем. Но Он, встав, запретил ветру и волнению воды; и перестали, и сделалась тишина.[242]
[25] Тогда ученики Его, подойдя к Нему, разбудили Его и сказали: Господи! Спаси нас, погибаем. [26] И говорит им: что вы так боязливы, маловерные? Потом, встав, запретил ветрам и морю, и сделалась великая тишина.[242] [27] Люди же, удивляясь, говорили: кто это, что и ветры и море повинуются Ему?	[39] И, встав, Он запретил ветру и сказал морю: умолкни, перестань. И ветер утих, и сделалась великая тишина.[242] [40] И сказал им: что вы так боязливы? Как у вас нет веры?[242] [41] И убоялись страхом великим и говорили между собою: кто же Сей, что и ветер и море повинуются Ему?	[25] Тогда Он сказал им: где вера ваша? Они же в страхе и удивлении говорили друг другу: кто же это, что и ветрам повелевает и воде, и повинуются Ему?[242]

Вечером того дня, увидев же Иисус вокруг Себя множество народа, велел *ученикам*, сказав им: «Переправимся на ту сторону». И когда вошёл Он	в лодку, ученики, отпустив народ, последовали за Ним; с Ним были и другие лодки. И отправились.

239 *Иисус сказал похожее, восходя в Иерусалим (Луки.10:01-03 (Следование за Иисусом), стр. 132).*

240 *Иисус ещё раз успокоил бурю, когда ученики бедствовали в плавании (Матфея.14:24-33, Марка.06:47-52, и Иоанна.06:17б-21 (Ученики бедствуют в плавании), стр. 95).*

241 *Матфея.08:16-17 (Исцеление больных), стр. 36.*

242 *В отличие от Марка и Луки, Матфей говорит, что Иисус сначала спросил учеников про их боязливость и веру и только потом успокоил бурю. Марк и Лука говорят, наоборот, что Иисус сначала успокоил бурю, а потом спросил про их страх и веру.*

243 *Марка.04:33-34 (Иисус говорит народу притчами), стр. 74.*

244 *Луки.08:19-21 (Мать и братья Иисуса желают видеть Его), стр. 67.*

Во время плавания их Он заснул. И поднялась великая буря; волны били в лодку, так что лодка покрывалась волнами, наполняясь водою, и они были в опасности. А Он спал на корме на возглавии.	И, встав, Он запретил ветру и сказал морю: «Умолкни, перестань». И ветер утих, и сделалась великая тишина. И сказал им: «Где вера ваша? Что вы так боязливы? Как у вас нет веры?»
Тогда ученики Его, подойдя к Нему, разбудили Его и сказали: «Наставник! Наставник! Погибаем. Неужели Тебе нужды нет, что мы погибаем? Спаси нас!»	Люди и ученики же убоялись страхом великим и говорили между собою: «Кто же Сей, что и ветер, и море повинуются Ему?»

120. ИЗГНАНИЕ БЕСА В СТРАНЕ ГАДАРИНСКОЙ[245]
Страна Гадаринская, против Галилеи

Матфея.08:28-32	Марка.05:01-13	Луки.08:26-33
[28] И когда Он прибыл на другой берег в страну Гергесинскую, Его встретили два бесноватые, вышедшие из гробов, весьма свирепые, так что никто не смел проходить тем путем.	[1] И пришли на другой берег моря, в страну Гадаринскую.	[26] И приплыли в страну Гадаринскую, лежащую против Галилеи.
[29] И вот, они закричали: что Тебе до нас, Иисус, Сын Божий? Пришел Ты сюда прежде времени мучить нас.	[2] И когда вышел Он из лодки, тотчас встретил Его вышедший из гробов человек, *одержимый* нечистым духом	[27] Когда же вышел Он на берег, встретил Его один человек из города, одержимый бесами с давнего времени, и в одежду не одевавшийся, и живший не в доме, а в гробах.
[30] Вдали же от них паслось большое стадо свиней.	[3] он имел жилище в гробах, и никто не мог его связать даже цепями	[28] Он, увидев Иисуса, вскричал, пал пред Ним и громким голосом сказал: что Тебе до меня, Иисус, Сын Бога Всевышнего? Умоляю Тебя, не мучь меня.
[31] И бесы просили Его: если выгонишь нас, то пошли нас в стадо свиней.	[4] потому что многократно был он скован оковами и цепями, но разрывал цепи и разбивал оковы, и никто не в силах был укротить его;	[29] Ибо *Иисус* повелел нечистому духу выйти из сего человека, потому что он долгое время мучил его, так что его связывали цепями и узами, сберегая его; но он разрывал узы и был гоним бесом в пустыни.
[32] И Он сказал им: идите. И они, выйдя, пошли в стадо свиное. И вот, все стадо свиней бросилось с крутизны в море и погибло в воде.	[5] всегда, ночью и днем, в горах и гробах, кричал он и бился о камни;	[30] Иисус спросил его: как тебе имя? Он сказал: «легион», — потому что много бесов вошло в него.
	[6] увидев же Иисуса издалека, прибежал и поклонился Ему	[31] И они просили Иисуса, чтобы не повелел им идти в бездну.
	[7] и, вскричав громким голосом, сказал: что Тебе до меня, Иисус, Сын Бога Всевышнего? Заклинаю Тебя Богом, не мучь меня!	[32] Тут же на горе паслось большое стадо свиней; и *бесы* просили Его, чтобы позволил им войти в них. Он позволил им.
	[8] Ибо *Иисус* сказал ему: выйди, дух нечистый, из сего человека.	[33] Бесы, выйдя из человека, во-
	[9] И спросил его: как тебе имя? И он сказал в ответ: легион имя мне, потому что нас много.	
	[10] И много просили Его, чтобы не высылал их вон из страны той.	
	[11] Паслось же там при горе большое стадо свиней.	

---

245 *Из трёх Евангелистов Матфей явно выделяется. Марк и Лука говорят: страна «Гадаринская», а Матфей — «Гергесинская». Так же и количество одержимых. Матфей говорит, что их двое, тогда как Марк и Лука — один. И последнее: Матфей говорит, что бесы сказали, что Иисус пришел раньше времени «мучить нас», тогда как Марк и Лука такого не говорят.*

| | 12 И просили Его все бесы, говоря: пошли нас в свиней, чтобы нам войти в них.

13 Иисус тотчас позволил им. И нечистые духи, выйдя, вошли в свиней; и устремилось стадо с крутизны в море, а их было около двух тысяч; и потонули в море. | шли в свиней, и бросилось стадо с крутизны в озеро и потонуло. |

| И приплыли на другой берег моря, в страну Гадаринскую, лежащую против Галилеи.

И когда вышел Он из лодки, тотчас встретил Его вышедший из гробов человек, *одержимый* бесами с давнего времени, весьма свирепый, так что никто не смел проходить тем путём.

Он имел жилище в гробах и в одежду не одевался, и никто не мог его связать даже цепями, потому что многократно люди сковывали его оковами и цепями, сберегая его, но он разрывал цепи и разбивал оковы, и никто не в силах был укротить его. Всегда, ночью и днём, в горах и гробах кричал он и бился о камни, и был гоним бесом в пустыни.

Увидев же Иисуса издалека, прибежал и поклонился Ему и, вскричав громким голосом, сказал: | «Что Тебе до меня, Иисус, Сын Бога Всевышнего? Заклинаю Тебя Богом, не мучь меня!» Ибо *Иисус* сказал ему: «Выйди, дух нечистый, из сего человека», — потому что он долгое время мучил его.

И спросил его: «Как тебе имя?» И он сказал в ответ: «Легион имя мне», — потому что много бесов вошло в него.

И много просили Его, чтобы не высылал их вон из страны той, повелевая им идти в бездну. Паслось же там при горе большое стадо свиней. И просили Его все бесы, говоря: «Если выгонишь нас, то пошли нас в стадо свиней, чтобы нам войти в них».

И Он сказал им: «Идите». И нечистые духи, выйдя, вошли в стадо свиней. И вот, все стадо свиней устремилось с крутизны в море, а их было около двух тысяч; и потонули в море. |

121. ПАСТУХИ РАССКАЗЫВАЮТ ОБ ИИСУСЕ ЖИТЕЛЯМ СТРАНЫ ГАДАРИНСКОЙ
Страна Гадаринская, против Галилеи

Матфея.08:33	Марка.05:14	Луки.08:34
33 Пастухи же побежали и, придя в город, рассказали обо всем, и о том, что было с бесноватыми.	14 Пасущие же свиней побежали и рассказали в городе и в деревнях. И *жители* вышли посмотреть, что случилось.	34 Пастухи, видя происшедшее, побежали и рассказали в городе и в селениях.

| Пастухи свиней, видя происшедшее, побежали и, придя в город и деревни, рассказали обо всем и о том, что было с бесноватым. | И *жители* вышли посмотреть, что случилось. |

122. ИИСУСА ПРОСЯТ УДАЛИТЬСЯ ИЗ СТРАНЫ ГАДАРИНСКОЙ
Страна Гадаринская, против Галилеи

Матфея.08:34	Марка.05:15-17	Луки.08:35-37а
34 И вот, весь город вышел на-	15 Приходят к Иисусу и видят, что	35 И вышли видеть происшед-

встречу Иисусу; и, увидев Его, просили, чтобы Он отошел от пределов их. 9:1 ... [246]	беснова́вшийся, в котором был легион, сидит и одет, и в здравом уме; и устрашились. 16 Видевшие рассказали им о том, как это произошло с бесноватым, и о свиньях. 17 И начали просить Его, чтобы отошел от пределов их.	шее; и, придя к Иисусу, нашли человека, из которого вышли бесы, сидящего у ног Иисуса, одетого и в здравом уме; и ужаснулись. 36 Видевшие же рассказали им, как исцелился беснова́вшийся. 37а И просил Его весь народ Гадаринской окрестности удалиться от них, потому что они объяты были великим страхом.

И вот весь город, придя к Иисусу, находит человека, в котором был легион бесов, сидящим у ног Иисуса, одетого и в здравом уме; и люди ужаснулись. Видевшие рассказали им о том, как исцелился	беснова́вшийся, и о свиньях. И просил Его весь народ Гадаринской окрестности удалиться от них, потому что они объяты были великим страхом.

123. ПРОСЬБА БЕСНОВАТОГО
Страна Гадаринская, против Галилеи

Марка.05:18-19	Луки.08:37б-39а
18 И когда Он вошел в лодку, беснова́вшийся просил Его, чтобы быть с Ним. 19 Но Иисус не дозволил ему, а сказал: иди домой к своим и расскажи им, что сотворил с тобою Господь и как помиловал тебя.	37б ...Он вошел в лодку и возвратился. 38 Человек же, из которого вышли бесы, просил Его, чтобы быть с Ним. Но Иисус отпустил его, сказав: 39а возвратись в дом твой и расскажи, что сотворил тебе Бог.

И когда Он вошёл в лодку, человек, из которого вышли бесы, просил Его, чтобы быть с Ним.	Но Иисус, отпустив его, сказал: «Возвратись домой к своим и расскажи им, что сотворил с тобою Господь и как помиловал тебя».

124. ПРОПОВЕДЬ БЕСНОВАТОГО В ДЕСЯТИГРАДИИ
Десятиградие

Марка.05:20	Луки.08:39б
20 И пошел и начал проповедывать в Десятиградии, что сотворил с ним Иисус; и все дивились.	39б ...Он пошел и проповедывал по всему городу, что сотворил ему Иисус.

Он пошёл и начал проповедовать в Десятиградии о том, что сотворил с ним Иисус; и все дивились.

125. ВОЗВРАЩЕНИЕ ИИСУСА В ГАЛИЛЕЮ
Галилея

Матфея.09:01	Марка.05:21	Луки.08:40

---

246 *Матфея.09:01 (Возвращение Иисуса в Галилею), стр. 79.*

8:34 ... [247]	21 Когда Иисус опять переправился в лодке на другой берег, собралось к Нему множество народа. Он был у моря.	40 Когда же возвратился Иисус, народ принял Его, потому что все ожидали Его.
1 Тогда Он, войдя в лодку, переправился *обратно* и прибыл в Свой город. 2 ... [248]		

Когда Иисус, войдя в лодку, переправился на другой берег и прибыл в Свой город, множество на-	рода собралось к Нему, приняв Его. Он был у моря.

126. ПРОСЬБА НАЧАЛЬНИКА ОБ ИСЦЕЛЕНИИ ДОЧЕРИ
Галилея

Матфея.09:18-19	*Марка.05:22-24*	*Луки.08:41-42*
17 ... [249] 18 Когда Он говорил им сие, подошел к Нему некоторый начальник и, кланяясь Ему, говорил: дочь моя теперь умирает; но приди, возложи на нее руку Твою, и она будет жива. 19 И встав, Иисус пошел за ним, и ученики Его.	22 И вот, приходит один из начальников синагоги, по имени Иаир, и, увидев Его, падает к ногам Его 23 и усильно просит Его, говоря: дочь моя при смерти; приди и возложи на нее руки, чтобы она выздоровела и осталась жива. 24 *Иисус* пошел с ним. За Ним следовало множество народа, и теснили Его.	41 И вот, пришел человек, именем Иаир, который был начальником синагоги; и, пав к ногам Иисуса, просил Его войти к нему в дом 42 потому что у него была одна дочь, лет двенадцати, и та была при смерти. Когда же Он шел, народ теснил Его.

И вот приходит один из начальников синагоги по имени Иаир. У него была одна дочь, лет двенадцати, и та была при смерти. Увидев Иисуса, Иаир пал к ногам Его и усиленно просил Господа, говоря: «Дочь моя при смерти;	приди и возложи на неё руки, чтобы она выздоровела и осталась жива». Иисус и ученики пошли с ним. За Ним следовало множество народа и теснило Его.

127. ИСЦЕЛЕНИЕ ЖЕНЩИНЫ С КРОВОТЕЧЕНИЕМ
Галилея

Матфея.09:20-22	*Марка.05:25-34*	*Луки.08:43-48*
20 И вот, женщина, двенадцать лет страдавшая кровотечением, подойдя сзади, прикоснулась к краю одежды Его 21 ибо она говорила сама в себе: если только прикоснусь к одежде Его, выздоровею. 22 Иисус же, обратившись и уви-	25 Одна женщина, которая страдала кровотечением двенадцать лет 26 много потерпела от многих врачей, истощила все, что было у ней, и не получила никакой пользы, но пришла еще в худшее состояние, —	43 И женщина, страдавшая кровотечением двенадцать лет, которая, издержав на врачей все имение, ни одним не могла быть вылечена 44 подойдя сзади, коснулась края одежды Его; и тотчас течение крови у ней остановилось.

---

247 *Матфея.08:34 (Иисуса просят удалиться из страны Гадаринской), стр. 78.*

248 *Матфея.09:02 (Вера и прощение расслабленного), стр. 38.*

249 *Матфея.09:14-17 (Вопрос о посте учеников Иоанна), стр. 40.*

дев ее, сказал: дерзай, дщерь! Вера твоя спасла тебя. Женщина с того часа стала здорова.	27 услышав об Иисусе, подошла сзади в народе и прикоснулась к одежде Его 28 ибо говорила: если хотя к одежде Его прикоснусь, то выздоровею. 29 И тотчас иссяк у ней источник крови, и она ощутила в теле, что исцелена от болезни. 30 В то же время Иисус, почувствовав Сам в Себе, что вышла из Него сила, обратился в народе и сказал: кто прикоснулся к Моей одежде? 31 Ученики сказали Ему: Ты видишь, что народ теснит Тебя, и говоришь: «кто прикоснулся ко Мне?» 32 Но Он смотрел вокруг, чтобы видеть ту, которая сделала это. 33 Женщина в страхе и трепете, зная, что с нею произошло, подошла, пала пред Ним и сказала Ему всю истину. 34 Он же сказал ей: дщерь! Вера твоя спасла тебя; иди в мире и будь здорова от болезни твоей.	45 И сказал Иисус: кто прикоснулся ко Мне? Когда же все отрицались, Петр сказал и бывшие с Ним: Наставник! Народ окружает Тебя и теснит, — и Ты говоришь: «кто прикоснулся ко Мне?» 46 Но Иисус сказал: прикоснулся ко Мне некто, ибо Я чувствовал силу, исшедшую из Меня. 47 Женщина, видя, что она не утаилась, с трепетом подошла и, пав пред Ним, объявила Ему перед всем народом, по какой причине прикоснулась к Нему и как тотчас исцелилась. 48 Он сказал ей: дерзай, дщерь! Вера твоя спасла тебя; иди с миром.

Одна женщина, которая страдала кровотечением двенадцать лет, много потерпела от многих врачей, истощила все, что было у неё, и не получила никакой пользы, но пришла в ещё худшее состояние, — услышав об Иисусе, подошла сзади в толпе народа и прикоснулась к одежде Его, ибо говорила: «Если хотя бы к одежде Его прикоснусь, то выздоровею». И тотчас иссяк у неё источник крови, и она ощутила в теле, что исцелена от болезни. В то же время Иисус, почувствовав Сам в Себе, что вышла из Него сила, обратился к народу и сказал: «Кто прикоснулся к Моей одежде?» Петр сказал и бывшие с Ним: «Наставник! Народ окружает Тебя и теснит, — и Ты говоришь: «Кто при-	коснулся ко Мне?» Но Иисус сказал: «Прикоснулся ко Мне некто, ибо Я чувствовал силу, исшедшую из Меня». И Он смотрел вокруг, чтобы видеть ту, которая сделала это. Женщина в страхе и трепете, видя, что она не утаилась и зная, что с нею произошло, подошла, пала пред Ним и объявила Ему перед всем народом, по какой причине прикоснулась к Нему и как тотчас исцелилась. Он же сказал ей: «Дщерь! Вера твоя спасла тебя; иди в мире и будь здорова от болезни твоей».

128. ВОСКРЕШЕНИЕ ДОЧЕРИ НАЧАЛЬНИКА
Галилея[250]

Матфея.09:23-26	Марка.05:35-43	Луки.08:49-56

---

250 *Не написано, где это происходило. Скорее всего, в Галилее, так как Иисус с теснившим Его народом далеко не шёл.*

23 И когда пришел Иисус в дом начальника и увидел свирельщиков и народ в смятении

24 сказал им: выйдите вон, ибо не умерла девица, но спит. И смеялись над Ним.

25 Когда же народ был выслан, Он, войдя, взял ее за руку, и девица встала.

26 И разнесся слух о сем по всей земле той.

27 ... [251]

35 Когда Он еще говорил сие, приходят от начальника синагоги и говорят: дочь твоя умерла; что еще утруждаешь Учителя?

36 Но Иисус, услышав сии слова, тотчас говорит начальнику синагоги: не бойся, только веруй.

37 И не позволил никому следовать за Собою, кроме Петра, Иакова и Иоанна, брата Иакова.

38 Приходит в дом начальника синагоги и видит смятение и плачущих и вопиющих громко.

39 И, войдя, говорит им: что смущаетесь и плачете? Девица не умерла, но спит.

40 И смеялись над Ним. Но Он, выслав всех, берет с Собою отца и мать девицы и бывших с Ним и входит туда, где девица лежала.

41 И, взяв девицу за руку, говорит ей: талифа куми, что значит: «девица, тебе говорю, встань».

42 И девица тотчас встала и начала ходить, ибо была лет двенадцати. *Видевшие* пришли в великое изумление.

43 И Он строго приказал им, чтобы никто об этом не знал, и сказал, чтобы дали ей есть.

49 Когда Он еще говорил это, приходит некто из дома начальника синагоги и говорит ему: дочь твоя умерла; не утруждай Учителя.

50 Но Иисус, услышав это, сказал ему: не бойся, только веруй, и спасена будет.

51 Придя же в дом, не позволил войти никому, кроме Петра, Иоанна и Иакова, и отца девицы, и матери.

52 Все плакали и рыдали о ней. Но Он сказал: не плачьте; она не умерла, но спит.

53 И смеялись над Ним, зная, что она умерла.

54 Он же, выслав всех вон и взяв ее за руку, возгласил: девица! Встань.

55 И возвратился дух ее; она тотчас встала, и Он велел дать ей есть.

56 И удивились родители ее. Он же повелел им не сказывать никому о происшедшем.

9:1 ... [252]

Когда Он ещё говорил это, приходит некто из дома начальника синагоги и говорит ему: «Дочь твоя умерла; не утруждай Учителя». Но Иисус, услышав сии слова, тотчас говорит начальнику синагоги: «Не бойся, только веруй, и спасена будет». И не позволил никому следовать за Собою, кроме Петра, Иакова и Иоанна, брата Иакова.

Приходит в дом начальника синагоги и видит свирельщиков, народ в смятении и плачущих и вопиющих громко. И, войдя, говорит им: «Что смущаетесь и плачете? Девица не умерла, но спит». И смеялись над Ним, зная, что она умерла.

Но Он, выслав всех, берет с Собою отца и мать девицы и бывших с Ним и входит туда, где девица лежала. И, взяв девицу за руку, говорит ей: «Талифа куми», — что значит: «Девица, тебе говорю, встань». И возвратился дух её; она тотчас встала и начала ходить, ибо была лет двенадцати. И Он велел дать ей есть. *Видевшие* пришли в великое изумление.

И Он строго приказал им, чтобы никто об этом не знал. И разнёсся слух о сем по всей земле той.

---

251 *Матфея.09:27-31 (Исцеление двух слепых), стр.41.*

252 *Луки.09:01-02 (Послание и наставление двенадцати ученикам проповедовать и исцелять), стр. 83.*

129. ИИСУС УЧИТ В СИНАГОГЕ НАЗАРЕТА
Назарет, Галилея

Матфея.13:54-58	*Марка.06:01-06а*
53 ... [253]	1 Оттуда вышел Он и пришел в Свое отечество; за Ним следовали ученики Его.
54 И, придя в отечество Свое, учил их в синагоге их, так что они изумлялись и говорили: откуда у Него такая премудрость и силы?	2 Когда наступила суббота, Он начал учить в синагоге; и многие слышавшие с изумлением говорили: откуда у Него это? Что за премудрость дана Ему, и как такие чудеса совершаются руками Его?
55 Не плотников ли Он сын? Не Его ли Мать называется Мария, и братья Его Иаков и Иосий, и Симон, и Иуда?	3 Не плотник ли Он, сын Марии, брат Иакова, Иосии, Иуды и Симона? Не здесь ли, между нами, Его сестры? И соблазнялись о Нем.
56 И сестры Его не все ли между нами? Откуда же у Него все это?	4 Иисус же сказал им: не бывает пророк без чести, разве только в отечестве своем и у сродников и в доме своем. [254]
57 И соблазнялись о Нем. Иисус же сказал им: не бывает пророк без чести, разве только в отечестве своем и в доме своем. [254]	5 И не мог совершить там никакого чуда, только на немногих больных возложив руки, исцелил *их*.
58 И не совершил там многих чудес по неверию их.	6а И дивился неверию их;...
14:1 ... [255]	

Оттуда вышел Он и пришел в Своё отечество; за Ним следовали ученики Его.	Симон, и Иуда? Не здесь ли, между нами, Его сестры?» И соблазнялись о Нем.
Когда наступила суббота, Он начал учить в их синагоге; и многие слышавшие с изумлением говорили: «Откуда у Него это? Что за премудрость дана Ему, и как такие чудеса совершаются руками Его? Не плотников ли Он сын? Не Его ли Мать называется Мария, а братья Его Иаков и Иосий, и	Иисус же сказал им: «Не бывает пророк без чести, разве только в отечестве своём и у сродников, и в доме своём. И не мог совершить там никакого чуда, только некоторых больных, возложив на них руки, исцелил. И дивился неверию их.

130. ИИСУС УЧИТ ПО ОКРЕСТНЫМ СЕЛЕНИЯМ
Назарет, Галилея

Марка.06:06б	
	6б ...потом ходил по окрестным селениям и учил.

131. ПОСЛАНИЕ И НАСТАВЛЕНИЕ ДВЕНАДЦАТИ УЧЕНИКАМ ПРОПОВЕДОВАТЬ И ИСЦЕЛЯТЬ
Галилея

а. Иисус призывает и наставляет учеников

Матфея.10:01	*Марка.06:07*	*Луки.09:01-02*
9:38 ... [256]		8:56 ... [258]

---

253 *Матфея.13:47-53 (Подобие Царства Небесного — невод), стр. 75.*

254 *Иисус сказал похожее, когда в Своём отечестве читал из книги Исаии (Луки.04:23-27 и Иоанна.04:44 (Нет пророка в своём отечестве), стр. 30).*

255 *Матфея.14:01-02 (Ирод слышит молву об Иисусе), стр. 91.*

256 *Матфея.09:35-38 (Проповедь и исцеления Иисуса), стр. 42.*

[1] И призвав двенадцать учеников Своих, Он дал им власть над нечистыми духами, чтобы изгонять их и врачевать всякую болезнь и всякую немощь. [2] ... [257]	[7] И, призвав двенадцать, начал посылать их по два, и дал им власть над нечистыми духами.	[1] Созвав же двенадцать, дал силу и власть над всеми бесами и врачевать от болезней [2] и послал их проповедывать Царствие Божие и исцелять больных.

И, призвав двенадцать учеников, начал посылать их по двое, дал силу и власть над всеми бесами,	врачевать от болезней; послал их проповедовать Царствие Божие и исцелять больных.

б.   Куда идти

Матфея.10:05-08 [4] ... [259] [5] Сих двенадцать послал Иисус, и заповедал им, говоря: на путь к язычникам не ходите, и в город Самарянский не входите; [6] а идите наипаче к погибшим овцам дома Израи-	лева; [7] ходя же, проповедуйте, что приблизилось Царство Небесное; [8] больных исцеляйте, прокаженных очищайте, мертвых воскрешайте, бесов изгоняйте; даром получили, даром давайте.

в.   Припасы в дорогу[260] [261]

Матфея.10:09-10	*Марка.06:08-09*	*Луки.09:03*
[9] Не берите с собою ни золота, ни серебра, ни меди в поясы свои, [10] ни сумы на дорогу, ни двух одежд, ни обуви, ни посоха, ибо трудящийся достоин пропитания.	[7] ... [262] [8] И заповедал им ничего не брать в дорогу, кроме одного посоха: ни сумы, ни хлеба, ни меди в поясе, [9] но обуваться в простую обувь и не носить двух одежд.	[2] ... [263] [3] И сказал им: ничего не берите на дорогу: ни посоха, ни сумы, ни хлеба, ни серебра, и не имейте по две одежды;

Не берите с собою ни золота, ни серебра, ни меди в поясы свои, ни сумы в дорогу, ни двух одежд, ни	обуви, ни посоха, но обувайтесь в простую обувь. Ибо трудящийся достоин пропитания.

г.   Достойный город или селение; если примут вас[264]

Матфея.10:11-13	*Марка.06:10*	*Луки.09:04*

257 *Матфея.10:02-04 (Избрание двенадцати учеников), стр. 42.*

258 *Луки.08:49-56 (Воскрешение дочери начальника), стр. 81.*

259 *Матфея.10:02-04 (Избрание двенадцати учеников), стр. 42.*

260 *Иисус заповедал похожее, но только семидесяти ученикам (Луки.10:04 (Припасы в дорогу), стр. 133).*

261 *Матфей и Лука говорят, что Иисус сказал не брать посоха и обуви, а Марк говорит, что можно взять один посох и простую обувь.*

262 *Марка.06:07 (Иисус призывает и наставляет учеников), стр. 83.*

263 *Луки.09:01-02 (Иисус призывает и наставляет учеников), стр. 83.*

264 *Иисус позже заповедал похожее, но только семидесяти ученикам (Луки.10:05-09 (Достойный город или селение; если примут вас), стр. 133).*

¹¹ В какой бы город или селение ни вошли вы, наведывайтесь, кто в нем достоин, и там оставайтесь, пока не выйдете; ¹² а входя в дом, приветствуйте его, говоря: «мир дому сему»; ¹³ и если дом будет достоин, то мир ваш придет на него; если же не будет достоин, то мир ваш к вам возвратится.	¹⁰ И сказал им: если где войдете в дом, оставайтесь в нем, доколе не выйдете из того места.	⁴ и в какой дом войдете, там оставайтесь и оттуда отправляйтесь *в путь.*

«В какой бы город или селение ни вошли вы, наведывайтесь, кто в нем достоин, и там оставайтесь, пока не выйдете в путь.	А входя в дом, приветствуйте его, говоря: «Мир дому сему», — и если дом будет достоин, то мир ваш придёт на него; если же не будет достоин, то мир ваш к вам возвратится».

д.   Если не примут вас²⁶⁵

Матфея.10:14-15	*Марка.06:11*	*Луки.09:05*
¹⁴ А если кто не примет вас и не послушает слов ваших, то, выходя из дома или из города того, отрясите прах от ног ваших; ¹⁵ истинно говорю вам: отраднее будет земле Содомской и Гоморрской в день суда, нежели городу тому.	¹¹ И если кто не примет вас и не будет слушать вас, то, выходя оттуда, отрясите прах от ног ваших, во свидетельство на них. Истинно говорю вам: отраднее будет Содому и Гоморре в день суда, нежели тому городу. ¹² … ²⁶⁶	⁵ А если где не примут вас, то, выходя из того города, отрясите и прах от ног ваших во свидетельство на них. ⁶ … ²⁶⁷

«А если кто не примет вас и не послушает слов ваших, то, выходя из дома или из города того, отрясите прах от ног ваших во свидетельство на них.	Истинно говорю вам: отраднее будет земле Содомской и Гоморрской в день суда, нежели городу тому».

е.   Овцы среди волков; гонения²⁶⁸

Матфея.10:16-23	бить вас,
¹⁶ Вот, Я посылаю вас, как овец среди волков: итак будьте мудры, как змии, и просты, как голуби.²⁶⁹ ¹⁷ Остерегайтесь же людей: ибо они будут отдавать вас в судилища и в синагогах своих будут	¹⁸ и поведут вас к правителям и царям за Меня, для свидетельства перед ними и язычниками. ¹⁹ Когда же будут предавать вас, не заботьтесь, как или что сказать; ибо в тот час дано будет вам, что сказать,²⁷⁰

---

265 *Иисус позже заповедал похожее, но только семидесяти ученикам (Луки.10:10-16 (Если не примут вас; Иисус укоряет города), стр. 133).*

266 *Марка.06:12-13 (Ученики проповедуют и исцеляют), стр. 87.*

267 *Луки.09:06 (Ученики проповедуют и исцеляют), стр. 87.*

268 *Иисус сказал похожее, когда говорил о разрушении храма и о последнем времени (Матфея.24:09-13, Марка.13:09, Марка.13:11-13 и Луки.21:12-19 (Предательства и мучения), стр. 176).*

269 *Иисус сказал похожее, но только семидесяти ученикам (Луки.10:01-03 (Иисус призывает и посылает учеников), стр. 133).*

270 *Иисус сказал похожее в проповеди ученикам в Иудее, на пути в Иерусалим (Луки.12:11-12 (Забота, о чём говорить), стр.*

20 ибо не вы будете говорить, но Дух Отца вашего будет говорить в вас. **21** Предаст же брат брата на смерть, и отец — сына; и восстанут дети на родителей, и умертвят их;	**22** и будете ненавидимы всеми за имя Мое; претерпевший же до конца спасется. **23** Когда же будут гнать вас в одном городе, бегите в другой. Ибо истинно говорю вам: не успеете обойти городов Израилевых, как приидет Сын Человеческий.

ж. Ученик не выше учителя[271]

Матфея.10:24-25 **24** Ученик не выше учителя, и слуга не выше господина своего:	**25** довольно для ученика, чтобы он был, как учитель его, и для слуги, чтобы он был, как господин его. Если хозяина дома назвали веельзевулом, не тем ли более домашних его?

з. Нет ничего сокровенного[272]

Матфея.10:26-27 **26** Итак не бойтесь их, ибо нет ничего сокровенного, что не открылось бы, и тайного, что не было	бы узнано. **27** Что говорю вам в темноте, говорите при свете; и что на ухо слышите, проповедуйте на кровлях.

и. Боязнь убивающих тело[273]

Матфея.10:28-31 **28** И не бойтесь убивающих тело, души же не могущих убить; а бойтесь более Того, Кто может и душу и тело погубить в геенне.	**29** Не две ли малые птицы продаются за ассарий? И ни одна из них не упадет на землю без воли Отца вашего; **30** у вас же и волосы на голове все сочтены; **31** не бойтесь же: вы лучше многих малых птиц.

к. Исповедание Иисуса пред людьми[274]

Матфея.10:32-33 **32** Итак всякого, кто исповедает Меня пред людьми, того исповедаю и Я пред Отцем Моим Небес-	ным; **33** а кто отречется от Меня пред людьми, отрекусь от того и Я пред Отцем Моим Небесным.

л. Разделение, принесённое Иисусом[275]

Матфея.10:34-36 **34** Не думайте, что Я пришел принести мир на землю; не мир пришел Я принести, но меч,	**35** ибо Я пришел разделить человека с отцом его, и дочь с матерью ее, и невестку со свекровью ее. **36** И враги человеку — домашние его.

---

137).

271 *Иисус сказал похожее в Своей Нагорной проповеди (Луки.06:37-42 (Суд ближнего), стр. 50).*

272 *Иисус сказал похожее, объясняя притчу о сеятеле (Марка.04:13-25 и Луки.08:11-18 (Значение притчи о сеятеле), стр. 71) и проповедуя ученикам на пути в Иерусалим (Луки.12:01-03 (Закваска фарисейская), стр. 136).*

273 *Иисус сказал похожее в Своей проповеди в Иудее, восходя в Иерусалим (Луки.12:04-07 (Кого бояться), стр. 137).*

274 *Иисус сказал похожее в Своей проповеди в Иудее, восходя в Иерусалим (Луки.12:08-10 (Исповедание Иисуса и хула на Духа Святого), стр. 137).*

275 *Иисус сказал похожее в Своей проповеди в Иудее, восходя в Иерусалим (Луки.12:49-53 (Для чего пришёл Иисус), стр. 139).*

м. Приоритеты любви[276]

Матфея.10:37-39	
37 Кто любит отца или мать более, нежели Меня, не достоин Меня; и кто любит сына или дочь более, нежели Меня, не достоин Меня;	38 и кто не берет креста своего и следует за Мною, тот не достоин Меня. 39 Сберегший душу свою потеряет ее; а потерявший душу свою ради Меня сбережет ее.

н. Принимающий вас[277]

Матфея.10:40-42	
40 Кто принимает вас, принимает Меня, а кто принимает Меня, принимает Пославшего Меня; 41 кто принимает пророка, во имя пророка, полу-	чит награду пророка; и кто принимает праведника, во имя праведника, получит награду праведника. 42 И кто напоит одного из малых сих только чашею холодной воды, во имя ученика, истинно говорю вам, не потеряет награды своей.

132. ИИСУС ПРОПОВЕДУЕТ В ГОРОДАХ УЧЕНИКОВ
Галилея

Матфея.11:01	
1 И когда окончил Иисус наставления двенадцати	ученикам Своим, перешел оттуда учить и проповедывать в городах их. 2... [278]

133. УЧЕНИКИ ПРОПОВЕДУЮТ И ИСЦЕЛЯЮТ
Галилея

Марка.06:12-13	Луки.09:06
11 ... [279] 12 Они пошли и проповедывали покаяние; 13 изгоняли многих бесов и многих больных мазали маслом и исцеляли. 14 ... [280]	5 ... [281] 6 Они пошли и проходили по селениям, благовествуя и исцеляя повсюду. 7 ... [282]

Они пошли и проходили по селениям, благовествуя покаяние; изгоняли многих бесов и многих	больных мазали маслом и исцеляли.

---

276 *Иисус сказал похожее, беседуя с учениками в селениях Кесарии Филипповой (Матфея.16:24-27, Марка.08:34-38, и Луки.09:23-26 (Условия хождения за Христом), стр. 116), в Своей проповеди в Иудее, восходя в Иерусалим (Луки.14:25-35 (Что значит быть учеником Христа), стр. 143).*

277 *Иисус сказал похожее, беседуя с учениками в Капернауме, Галилее (Матфея.18:01-05, Марка.09:33-37, и Луки.09:46-48 (Кто больше), стр. 122) и на Тайной Вечере, когда говорил о предателе (Иоанна.13:18-22 (Иисус говорит о предателе), стр. 189).*

278 *Матфея.11:02-06 (Вопрос Иоанна Крестителя Иисусу), стр. 56.*

279 *Марка.06:11 (Если не примут вас), стр. 85.*

280 *Марка.06:14-16 (Ирод слышит молву об Иисусе), стр. 91.*

281 *Луки.09:05 (Если не примут вас), стр. 85.*

282 *Луки.09:07-09 (Ирод слышит молву об Иисусе), стр. 91.*

134. ИИСУС В ИЕРУСАЛИМЕ НА ПРАЗДНИКЕ[283]
Иерусалим, Иудея

Иоанна.05:01	4:54 ... [284] 1 После сего был праздник Иудейский, и пришел Иисус в Иерусалим.

135. ИСЦЕЛЕНИЕ В КУПАЛЬНЕ ВИФЕЗДА
Иерусалим, Иудея

Иоанна.05:02-09	цать восемь лет.
2 Есть же в Иерусалиме у Овечьих *ворот* купальня, называемая по-еврейски Вифезда, при которой было пять крытых ходов. 3 В них лежало великое множество больных, слепых, хромых, иссохших, ожидающих движения воды 4 ибо Ангел Господень по временам сходил в купальню и возмущал воду, и кто первый входил *в нее* по возмущении воды, тот выздоравливал, какою бы ни был одержим болезнью. 5 Тут был человек, находившийся в болезни трид-	6 Иисус, увидев его лежащего и узнав, что он лежит уже долгое время, говорит ему: хочешь ли быть здоров? 7 Больной отвечал Ему: так, Господи; но не имею человека, который опустил бы меня в купальню, когда возмутится вода; когда же я прихожу, другой уже сходит прежде меня. 8 Иисус говорит ему: встань, возьми постель твою и ходи. 9 И он тотчас выздоровел, и взял постель свою и пошел. Было же это в день субботний.

136. ИСЦЕЛЁННЫЙ И ПРЕТЕНЗИИ ИУДЕЕВ
Иерусалим, Иудея

Иоанна.05:10-13	зал: «возьми постель твою и ходи».
10 Посему Иудеи говорили исцеленному: сегодня суббота; не должно тебе брать постели. 11 Он отвечал им: Кто меня исцелил, Тот мне ска-	12 Его спросили: кто Тот Человек, Который сказал тебе: «возьми постель твою и ходи»? 13 Исцеленный же не знал, кто Он, ибо Иисус скрылся в народе, бывшем на том месте.

137. ИИСУС ВСТРЕЧАЕТ ИСЦЕЛЁННОГО
Храм, Иерусалим, Иудея

Иоанна.05:14	вот, ты выздоровел; не греши больше, чтобы не случилось с тобою чего хуже.
14 Потом Иисус встретил его в храме и сказал ему:	

138. ИСЦЕЛЁННЫЙ ОБЪЯВИЛ ИУДЕЯМ ОБ ИИСУСЕ
Иерусалим, Иудея

Иоанна.05:15	15 Человек сей пошел и объявил Иудеям, что исцеливший его есть Иисус.

---

283 *Сложно определить дату этого и следующих событий. Скорее всего, Иисус пошёл на праздник после того, как послал учеников проповедовать и исцелять, так как в этом отрывке не упоминаются ученики. Пока ученики проповедовали, Иисус пришел на праздник без них и исцелил человека в купальне Вифезда.*

284 *Иоанна.04:51-54 (Вера царедворца), стр. 32.*

139. ИУДЕИ ИЩУТ УБИТЬ ИИСУСА
Иерусалим, Иудея

Иоанна.05:16-17	за то, что Он делал такие *дела* в субботу.
[16] И стали Иудеи гнать Иисуса и искали убить Его	[17] Иисус же говорил им: Отец Мой доныне делает, и Я делаю.

140. ИУДЕИ ЕЩЁ БОЛЕЕ ИЩУТ УБИТЬ ИИСУСА
Иерусалим, Иудея

Иоанна.05:18	Он не только нарушал субботу, но и Отцем Своим называл Бога, делая Себя равным Богу.
[18] И еще более искали убить Его Иудеи за то, что	

а.   Отец творящий

Иоанна.05:19-20	Он, то и Сын творит также.
[19] На это Иисус сказал: истинно, истинно говорю вам: Сын ничего не может творить Сам от Себя, если не увидит Отца творящего: ибо, что творит	[20] Ибо Отец любит Сына и показывает Ему все, что творит Сам; и покажет Ему дела больше сих, так что вы удивитесь.

б.   Жизнь вечная слушающему и верующему в Иисуса

Иоанна.05:21-30	Божия и, услышав, оживут.
[21] Ибо, как Отец воскрешает мертвых и оживляет, так и Сын оживляет, кого хочет. [22] Ибо Отец и не судит никого, но весь суд отдал Сыну, [23] дабы все чтили Сына, как чтут Отца. Кто не чтит Сына, тот не чтит и Отца, пославшего Его. [24] Истинно, истинно говорю вам: слушающий слово Мое и верующий в Пославшего Меня имеет жизнь вечную и на суд не приходит, но перешел от смерти в жизнь. [25] Истинно, истинно говорю вам: наступает время, и настало уже, когда мертвые услышат глас Сына	[26] Ибо, как Отец имеет жизнь в Самом Себе, так и Сыну дал иметь жизнь в Самом Себе. [27] И дал Ему власть производить и суд, потому что Он есть Сын Человеческий. [28] Не дивитесь сему; ибо наступает время, в которое все, находящиеся в гробах, услышат глас Сына Божия; [29] и изыдут творившие добро в воскресение жизни, а делавшие зло — в воскресение осуждения. [30] Я ничего не могу творить Сам от Себя. Как слышу, так и сужу, и суд Мой праведен; ибо не ищу Моей воли, но воли пославшего Меня Отца.

в.   Свидетельствующий об Иисусе[285]

Иоанна.05:31-38	[33] Вы посылали к Иоанну, и он засвидетельствовал об истине.
[31] Если Я свидетельствую Сам о Себе, то свидетельство Мое не есть истинно. [32] Есть другой, свидетельствующий о Мне; и Я знаю, что истинно то свидетельство, которым он свидетельствует о Мне.	[34] Впрочем Я не от человека принимаю свидетельство, но говорю это для того, чтобы вы спаслись. [35] Он был светильник, горящий и светящий; а вы хотели малое время порадоваться при свете его.

---

285 *Иисус сказал похожее, уча в храме (Иоанна.08:12-20 (Свидетельство Иисуса), стр. 102).*

³⁶ Я же имею свидетельство больше Иоаннова: ибо дела, которые Отец дал Мне совершить, самые дела сии, Мною творимые, свидетельствуют о Мне, что Отец послал Меня.

³⁷ И пославший Меня Отец Сам засвидетельство-

вал о Мне. А вы ни гласа Его никогда не слышали, ни лица Его не видели;

³⁸ и не имеете слова Его пребывающего в вас, потому что вы не веруете Тому, Которого Он послал.

г. Иисуса не принимают

Иоанна.05:39-47

³⁹ Исследуйте Писания, ибо вы думаете чрез них иметь жизнь вечную; а они свидетельствуют о Мне.

⁴⁰ Но вы не хотите придти ко Мне, чтобы иметь жизнь.

⁴¹ Не принимаю славы от человеков,

⁴² но знаю вас: вы не имеете в себе любви к Богу.

⁴³ Я пришел во имя Отца Моего, и не принимаете Меня; а если иной придет во имя свое, его примете.

⁴⁴ Как вы можете веровать, когда друг от друга принимаете славу, а славы, которая от Единого Бога, не ищете?

⁴⁵ Не думайте, что Я буду обвинять вас пред Отцом: есть на вас обвинитель Моисей, на которого вы уповаете.

⁴⁶ Ибо если бы вы верили Моисею, то поверили бы и Мне, потому что он писал о Мне.

⁴⁷ Если же его писаниям не верите, как поверите Моим словам?

6:1 … [286]

141. УБИЙСТВО ИОАННА КРЕСТИТЕЛЯ
Иерусалим, Иудея

Матфея.14:06-11

5 … [287]

⁶ Во время же *празднования* дня рождения Ирода дочь Иродиады плясала перед собранием и угодила Ироду

⁷ посему он с клятвою обещал ей дать, чего она ни попросит.

⁸ Она же, по наущению матери своей, сказала: дай мне здесь на блюде голову Иоанна Крестителя.

⁹ И опечалился царь, но, ради клятвы и возлежащих с ним, повелел дать ей

¹⁰ и послал отсечь Иоанну голову в темнице.

¹¹ И принесли голову его на блюде и дали девице, а она отнесла матери своей.

Марка.06:21-28

20 … [288]

²¹ Настал удобный день, когда Ирод, по случаю *дня* рождения своего, делал пир вельможам своим, тысяченачальникам и старейшинам Галилейским, —

²² дочь Иродиады вошла, плясала и угодила Ироду и возлежавшим с ним; царь сказал девице: проси у меня, чего хочешь, и дам тебе;

²³ и клялся ей: чего ни попросишь у меня, дам тебе, даже до половины моего царства.

²⁴ Она вышла и спросила у матери своей: чего просить? Та отвечала: головы Иоанна Крестителя.

²⁵ И она тотчас пошла с поспешностью к царю и просила, говоря: хочу, чтобы ты дал мне теперь же на блюде голову Иоанна Крестителя.

²⁶ Царь опечалился, но ради клятвы и возлежавших с ним не захотел отказать ей.

²⁷ И тотчас, послав оруженосца, царь повелел принести голову его.

²⁸ Он пошел, отсек ему голову в темнице, и принес

---

286 *Иоанна.06:01 (Уединение Иисуса с учениками), стр. 92.*

287 *Матфея.14:03-05 (Арест Иоанна Крестителя), стр. 29.*

288 *Марка.06:17-20 (Арест Иоанна Крестителя), стр. 29.*

	голову его на блюде, и отдал ее девице, а девица отдала ее матери своей.

Настал удобный день, когда Ирод, по случаю *дня* рождения своего, делал пир вельможам своим, тысяченачальникам и старейшинам Галилейским, — дочь Иродиады вошла, плясала и угодила Ироду и возлежавшим с ним.	сить?» Та отвечала: «Головы Иоанна Крестителя».
	И она тотчас пошла с поспешностью к царю и просила, говоря: «Хочу, чтобы ты дал мне теперь же на блюде голову Иоанна Крестителя».
Царь сказал девице: «Проси у меня, чего хочешь, и дам тебе, — и клялся ей: Чего ни попросишь у меня, дам тебе, даже до половины моего царства».	Царь опечалился, но ради клятвы и возлежавших с ним не захотел отказать ей. И тотчас, послав оруженосца, царь повелел принести голову Иоанна. Он пошёл, отсек ему голову в темнице, принёс её на блюде и отдал девице, а девица отнесла её матери своей.
Она вышла и спросила у матери своей: «Чего про-	

142. ПОХОРОНЫ ИОАННА КРЕСТИТЕЛЯ
Иерусалим, Иудея

Матфея.14:12	*Марка.06:29*
[12] Ученики же его, придя, взяли тело его и погребли его; и пошли, возвестили Иисусу. 13а ... [289]	[29] Ученики его, услышав, пришли и взяли тело его, и положили его во гробе. 30 ... [290]

Ученики же его, услышав, пришли и взяли тело его, и положили его во гробе; и пошли, возвестили	Иисусу.

143. ИРОД СЛЫШИТ МОЛВУ ОБ ИИСУСЕ
Иерусалим, Иудея

Матфея.14:01-02	*Марка.06:14-16*	*Луки.09:07-09*
13:58 ... [291] [1] В то время Ирод четвертовластник услышал молву об Иисусе [2] и сказал служащим при нем: это Иоанн Креститель; он воскрес из мертвых, и потому чудеса делаются им. 3 ... [292]	13 ... [293] [14] Царь Ирод, услышав *об Иисусе*, (ибо имя Его стало гласно), говорил: это Иоанн Креститель воскрес из мертвых, и потому чудеса делаются им. [15] Другие говорили: это Илия, а иные говорили: это пророк, или как один из пророков. [16] Ирод же, услышав, сказал: это Иоанн, которого я обезглавил; он	6 ... [295] [7] Услышал Ирод четвертовластник о всем, что делал *Иисус*, и недоумевал: ибо одни говорили, что это Иоанн восстал из мертвых; [8] другие, что Илия явился, а иные, что один из древних пророков воскрес. [9] И сказал Ирод: Иоанна я обезглавил; кто же Этот, о Котором я

---

289 *Матфея.14:13а (Уединение Иисуса с учениками), стр. 92.*

290 *Марка.06:30-32 (Уединение Иисуса с учениками), стр. 92.*

291 *Матфея.13:54-58 (Иисус учит в синагоге Назарета), стр. 83.*

292 *Матфея.14:03-05 (Арест Иоанна Крестителя), стр. 29.*

293 *Марка.06:12-13 (Ученики проповедуют и исцеляют), стр. 87.*

	воскрес из мертвых. 17 … [294]	слышу такое? И искал увидеть Его.

Услышал Ирод четвертовластник обо всем, что *делал Иисус (ибо имя Его стало гласно)*, и недоумевал: ибо одни говорили, что это Иоанн восстал из мёртвых; другие, что Илия явился, а иные, что один из древних пророков воскрес.	Ирод же, услышав это, сказал: «Это Иоанн, которого я обезглавил; он воскрес из мертвых, и потому чудеса делаются им. Иоанна я обезглавил; кто же Этот, о Котором я слышу такое?» И искал увидеть Его.

144. УЕДИНЕНИЕ ИИСУСА С УЧЕНИКАМИ
Близ Вифсаиды, окрестности Тивериады

Матфея.14:13а	Марка.06:30-32	Луки.09:10	Иоанна.06:01
12 … [296] 13а И, услышав, Иисус удалился оттуда на лодке в пустынное место один… [297]	29 … [298] 30 И собрались Апостолы к Иисусу и рассказали Ему все, и что сделали, и чему научили. 31 Он сказал им: пойдите вы одни в пустынное место и отдохните немного, — ибо много было приходящих и отходящих, так что и есть им было некогда. 32 И отправились в пустынное место в лодке одни. [297]	10 Апостолы, возвратившись, рассказали Ему, что они сделали; и Он, взяв их с Собою, удалился особо в пустое место, близ города, называемого Вифсаидою. [297]	5:47 … [299] 1 После сего пошел Иисус на ту сторону моря Галилейского, *в окрестности* Тивериады. **Иоанна.06:03** 3 Иисус взошел на гору и там сидел с учениками Своими. 4 … [300]

Апостолы, возвратившись, рассказали Иисусу, что они сделали и чему научили. Иисус, взяв с собой Апостолов, удалился особо в пустое место близ города, называемого Вифсаи-	дою, в окрестности Тивериады, говоря: «Пойдите вы одни в пустынное место и отдохните немного», — ибо много было приходящих и отходящих, так что и есть им было некогда. И отправились в пустынное место в лодке одни.

145. ИИСУС ИСЦЕЛЯЕТ И УЧИТ НАРОД
Близ Вифсаиды, окрестности Тивериады

Матфея.14:13б-14	Марка.06:33-34	Луки.09:11	Иоанна.06:02
13б …а народ, услышав о	33 Народ увидел, *как они*	11 Но народ, узнав, по-	2 За Ним последовало

---

294 *Марка.06:17-20 (Арест Иоанна Крестителя), стр. 29.*

295 *Луки.09:06 (Ученики проповедуют и исцеляют), стр. 87.*

296 *Матфея.14:12 (Похороны Иоанна Крестителя), стр. 91.*

297 *Матфей говорит о том, что только Иисус удалился. Марк и Лука говорят, что Иисус удалился с учениками.*

298 *Марка.06:29 (Похороны Иоанна Крестителя), стр. 91.*

299 *Иоанна.05:39-47 (Иисуса не принимают), стр. 90.*

300 *Иоанна.06:04-14 (Иисус кормит пять тысяч человек), стр. 93.*

том, пошёл за Ним из городов пешком. 14 И, выйдя, Иисус увидел множество людей и сжалился над ними, и исцелил больных их.	отправлялись, и многие узнали их; и бежали туда пешие из всех городов, и предупредили их, и собрались к Нему. 34 Иисус, выйдя, увидел множество народа и сжалился над ними, потому что они были, как овцы, не имеющие пастыря; и начал учить их много.	шёл за Ним; и Он, приняв их, беседовал с ними о Царствии Божием и требовавших исцеления исцелял.	множество народа, потому что видели чудеса, которые Он творил над больными.[301]

Народ увидел, *как они отправлялись*, и многие узнали их; и бежали туда пешие из всех городов и предупредили их, и собрались к Нему — потому что видели чудеса, которые Он творил над больными.	Иисус, выйдя, увидел множество народа и сжалился над ними, потому что они были как овцы, не имеющие пастыря; и начал учить их много и исцелил больных их.

146. ИИСУС КОРМИТ ПЯТЬ ТЫСЯЧ ЧЕЛОВЕК[302]
Близ Вифсаиды, окрестности Тивериады

Матфея.14:15-21	Марка.06:35-44	Луки.09:12-17	Иоанна.06:04-14
15 Когда же настал вечер, приступили к Нему ученики Его и сказали: место здесь пустынное и время уже позднее; отпусти народ, чтобы они пошли в селения и купили себе пищи. 16 Но Иисус сказал им: не нужно им идти, вы дайте им есть. 17 Они же говорят Ему: у нас здесь только пять хлебов и две рыбы. 18 Он сказал: принесите их Мне сюда. 19 И велел народу возлечь на траву и, взяв пять хлебов и две рыбы, воззрел на небо, благословил и, преломив, дал хлебы ученикам, а уче-	35 И как времени прошло много, ученики Его, приступив к Нему, говорят: место *здесь* пустынное, а времени уже много, — 36 отпусти их, чтобы они пошли в окрестные деревни и селения и купили себе хлеба, ибо им нечего есть. 37 Он сказал им в ответ: вы дайте им есть. И сказали Ему: разве нам пойти купить хлеба динариев на двести и дать им есть? 38 Но Он спросил их: сколько у вас хлебов? Пойдите, посмотрите. Они, узнав, сказали: пять хлебов и две рыбы.	12 День же начал склоняться к вечеру. И, приступив к Нему, двенадцать говорили Ему: отпусти народ, чтобы они пошли в окрестные селения и деревни ночевать и достали пищи; потому что мы здесь в пустом месте. 13 Но Он сказал им: вы дайте им есть. Они сказали: у нас нет более пяти хлебов и двух рыб; разве нам пойти купить пищи для всех сих людей? 14 Ибо их было около пяти тысяч человек. Но Он сказал ученикам Своим: рассадите их рядами по пятидесяти. 15 И сделали так, и рас-	4 Приближалась же Пасха, праздник Иудейский. 5 Иисус, возведя очи и увидев, что множество народа идёт к Нему, говорит Филиппу: где нам купить хлебов, чтобы их накормить? 6 Говорил же это, испытывая его; ибо Сам знал, что хотел сделать. 7 Филипп отвечал Ему: им на двести динариев не довольно будет хлеба, чтобы каждому из них досталось хотя понемногу. 8 Один из учеников Его, Андрей, брат Симона Петра, говорит Ему: 9 здесь есть у одного мальчика пять хлебов

301 *Иоанна.06:02 разделён от Иоанна.06:01,03 так как, скорее всего, Иисус отошёл с учениками Своими и наблюдал, как народ приходил (см. Иоанна.06:5 ...Иисус, увидев, что множество народа идёт к Нему...). Следовательно, когда Иисус был с учениками, они были без народа.*

302 *Иисус ещё раз накормил народ, но только четыре тысячи (Матфея.15:32-38 и Марка.08:01-09а (Иисус кормит четыре тысячи человек), стр. 111).*

| ники народу.
20 И ели все и насытились; и набрали оставшихся кусков двенадцать коробов полных;
21 а евших было около пяти тысяч человек, кроме женщин и детей. | **39** Тогда повелел им рассадить всех отделениями на зеленой траве.
40 И сели рядами, по сто и по пятидесяти.
41 Он взял пять хлебов и две рыбы, воззрев на небо, благословил и преломил хлебы и дал ученикам Своим, чтобы они раздали им; и две рыбы разделил на всех.
42 И ели все, и насытились.
43 И набрали кусков хлеба и *остатков* от рыб двенадцать полных коробов.
44 Было же евших хлебы около пяти тысяч мужей. | садили всех.
16 Он же, взяв пять хлебов и две рыбы и воззрев на небо, благословил их, преломил и дал ученикам, чтобы раздать народу.
17 И ели, и насытились все; и оставшихся у них кусков набрано двенадцать коробов.
18 ... ³⁰³ | ячменных и две рыбки; но что это для такого множества?
10 Иисус сказал: велите им возлечь. Было же на том месте много травы. Итак возлегло людей числом около пяти тысяч.
11 Иисус, взяв хлебы и воздав благодарение, роздал ученикам, а ученики возлежавшим, также и рыбы, сколько кто хотел.
12 И когда насытились, то сказал ученикам Своим: соберите оставшиеся куски, чтобы ничего не пропало.
13 И собрали, и наполнили двенадцать коробов кусками от пяти ячменных хлебов, оставшимися у тех, которые ели.
14 Тогда люди, видевшие чудо, сотворенное Иисусом, сказали: это истинно Тот Пророк, Которому должно придти в мир. |

| Когда же настал вечер, двенадцать учеников Его, приступив к Нему, говорят: «Место *здесь* пустынное и время уже позднее; отпусти народ, чтобы они пошли в окрестные деревни и селения и купили себе хлеба, ибо им нечего есть, а мы здесь в пустом месте».

Он сказал им в ответ: «Не нужно им идти, вы дайте им есть».

Иисус говорит Филиппу: «Где нам купить хлебов, чтобы их накормить?» Говорил же это, испытывая его; ибо Сам знал, что хотел сделать.

Филипп отвечал Ему: «Им на двести динариев не довольно будет хлеба, чтобы каждому из них досталось хотя бы понемногу». | Иисус спросил учеников: «Сколько у вас хлебов? Пойдите, посмотрите». Один из учеников Его, Андрей, брат Симона Петра, говорит Ему: «Здесь есть у одного мальчика пять хлебов ячменных и две рыбки; но что это для такого множества?» Он сказал: «Принесите их Мне сюда».

Иисус сказал: «Велите им возлечь». Было же на том месте много травы. И сели рядами по сто и по пятидесяти людей, числом около пяти тысяч.

Он взял пять хлебов и две рыбы, воззрев на небо, благословил и преломил хлебы и дал ученикам Своим, чтобы они раздали им; и две рыбы разделил на всех. И ели все, и насытились. |

303 *Луки.09:18-21 (Беседа Иисуса с учениками), стр. 114.*

И когда насытились, то сказал ученикам Своим: «Соберите оставшиеся куски, чтобы ничего не пропало». И собрали, и наполнили двенадцать коробов кусками от пяти ячменных хлебов, оставшимися у	тех, которые ели. Тогда люди, видевшие чудо, сотворённое Иисусом, сказали: «Это истинно Тот Пророк, Которому должно прийти в мир».

147. ИИСУС ОТПРАВЛЯЕТ УЧЕНИКОВ И УЕДИНЯЕТСЯ НА ГОРЕ
Близ Вифсаиды, окрестности Тивериады

Матфея.14:22-23	*Марка.06:45-46*	*Иоанна.06:15-17а*
22 И тотчас понудил Иисус учеников Своих войти в лодку и отправиться прежде Его на другую сторону, пока Он отпустит народ. 23 И, отпустив народ, Он взошел на гору помолиться наедине; и вечером оставался там один.	45 И тотчас понудил учеников Своих войти в лодку и отправиться вперед на другую сторону к Вифсаиде, пока Он отпустит народ. 46 И, отпустив их, пошел на гору помолиться.	15 Иисус же, узнав, что хотят придти, нечаянно взять Его и сделать царем, опять удалился на гору один. 16 Когда же настал вечер, то ученики Его сошли к морю 17а и, войдя в лодку, отправились на ту сторону моря, в Капернаум.

Иисус же, узнав, что хотят прийти, нечаянно взять Его и сделать царём, тотчас понудил учеников Своих войти в лодку и отправиться прежде Его на другую сторону к Вифсаиде, пока Он отпустит	народ. И, отпустив народ, Он взошёл на гору помолиться наедине; и вечером оставался там один.

148. УЧЕНИКИ БЕДСТВУЮТ В ПЛАВАНИИ[304]
Близ Вифсаиды, окрестности Тивериады → Капернаум, Галилея

Матфея.14:24-33	*Марка.06:47-52*	*Иоанна.06:17б-21*
24 А лодка была уже на средине моря, и ее било волнами, потому что ветер был противный. 25 В четвертую же стражу ночи пошел к ним Иисус, идя по морю. 26 И ученики, увидев Его идущего по морю, встревожились и говорили: это призрак; и от страха вскричали. 27 Но Иисус тотчас заговорил с ними и сказал: ободритесь; это Я, не бойтесь. 28 Петр сказал Ему в ответ: Господи! Если это Ты, повели мне придти к Тебе по воде. 29 Он же сказал: иди. И, выйдя из лодки, Петр пошел по воде, что-	47 Вечером лодка была посреди моря, а Он один на земле. 48 И увидел их бедствующих в плавании, потому что ветер им был противный; около же четвертой стражи ночи подошел к ним, идя по морю, и хотел миновать их. 49 Они, увидев Его идущего по морю, подумали, что это призрак, и вскричали. 50 Ибо все видели Его и испугались. И тотчас заговорил с ними и сказал им: ободритесь; это Я, не бойтесь.[305] 51 И вошел к ним в лодку, и ветер утих. И они чрезвычайно изумля-	17б Становилось темно, а Иисус не приходил к ним. 18 Дул сильный ветер, и море волновалось. 19 Проплыв около двадцати пяти или тридцати стадий, они увидели Иисуса, идущего по морю и приближающегося к лодке, и испугались. 20 Но Он сказал им: это Я; не бойтесь. 21 Они хотели принять Его в лодку; и тотчас лодка пристала к берегу, куда плыли.[305] 22 …[306]

---

304 *Иисус уже успокаивал бурю, когда плыл из Галилеи в страну Гадаринскую (Матфея.08:23-27, Марка.04:35-41, Луки.08:22-25 (Успокоение бури), стр. 76).*

бы подойти к Иисусу ³⁰ но, видя сильный ветер, испугался и, начав утопать, закричал: Господи! Спаси меня. ³¹ Иисус тотчас простер руку, поддержал его и говорит ему: маловерный! Зачем ты усомнился? 305 ³² И, когда вошли они в лодку, ветер утих. ³³ Бывшие же в лодке подошли, поклонились Ему и сказали: истинно Ты Сын Божий.	лись в себе и дивились ⁵² ибо не вразумились *чудом* над хлебами, потому что сердце их было окаменено.	

Вечером лодка была посреди моря, а Он один на земле. И увидел их, бедствующих в плавании, потому что ветер им был противный, лодку било волнами от волнующегося моря. Когда ученики проплыли около двадцати пяти или тридцати стадий, около четвёртой стражи ночи пошёл к ним Иисус, идя по морю, и хотел миновать их. И ученики, увидев Его идущего по морю, встревожились и говорили: «Это призрак», — и от страха вскричали. Ибо все видели Его и испугались. Но Иисус тотчас заговорил с ними и сказал: «Ободритесь; это Я, не бойтесь».	Петр сказал Ему в ответ: «Господи! Если это Ты, повели мне прийти к Тебе по воде». Он же сказал: «Иди». И, выйдя из лодки, Петр пошёл по воде, чтобы подойти к Иисусу но, видя сильный ветер, испугался и, начав утопать, закричал: «Господи! Спаси меня». Иисус тотчас простёр руку, поддержал его и говорит ему: «Маловерный! Зачем ты усомнился?» И, когда вошли они в лодку, ветер утих. Они чрезвычайно изумлялись в себе и дивились, ибо не вразумились *чудом* над хлебами, потому что сердце их было окаменено. Бывшие же в лодке подошли, поклонились Ему и сказали: «Истинно Ты Сын Божий».

149. ПРИБЫТИЕ В ЗЕМЛЮ ГЕННИСАРЕТСКУЮ И ИСЦЕЛЕНИЕ НАРОДА
Земля Геннисаретская

Матфея.14:34-36	*Марка.06:53-56*
³⁴ И, переправившись, прибыли в землю Геннисаретскую. ³⁵ Жители того места, узнав Его, послали во всю окрестность ту и принесли к Нему всех больных, ³⁶ и просили Его, чтобы только прикоснуться к краю одежды Его; и которые прикасались, исцелялись. 15:1 ... 307	⁵³ И, переправившись, прибыли в землю Геннисаретскую и пристали *к берегу*. ⁵⁴ Когда вышли они из лодки, тотчас *жители*, узнав Его ⁵⁵ обежали всю окрестность ту и начали на постелях приносить больных туда, где Он, как слышно было, находился. ⁵⁶ И куда ни приходил Он, в селения ли, в города ли, в деревни ли, клали больных на открытых местах и просили Его, чтобы им прикоснуться хотя к краю одежды Его; и которые прикасались к Нему,

---

305 *Марк, Лука и Иоанн не описывают, как Петр шёл к Иисусу по воде.*

306 *Иоанна.06:22-24 (Народ ищет Иисуса), стр. 97.*

307 *Матфея.15:01-11 (Ученики едят хлеб неумытыми руками), стр. 107.*

	исцелялись. 7:1 ... [308]

И переправившись, прибыли в землю Геннисаретскую и пристали *к берегу*. Когда вышли они из лодки, тотчас *жители*, узнав Его, обежали всю окрестность ту и начали на постелях приносить больных туда, где Он, как слышно было, находился.	И куда ни приходил Он, в селения ли, в города ли, в деревни ли, клали больных на открытых местах и просили Его, чтобы им прикоснуться бы хотя к краю одежды Его; и которые прикасались к Нему, исцелялись.

150. НАРОД ИЩЕТ ИИСУСА
Близ города Вифсаида, окрестности Тивериады → Капернаум, Галилея

Иоанна.06:22-24 21 ... [309] 22 На другой день народ, стоявший по ту сторону моря, видел, что там, кроме одной лодки, в которую вошли ученики Его, иной не было, и что Иисус не входил в лодку с учениками Своими, а отплыли	одни ученики Его. 23 Между тем пришли из Тивериады другие лодки близко к тому месту, где ели хлеб по благословении Господнем. 24 Итак, когда народ увидел, что тут нет Иисуса, ни учеников Его, то вошли в лодки и приплыли в Капернаум, ища Иисуса.

151. ПРОПОВЕДЬ ИИСУСА В СИНАГОГЕ
Синагога, Капернаум, Галилея

Иоанна.06:25-27 25 И, найдя Его на той стороне моря, сказали Ему: Равви! Когда Ты сюда пришел? 26 Иисус сказал им в ответ: истинно, истинно гово-	рю вам: вы ищете Меня не потому, что видели чудеса, но потому, что ели хлеб и насытились. 27 Старайтесь не о пище тленной, но о пище, пребывающей в жизнь вечную, которую даст вам Сын Человеческий, ибо на Нем положил печать Свою Отец, Бог.

а. Дела Божии

Иоанна.06:28-29 28 Итак сказали Ему: что нам делать, чтобы тво-	рить дела Божии? 29 Иисус сказал им в ответ: вот дело Божие, чтобы вы веровали в Того, Кого Он послал.

б. Хлеб, сошедший с небес[310]

Иоанна.06:30-34 30 На это сказали Ему: какое же Ты дашь знамение, чтобы мы увидели и поверили Тебе? Что Ты	делаешь? 31 Отцы наши ели манну в пустыне, как написано: «хлеб с неба дал им есть».

---

308 *Марка.07:01-16 (Ученики едят хлеб неумытыми руками), стр. 107.*

309 *Иоанна.06:17б-21 (Ученики бедствуют в плавании), стр. 95.*

310 *От Иисуса уже требовали знамения после исцеления одержимого, слепого и немого (Матфея.12:38-42, Луки.11:16, и Луки.11:29-36 (От Иисуса просят знамения; суд с родом этим), стр. 66) и когда Иисус был в пределах Магдалинских (Матфея.16:01-04 и Марка.08:09б-13а (Фарисеи и саддукеи просят знамения с неба), стр. 112).*

³² Иисус же сказал им: истинно, истинно говорю вам: не Моисей дал вам хлеб с неба, а Отец Мой дает вам истинный хлеб с небес. ³³ Ибо хлеб Божий есть тот, который сходит с	небес и дает жизнь миру. ³⁴ На это сказали Ему: Господи! Подавай нам всегда такой хлеб.

в. Хлеб жизни

Иоанна.06:35-38 ³⁵ Иисус же сказал им: Я есмь хлеб жизни; приходящий ко Мне не будет алкать, и верующий в Меня не будет жаждать никогда. ³⁶ Но Я сказал вам, что вы и видели Меня, и не	веруете. ³⁷ Все, что дает Мне Отец, ко Мне придет; и приходящего ко Мне не изгоню вон, ³⁸ ибо Я сошел с небес не для того, чтобы творить волю Мою, но волю пославшего Меня Отца.

г. Воля Отца Небесного

Иоанна.06:39-40 ³⁹ Воля же пославшего Меня Отца есть та, чтобы из того, что Он Мне дал, ничего не погубить, но	все то воскресить в последний день. ⁴⁰ Воля Пославшего Меня есть та, чтобы всякий, видящий Сына и верующий в Него, имел жизнь вечную; и Я воскрешу его в последний день.

д. Ропот на Иисуса

Иоанна.06:41-46 ⁴¹ Возроптали на Него Иудеи за то, что Он сказал: «Я есмь хлеб, сшедший с небес». ⁴² И говорили: не Иисус ли это, сын Иосифов, Которого отца и Мать мы знаем? Как же говорит Он: «Я сшел с небес»? ⁴³ Иисус сказал им в ответ: не ропщите между собою.	⁴⁴ Никто не может придти ко Мне, если не привлечет его Отец, пославший Меня; и Я воскрешу его в последний день. ⁴⁵ У пророков написано: «и будут все научены Богом». Всякий, слышавший от Отца и научившийся, приходит ко Мне. ⁴⁶ Это не то, чтобы кто видел Отца, кроме Того, Кто есть от Бога: Он видел Отца.

е. Верующий и жизнь вечная

Иоанна.06:47-51 ⁴⁷ Истинно, истинно говорю вам: верующий в Меня имеет жизнь вечную. ⁴⁸ Я есмь хлеб жизни. ⁴⁹ Отцы ваши ели манну в пустыне и умерли;	⁵⁰ хлеб же, сходящий с небес, таков, что ядущий его не умрет. ⁵¹ Я хлеб живой, сшедший с небес; ядущий хлеб сей будет жить вовек; хлеб же, который Я дам, есть Плоть Моя, которую Я отдам за жизнь мира.

ж. Плоть и Кровь Сына Человеческого

Иоанна.06:52-59 ⁵² Тогда Иудеи стали спорить между собою, говоря: как Он может дать нам есть Плоть Свою?	⁵³ Иисус же сказал им: истинно, истинно говорю вам: если не будете есть Плоти Сына Человеческого и пить Крови Его, то не будете иметь в себе жизни.

⁵⁴ Ядущий Мою Плоть и пиющий Мою Кровь имеет жизнь вечную, и Я воскрешу его в последний день.	⁵⁷ Как послал Меня живой Отец, и Я живу Отцом, так и ядущий Меня жить будет Мною.
⁵⁵ Ибо Плоть Моя истинно есть пища, и Кровь Моя истинно есть питие.	⁵⁸ Сей-то есть хлеб, сшедший с небес. Не так, как отцы ваши ели манну и умерли: ядущий хлеб сей жить будет вовек.
⁵⁶ Ядущий Мою Плоть и пиющий Мою Кровь пребывает во Мне, и Я в нем.	⁵⁹ Сие говорил Он в синагоге, уча в Капернауме.

з. Ропот учеников на Иисуса

Иоанна.06:60-66	Слова, которые говорю Я вам, суть дух и жизнь.
	⁶⁴ Но есть из вас некоторые неверующие. (Ибо Иисус от начала знал, кто суть неверующие и кто предаст Его).
⁶⁰ Многие из учеников Его, слыша то, говорили: какие странные слова! Кто может это слушать?	
⁶¹ Но Иисус, зная Сам в Себе, что ученики Его ропщут на то, сказал им: это ли соблазняет вас?	⁶⁵ И сказал: для того — то и говорил Я вам, что никто не может придти ко Мне, если то не дано будет ему от Отца Моего.
⁶² Что ж, если увидите Сына Человеческого восходящего туда, где был прежде?	⁶⁶ С этого времени многие из учеников Его отошли от Него и уже не ходили с Ним.
⁶³ Дух животворит; плоть не пользует нимало.	

и. Двенадцать учеников остаются с Иисусом

Иоанна.06:67-71	Бога живого.
	⁷⁰ Иисус отвечал им: не двенадцать ли вас избрал Я? Но один из вас диавол.
⁶⁷ Тогда Иисус сказал двенадцати: не хотите ли и вы отойти?	⁷¹ Это говорил Он об Иуде Симонове Искариоте, ибо сей хотел предать Его, будучи один из двенадцати.
⁶⁸ Симон Петр отвечал Ему: Господи! К кому нам идти? Ты имеешь глаголы вечной жизни	
⁶⁹ и мы уверовали и познали, что Ты Христос, Сын	

152. ИИСУС ХОДИТ ПО ГАЛИЛЕЕ
Галилея

Иоанна.07:01	Иудее не хотел ходить, потому что Иудеи искали убить Его.
¹ После сего Иисус ходил по Галилее, ибо по	

153. ПРИБЛИЖЕНИЕ ПРАЗДНИКА ПОСТАВЛЕНИЯ КУЩЕЙ[311]
Галилея

Иоанна.07:02-09	ла, которые Ты делаешь.
	⁴ Ибо никто не делает чего-либо втайне, и ищет сам быть известным. Если Ты творишь такие дела, то яви Себя миру.
² Приближался праздник Иудейский — поставление кущей.	
³ Тогда братья Его сказали Ему: выйди отсюда и пойди в Иудею, чтобы и ученики Твои видели де-	⁵ Ибо и братья Его не веровали в Него.

---

311 *Возникает вопрос, а в какой год служения Иисуса произошло это событие? Служение Иисуса длилось три года. В начале служения Иисус очистил храм — год первый. Год третий — распятие. Так вот, скорее всего, Иисус был на празднике кущей как раз во второй год Своего служения.*

⁶ На это Иисус сказал им: Мое время еще не настало, а для вас всегда время. ⁷ Вас мир не может ненавидеть, а Меня ненавидит, потому что Я свидетельствую о нем, что дела его злы.	⁸ Вы пойдите на праздник сей; а Я еще не пойду на сей праздник, потому что Мое время еще не исполнилось. ⁹ Сие сказав им, остался в Галилее.

154. ИИСУС НА ПРАЗДНИКЕ
Иерусалим, Иудея

Иоанна.07:10-13 ¹⁰ Но когда пришли братья Его, тогда и Он пришел на праздник не явно, а как бы тайно. ¹¹ Иудеи же искали Его на празднике и говорили: где Он?	¹² И много толков было о Нем в народе: одни говорили, что Он добр; а другие говорили: нет, но обольщает народ. ¹³ Впрочем никто не говорил о Нем явно, боясь Иудеев.

155. ИИСУС УЧИТ В ХРАМЕ НА ПРАЗДНИКЕ
Иерусалим, Иудея

Иоанна.07:14-15 ¹⁴ Но в половине уже праздника вошел Иисус в	храм и учил. ¹⁵ И дивились Иудеи, говоря: как Он знает Писания, не учившись?

а. Истоки учения Иисуса

Иоанна.07:16-20 ¹⁶ Иисус, отвечая им, сказал: Мое учение — не Мое, но Пославшего Меня; ¹⁷ кто хочет творить волю Его, тот узнает о сем учении, от Бога ли оно, или Я Сам от Себя говорю. ¹⁸ Говорящий сам от себя ищет славы себе; а Кто	ищет славы Пославшему Его, Тот истинен, и нет неправды в Нем. ¹⁹ Не дал ли вам Моисей закона? И никто из вас не поступает по закону. За что ищете убить Меня? ²⁰ Народ сказал в ответ: не бес ли в Тебе? Кто ищет убить Тебя?

б. Обрезание или исцеление в субботу

Иоанна.07:21-24 ²¹ Иисус, продолжая речь, сказал им: одно дело сделал Я, и все вы дивитесь. ²² Моисей дал вам обрезание (хотя оно не от Моисея, но от отцов), и в субботу вы обрезываете человека.	²³ Если в субботу принимает человек обрезание, чтобы не был нарушен закон Моисеев, — на Меня ли негодуете за то, что Я всего человека исцелил в субботу? ²⁴ Не судите по наружности, но судите судом праведным.

в. Откуда явился Христос

Иоанна.07:25-29 ²⁵ Тут некоторые из Иерусалимлян говорили: не Тот ли это, Которого ищут убить?	²⁶ Вот, Он говорит явно, и ничего не говорят Ему: не удостоверились ли начальники, что Он — подлинно Христос?

²⁷ Но мы знаем Его, откуда Он; Христос же когда придет, никто не будет знать, откуда Он. ²⁸ Тогда Иисус возгласил в храме, уча и говоря: и знаете Меня, и знаете, откуда Я; и Я пришел не	Сам от Себя, но истинен Пославший Меня, Которого вы не знаете. ²⁹ Я знаю Его, потому что Я от Него, и Он послал Меня.

156. ПОПЫТКА СХВАТИТЬ ИИСУСА
Иерусалим, Иудея

Иоанна.07:30-36	³³ Иисус же сказал им: еще недолго быть Мне с вами, и пойду к Пославшему Меня;
³⁰ И искали схватить Его, но никто не наложил на Него руки, потому что еще не пришел час Его. ³¹ Многие же из народа уверовали в Него и говорили: когда придет Христос, неужели сотворит больше знамений, нежели сколько Сей сотворил? ³² Услышали фарисеи такие толки о Нем в народе, и послали фарисеи и первосвященники служителей — схватить Его.	³⁴ будете искать Меня, и не найдете; и где буду Я, туда вы не можете придти. ³⁵ При сем Иудеи говорили между собою: куда Он хочет идти, так что мы не найдем Его? Не хочет ли Он идти в Еллинское рассеяние и учить Еллинов? ³⁶ Что значат сии слова, которые Он сказал: «будете искать Меня, и не найдете; и где буду Я, туда вы не можете придти»?

157. ПОСЛЕДНИЙ ДЕНЬ ПРАЗДНИКА КУЩЕЙ
Иерусалим, Иудея

Иоанна.07:37-44	⁴⁰ Многие из народа, услышав сии слова, говорили: Он точно пророк.
³⁷ В последний же великий день праздника стоял Иисус и возгласил, говоря: кто жаждет, иди ко Мне и пей. ³⁸ Кто верует в Меня, у того, как сказано в Писании, из чрева потекут реки воды живой. ³⁹ Сие сказал Он о Духе, Которого имели принять верующие в Него: ибо еще не было на них Духа Святого, потому что Иисус еще не был прославлен.	⁴¹ Другие говорили: это — Христос. А иные говорили: разве из Галилеи Христос придет? ⁴² Не сказано ли в Писании, что Христос придет от семени Давидова и из Вифлеема, из того места, откуда был Давид? ⁴³ Итак произошла о Нем распря в народе. ⁴⁴ Некоторые из них хотели схватить Его; но никто не наложил на Него рук.

158. СОВЕЩАНИЕ ПЕРВОСВЯЩЕННИКОВ И ФАРИСЕЕВ
Иерусалим, Иудея

Иоанна.07:45-53	фарисеев?
⁴⁵ Итак служители возвратились к первосвященникам и фарисеям, и сии сказали им: для чего вы не привели Его? ⁴⁶ Служители отвечали: никогда человек не говорил так, как Этот Человек. ⁴⁷ Фарисеи сказали им: неужели и вы прельстились? ⁴⁸ Уверовал ли в Него кто из начальников, или из	⁴⁹ Но этот народ — невежда в законе, проклят он. ⁵⁰ Никодим, приходивший к Нему ночью, будучи один из них, говорит им: ⁵¹ судит ли закон наш человека, если прежде не выслушают его и не узнают, что он делает? ⁵² На это сказали ему: и ты не из Галилеи ли? Рассмотри и увидишь, что из Галилеи не приходит пророк. ⁵³ И разошлись все по домам.

159. ИИСУС НА ГОРЕ ЕЛЕОНСКОЙ
Гора Елеонская, Иудея

Иоанна.08:01	[1] Иисус же пошел на гору Елеонскую.

160. ИИСУС УЧИТ В ХРАМЕ
Иерусалим, Иудея

а. Женщина, взятая в прелюбодеянии

Иоанна.08:02-11	них внимания.
[2] А утром опять пришел в храм, и весь народ шел к Нему. Он сел и учил их. [3] Тут книжники и фарисеи привели к Нему женщину, взятую в прелюбодеянии, и, поставив ее посреди, [4] сказали Ему: Учитель! Эта женщина взята в прелюбодеянии; [5] а Моисей в законе заповедал нам побивать таких камнями: Ты что скажешь? [6] Говорили же это, искушая Его, чтобы найти что-нибудь к обвинению Его. Но Иисус, наклонившись низко, писал перстом на земле, не обращая на	[7] Когда же продолжали спрашивать Его, Он, восклонившись, сказал им: кто из вас без греха, первый брось на нее камень. [8] И опять, наклонившись низко, писал на земле. [9] Они же, услышав *то* и будучи обличаемы совестью, стали уходить один за другим, начиная от старших до последних; и остался один Иисус и женщина, стоящая посреди. [10] Иисус, восклонившись и не видя никого, кроме женщины, сказал ей: женщина! Где твои обвинители? Никто не осудил тебя? [11] Она отвечала: никто, Господи. Иисус сказал ей: и Я не осуждаю тебя; иди и впредь не греши.

б. Свидетельство Иисуса[312]

Иоанна.08:12-20	[16] А если и сужу Я, то суд Мой истинен, потому что Я не один, но Я и Отец, пославший Меня.
[12] Опять говорил Иисус *к народу* и сказал им: Я свет миру; кто последует за Мною, тот не будет ходить во тьме, но будет иметь свет жизни. [13] Тогда фарисеи сказали Ему: Ты Сам о Себе свидетельствуешь, свидетельство Твое не истинно. [14] Иисус сказал им в ответ: если Я и Сам о Себе свидетельствую, свидетельство Мое истинно; потому что Я знаю, откуда пришел и куда иду; а вы не знаете, откуда Я и куда иду. [15] Вы судите по плоти; Я не сужу никого.	[17] А и в законе вашем написано, что двух человек свидетельство истинно. [18] Я Сам свидетельствую о Себе, и свидетельствует о Мне Отец, пославший Меня. [19] Тогда сказали Ему: где Твой Отец? Иисус отвечал: вы не знаете ни Меня, ни Отца Моего; если бы вы знали Меня, то знали бы и Отца Моего. [20] Сии слова говорил Иисус у сокровищницы, когда учил в храме; и никто не взял Его, потому что еще не пришел час Его.

в. Иисус говорит о Своём отходе

Иоанна.08:21-24	туда вы не можете придти.
[21] Опять сказал им Иисус: Я отхожу, и будете искать Меня, и умрете во грехе вашем. Куда Я иду,	[22] Тут Иудеи говорили: неужели Он убьет Сам Себя, что говорит: «куда Я иду, вы не можете придти?»

---

312 *Иисус сказал похожее после исцеления в купальне Вифезда (Иоанна.05:31-38 (Свидетельствующий об Иисусе), стр. 89).*

²³ Он сказал им: вы от нижних, Я от вышних; вы от мира сего, Я не от сего мира.	²⁴ Потому Я и сказал вам, что вы умрете во грехах ваших; ибо если не уверуете, что это Я, то умрете во грехах ваших.

г. Иисус — от начала Сущий

Иоанна.08:25-27	²⁶ Много имею говорить и судить о вас; но Пославший Меня есть истинен, и что Я слышал от Него, то и говорю миру.
²⁵ Тогда сказали Ему: кто же Ты? Иисус сказал им: от начала Сущий, как и говорю вам.	²⁷ Не поняли, что Он говорил им об Отце.

д. Иисус ничего не делает от Себя

Иоанна.08:28-29	Мой, так и говорю.
²⁸ Итак Иисус сказал им: когда вознесете Сына Человеческого, тогда узнаете, что это Я и что ничего не делаю от Себя, но как научил Меня Отец	²⁹ Пославший Меня есть со Мною; Отец не оставил Меня одного, ибо Я всегда делаю то, что Ему угодно.

е. Слово Господне и свобода

Иоанна.08:30-36	рабами никому никогда; как же Ты говоришь: «сделаетесь свободными»?
³⁰ Когда Он говорил это, многие уверовали в Него. ³¹ Тогда сказал Иисус к уверовавшим в Него Иудеям: если пребудете в слове Моем, то вы истинно Мои ученики, ³² и познаете истину, и истина сделает вас свободными. ³³ Ему отвечали: мы — семя Авраамово и не были	³⁴ Иисус отвечал им: истинно, истинно говорю вам: всякий, делающий грех, есть раб греха. ³⁵ Но раб не пребывает в доме вечно; сын пребывает вечно. ³⁶ Итак, если Сын освободит вас, то истинно свободны будете.

ж. Дети диавола

Иоанна.08:37-50	⁴² Иисус сказал им: если бы Бог был Отец ваш, то вы любили бы Меня, потому что Я от Бога исшел и пришел; ибо Я не Сам от Себя пришел, но Он послал Меня.
³⁷ Знаю, что вы — семя Авраамово; однако ищете убить Меня, потому что слово Мое не вмещается в вас. ³⁸ Я говорю то, что видел у Отца Моего; а вы делаете то, что видели у отца вашего. ³⁹ Сказали Ему в ответ: отец наш есть Авраам. Иисус сказал им: если бы вы были дети Авраама, то дела Авраамовы делали бы. ⁴⁰ А теперь ищете убить Меня, Человека, сказавшего вам истину, которую слышал от Бога: Авраам этого не делал. ⁴¹ Вы делаете дела отца вашего. На это сказали Ему: мы не от любодеяния рождены; одного Отца имеем, Бога.	⁴³ Почему вы не понимаете речи Моей? Потому что не можете слышать слова Моего. ⁴⁴ Ваш отец — диавол, и вы хотите исполнять похоти отца вашего. Он был человекоубийца от начала и не устоял в истине, ибо нет в нем истины. Когда говорит он ложь, говорит свое, ибо он лжец и отец лжи. ⁴⁵ А как Я истину говорю, то не верите Мне. ⁴⁶ Кто из вас обличит Меня в неправде? Если же Я говорю истину, почему вы не верите Мне? ⁴⁷ Кто от Бога, тот слушает слова Божии. Вы потому не слушаете, что вы не от Бога.

[48] На это Иудеи отвечали и сказали Ему: не правду ли мы говорим, что Ты Самарянин и что бес в Тебе? [49] Иисус отвечал: во Мне беса нет; но Я чту Отца	Моего, а вы бесчестите Меня. [50] Впрочем Я не ищу Моей славы: есть Ищущий и Судящий.

3. Бессмертие при условии соблюдения слов Господних

Иоанна.08:51-59 [51] Истинно, истинно говорю вам: кто соблюдет слово Мое, тот не увидит смерти вовек. [52] Иудеи сказали Ему: теперь узнали мы, что бес в Тебе. Авраам умер и пророки, а Ты говоришь: «кто соблюдет слово Мое, тот не вкусит смерти вовек». [53] Неужели Ты больше отца нашего Авраама, который умер? И пророки умерли: чем Ты Себя делаешь? [54] Иисус отвечал: если Я Сам Себя славлю, то слава Моя — ничто. Меня прославляет Отец Мой, о Котором вы говорите, что Он Бог ваш.	[55] И вы не познали Его, а Я знаю Его; и если скажу, что не знаю Его, то буду подобный вам лжец. Но Я знаю Его и соблюдаю слово Его. [56] Авраам, отец ваш, рад был увидеть день Мой; и увидел и возрадовался. [57] На это сказали Ему Иудеи: Тебе нет еще пятидесяти лет, — и Ты видел Авраама? [58] Иисус сказал им: истинно, истинно говорю вам: прежде нежели был Авраам, Я есмь. [59] Тогда взяли каменья, чтобы бросить на Него; но Иисус скрылся и вышел из храма, пройдя посреди них, и пошел далее.

161. ИСЦЕЛЕНИЕ СЛЕПОГО ОТ РОЖДЕНИЯ
Иерусалим, Иудея

Иоанна.09:01-07 [1] И, проходя, увидел человека, слепого от рождения. [2] Ученики Его спросили у Него: Равви! Кто согрешил, он или родители его, что родился слепым? [3] Иисус отвечал: не согрешил ни он, ни родители его, но это для того, чтобы на нем явились дела Божии.	[4] Мне должно делать дела Пославшего Меня, доколе есть день; приходит ночь, когда никто не может делать. [5] Доколе Я в мире, Я — свет миру. [6] Сказав это, Он плюнул на землю, сделал брение из плюновения и помазал брением глаза слепому [7] и сказал ему: пойди, умойся в купальне Силоам, что значит: «посланный». Он пошел и умылся, и пришел зрячим.

162. ФАРИСЕИ ДОПРАШИВАЮТ ИСЦЕЛЁННОГО
Иерусалим, Иудея

Иоанна.09:08-17 [8] Тут соседи и видевшие прежде, что он был слеп, говорили: не тот ли это, который сидел и просил милостыни? [9] Иные говорили: это он, а иные: похож на него. Он же говорил: это я. [10] Тогда спрашивали у него: как открылись у тебя глаза? [11] Он сказал в ответ: Человек, называемый Иисус, сделал брение, помазал глаза мои и сказал мне:	«пойди на купальню Силоам и умойся». Я пошел, умылся и прозрел. [12] Тогда сказали ему: где Он? Он отвечал: не знаю. [13] Повели сего бывшего слепца к фарисеям. [14] А была суббота, когда Иисус сделал брение и отверз ему очи. [15] Спросили его также и фарисеи, как он прозрел. Он сказал им: брение положил Он на мои глаза, и я умылся, и вижу.

[16] Тогда некоторые из фарисеев говорили: не от Бога Этот Человек, потому что не хранит субботы. Другие говорили: как может человек грешный творить такие чудеса? И была между ними распря.

[17] Опять говорят слепому: ты что скажешь о Нем, потому что Он отверз тебе очи? Он сказал: это пророк.

163. ФАРИСЕИ ДОПРАШИВАЮТ РОДИТЕЛЕЙ ИСЦЕЛЁННОГО
Иерусалим, Иудея

Иоанна.09:18-23

[18] Тогда Иудеи не поверили, что он был слеп и прозрел, доколе не призвали родителей сего прозревшего

[19] и спросили их: это ли сын ваш, о котором вы говорите, что родился слепым? Как же он теперь видит?

[20] Родители его сказали им в ответ: мы знаем, что это сын наш и что он родился слепым

[21] а как теперь видит, не знаем, или кто отверз ему очи, мы не знаем. Сам в совершенных летах; самого спросите; пусть сам о себе скажет.

[22] Так отвечали родители его, потому что боялись Иудеев; ибо Иудеи сговорились уже, чтобы, кто признает Его за Христа, того отлучать от синагоги.

[23] Посему-то родители его и сказали: он в совершенных летах; самого спросите.

164. ФАРИСЕИ ДОПРАШИВАЮТ ИСЦЕЛЁННОГО ВТОРИЧНО
Иерусалим, Иудея

Иоанна.09:24-34

[24] Итак, вторично призвали человека, который был слеп, и сказали ему: воздай славу Богу; мы знаем, что Человек Тот — грешник.

[25] Он сказал им в ответ: грешник ли Он, не знаю; одно знаю, что я был слеп, а теперь вижу.

[26] Снова спросили его: что сделал Он с тобою? Как отверз твои очи?

[27] Отвечал им: я уже сказал вам, и вы не слушали; что еще хотите слышать? Или и вы хотите сделаться Его учениками?

[28] Они же укорили его и сказали: ты ученик Его, а мы Моисеевы ученики.

[29] Мы знаем, что с Моисеем говорил Бог; Сего же не знаем, откуда Он.

[30] Человек *прозревший* сказал им в ответ: это и удивительно, что вы не знаете, откуда Он, а Он отверз мне очи.

[31] Но мы знаем, что грешников Бог не слушает; но кто чтит Бога и творит волю Его, того слушает.

[32] От века не слыхано, чтобы кто отверз очи слепорожденному.

[33] Если бы Он не был от Бога, не мог бы творить ничего.

[34] Сказали ему в ответ: во грехах ты весь родился, и ты ли нас учишь? И выгнали его вон.

165. ИИСУС ОТКРЫВАЕТ СЕБЯ ИСЦЕЛЁННОМУ
Иерусалим, Иудея

Иоанна.09:35-41

[35] Иисус, услышав, что выгнали его вон, и найдя его, сказал ему: ты веруешь ли в Сына Божия?

[36] Он отвечал и сказал: а кто Он, Господи, чтобы мне веровать в Него?

[37] Иисус сказал ему: и видел ты Его, и Он говорит с тобою.

[38] Он же сказал: верую, Господи! И поклонился Ему.

[39] И сказал Иисус: на суд пришел Я в мир сей, чтобы невидящие видели, а видящие стали слепы.

[40] Услышав это, некоторые из фарисеев, бывших с Ним, сказали Ему: неужели и мы слепы?

[41] Иисус сказал им: если бы вы были слепы, то не имели бы на себе греха; но как вы говорите, что видите, то грех остается на вас.

166. ПРИТЧА О ДОБРОМ ПАСТЫРЕ
Иерусалим, Иудея

Иоанна.10:01-21

¹ Истинно, истинно говорю вам: кто не дверью входит во двор овчий, но перелазит инде, тот — вор и разбойник;

² а входящий дверью есть пастырь овцам.

³ Ему придверник отворяет, и овцы слушаются голоса его, и он зовет своих овец по имени и выводит их.

⁴ И когда выведет своих овец, идет перед ними; а овцы за ним идут, потому что знают голос его.

⁵ За чужим же не идут, но бегут от него, потому что не знают чужого голоса.

⁶ Сию притчу сказал им Иисус; но они не поняли, что такое Он говорил им.

⁷ Итак, опять Иисус сказал им: истинно, истинно говорю вам, что Я — дверь овцам.

⁸ Все, сколько их ни приходило предо Мною, суть воры и разбойники; но овцы не послушали их.

⁹ Я есмь дверь: кто войдет Мною, тот спасется, и войдет, и выйдет, и пажить найдет.

¹⁰ Вор приходит только для того, чтобы украсть, убить и погубить. Я пришел для того, чтобы имели жизнь и имели с избытком.

¹¹ Я есмь пастырь добрый: пастырь добрый полагает жизнь свою за овец.

¹² А наемник, не пастырь, которому овцы не свои, видит приходящего волка, и оставляет овец, и бежит; и волк расхищает овец, и разгоняет их.

¹³ А наемник бежит, потому что наемник, и нерадит об овцах.

¹⁴ Я есмь пастырь добрый, и знаю Моих, и Мои знают Меня.

¹⁵ Как Отец знает Меня, так и Я знаю Отца, и жизнь Мою полагаю за овец.

¹⁶ Есть у Меня и другие овцы, которые не сего двора, и тех надлежит Мне привести: и они услышат голос Мой, и будет одно стадо и один Пастырь.

¹⁷ Потому любит Меня Отец, что Я отдаю жизнь Мою, чтобы опять принять ее.

¹⁸ Никто не отнимает ее у Меня, но Я Сам отдаю ее. Имею власть отдать ее и власть имею опять принять ее. Сию заповедь получил Я от Отца Моего.

¹⁹ От этих слов опять произошла между Иудеями распря.

²⁰ Многие из них говорили: Он одержим бесом и безумствует; что слушаете Его?

²¹ Другие говорили: это слова не бесноватого; может ли бес отверзать очи слепым?

167. ИИСУС НА ПРАЗДНИКЕ ОБНОВЛЕНИЯ[313]
Иерусалим, Иудея

Иоанна.10:22-23

²² Настал же тогда в Иерусалиме *праздник* обновления, и была зима.

²³ И ходил Иисус в храме, в притворе Соломоновом.

168. ЯВЛЯЕТСЯ ЛИ ИИСУС ХРИСТОМ[314]
Иерусалим, Иудея

Иоанна.10:24-39

²⁴ Тут Иудеи обступили Его и говорили Ему: долго ли Тебе держать нас в недоумении? Если Ты Христос, скажи нам прямо.

²⁵ Иисус отвечал им: Я сказал вам, и не верите; дела, которые творю Я во имя Отца Моего, они свидетельствуют о Мне.

²⁶ Но вы не верите, ибо вы не из овец Моих, как Я сказал вам.

---

313 *Не ясно, когда произошло это событие. Действительно, кажется, что Иоанн как будто добавляет то, что «забыли» Матфей, Марк и Лука. Этот праздник был зимой, а событие, которое до него — за полгода до этого. Нет никакой хронологической зацепки.*

314 *Иисуса уже обвиняли в богохульстве, когда Он исцелил расслабленного (Матфея.09:03-08, Марка.02:06-12 и Луки.05:21-26 (Обвинение Иисуса в богохульстве), стр. 38), и когда Он был у первосвященника Каиафы, до распятия (Матфея.26:62-66 и Марка.14:60-64 (Вопрос первосвященника к Иисусу), стр. 207).*

²⁷ Овцы Мои слушаются голоса Моего, и Я знаю их; и они идут за Мною.

²⁸ И Я даю им жизнь вечную, и не погибнут вовек; и никто не похитит их из руки Моей.

²⁹ Отец Мой, Который дал Мне их, больше всех; и никто не может похитить их из руки Отца Моего.

³⁰ Я и Отец — одно.

³¹ Тут опять Иудеи схватили каменья, чтобы побить Его.

³² Иисус отвечал им: много добрых дел показал Я вам от Отца Моего; за которое из них хотите побить Меня камнями?

³³ Иудеи сказали Ему в ответ: не за доброе дело хотим побить Тебя камнями, но за богохульство и за то, что Ты, будучи человек, делаешь Себя Богом.

³⁴ Иисус отвечал им: не написано ли в законе вашем: «Я сказал: вы — боги»?

³⁵ Если Он назвал богами тех, к которым было слово Божие, и не может нарушиться Писание, —

³⁶ Тому ли, Которого Отец освятил и послал в мир, вы говорите: «богохульствуешь», потому что Я сказал: «Я Сын Божий»?

³⁷ Если Я не творю дел Отца Моего, не верьте Мне;

³⁸ а если творю, то, когда не верите Мне, верьте делам Моим, чтобы узнать и поверить, что Отец во Мне и Я в Нем.

³⁹ Тогда опять искали схватить Его; но Он уклонился от рук их.

169. ИИСУС УДАЛИЛСЯ ЗА ИОРДАН
За Иорданом

Иоанна.10:40-42	
⁴⁰ и пошел опять за Иордан, на то место, где прежде крестил Иоанн, и остался там. ⁴¹ Многие пришли к Нему и говорили, что Иоанн	не сотворил никакого чуда, но все, что сказал Иоанн о Нем, было истинно. ⁴² И многие там уверовали в Него. 11:1 … 315

170. УЧЕНИКИ ЕДЯТ ХЛЕБ НЕУМЫТЫМИ РУКАМИ[316] [317]
Галилея

Матфея.15:01-11	Марка.07:01-16
14:36 … 318 ¹ Тогда приходят к Иисусу Иерусалимские книжники и фарисеи и говорят: ² зачем ученики Твои преступают предание старцев? Ибо не умывают рук своих, когда едят хлеб. ³ Он же сказал им в ответ: зачем и вы преступаете заповедь Божию ради предания вашего? ⁴ Ибо Бог заповедал: «почитай отца и мать»; и: «злословящий отца или мать смертью да умрет». ⁵ А вы говорите: если кто скажет отцу или матери: «дар Богу то, чем бы ты от меня пользовался», ⁶ тот может и не почтить отца своего или мать свою; таким образом вы устранили заповедь Бо-	6:56 … 319 ¹ Собрались к Нему фарисеи и некоторые из книжников, пришедшие из Иерусалима ² и, увидев некоторых из учеников Его, евших хлеб нечистыми, то есть неумытыми, руками, укоряли. ³ Ибо фарисеи и все Иудеи, держась предания старцев, не едят, не умыв тщательно рук; ⁴ и, *придя* с торга, не едят не омывшись. Есть и многое другое, чего они приняли держаться: наблюдать омовение чаш, кружек, котлов и скамей. ⁵ Потом спрашивают Его фарисеи и книжники: зачем ученики Твои не поступают по преданию старцев, но неумытыми руками едят хлеб?

---

315 *Иоанна.11:01-03 (Болезнь Лазаря), стр. 152.*

316 *Это событие не содержит в себе никаких индикаторов хронологической последовательности. События вставлены именно сюда, так как в такой последовательности их изложили Евангелисты.*

317 *Иисус сказал похожее когда был на обеде у фарисея (Луки.11:38-41 (Неумытые руки), стр. 68).*

318 *Матфея.14:34-36 (Прибытие в землю Геннисаретскую и исцеление народа), стр. 96.*

319 *Марка.06:53-56 (Прибытие в землю Геннисаретскую и исцеление народа), стр. 96.*

жию преданием вашим.

⁷ Лицемеры! Хорошо пророчествовал о вас Исаия, говоря:

⁸ «приближаются ко Мне люди сии устами своими, и чтут Меня языком, сердце же их далеко отстоит от Меня;

⁹ но тщетно чтут Меня, уча учениям, заповедям человеческим».

¹⁰ И, призвав народ, сказал им: слушайте и разумейте!

¹¹ Не то, что входит в уста, оскверняет человека, но то, что выходит из уст, оскверняет человека.

⁶ Он сказал им в ответ: хорошо пророчествовал о вас, лицемерах, Исаия, как написано: «люди сии чтут Меня устами, сердце же их далеко отстоит от Меня,

⁷ но тщетно чтут Меня, уча учениям, заповедям человеческим».

⁸ Ибо вы, оставив заповедь Божию, держитесь предания человеческого, омовения кружек и чаш, и делаете многое другое, сему подобное.

⁹ И сказал им: хорошо ли, что вы отменяете заповедь Божию, чтобы соблюсти свое предание?

¹⁰ Ибо Моисей сказал: «почитай отца своего и мать свою»; и: «злословящий отца или мать смертью да умрет».

¹¹ А вы говорите: кто скажет отцу или матери: «корван (то есть «дар Богу») то, чем бы ты от меня пользовался»,

¹² тому вы уже попускаете ничего не делать для отца своего или матери своей,

¹³ устраняя слово Божие преданием вашим, которое вы установили; и делаете многое сему подобное.

¹⁴ И, призвав весь народ, говорил им: слушайте Меня все и разумейте:

¹⁵ ничто, входящее в человека извне, не может осквернить его; но что исходит из него, то оскверняет человека.

¹⁶ Если кто имеет уши слышать, да слышит!

Собрались к Нему фарисеи и некоторые из книжников, пришедшие из Иерусалима и, увидев некоторых из учеников Его, евших хлеб нечистыми, то есть неумытыми, руками, укоряли.

Ибо фарисеи и все Иудеи, держась предания старцев, не едят, не умыв тщательно рук; и, *придя* с торга, не едят, не омывшись. Есть и многое другое, чего они приняли держаться: наблюдать омовение чаш, кружек, котлов и скамей.

Потом спрашивают Его фарисеи и книжники: «Зачем ученики Твои не поступают по преданию старцев, но неумытыми руками едят хлеб?»

Он сказал им в ответ: «Хорошо пророчествовал о вас, лицемерах, Исаия, как написано: «Люди сии чтут Меня устами, сердце же их далеко отстоит от Меня, но тщетно чтут Меня, уча учениям, заповедям человеческим». Ибо вы, оставив заповедь Божию, держитесь предания человеческого, омове-

ния кружек и чаш, и делаете многое другое, сему подобное».

И сказал им: «Хорошо ли, что вы отменяете заповедь Божию, чтобы соблюсти своё предание? Ибо Бог заповедал: «Почитай отца своего и мать свою»; и: «Злословящий отца или мать смертью да умрёт». А вы говорите: «Кто скажет отцу или матери: «Корван (то есть «дар Богу», то, чем бы ты от меня пользовался»), тому вы уже попускаете ничего не делать для отца своего или матери своей, устраняя слово Божие преданием вашим, которое вы установили; и делаете многое сему подобное».

И, призвав весь народ, говорил им: «Слушайте Меня все и разумейте: ничто, входящее в человека извне, не может осквернить его; но то, что исходит из него, то оскверняет человека.

Если кто имеет уши слышать, да слышит!»

171. РАЗЪЯСНЕНИЕ О ПРИНЯТИИ ПИЩИ НЕЧИСТЫМИ РУКАМИ
Галилея

Матфея.15:12-20	Марка.07:17-23
¹² Тогда ученики Его, приступив, сказали Ему: знаешь ли, что фарисеи, услышав слово сие, соблазнились?	¹⁷ И когда Он от народа вошел в дом, ученики Его спросили Его о притче.
¹³ Он же сказал в ответ: всякое растение, которое не Отец Мой Небесный насадил, искоренится;	¹⁸ Он сказал им: неужели и вы так непонятливы? Неужели не разумеете, что ничто, извне входящее в человека, не может осквернить его?
¹⁴ оставьте их: они — слепые вожди слепых; а если слепой ведет слепого, то оба упадут в яму.³²⁰	¹⁹ Потому что не в сердце его входит, а в чрево, и выходит вон, чем очищается всякая пища.
¹⁵ Петр же, отвечая, сказал Ему: изъясни нам притчу сию.	²⁰ Далее сказал: исходящее из человека оскверняет человека.
¹⁶ Иисус сказал: неужели и вы еще не разумеете?	²¹ Ибо извнутрь, из сердца человеческого, исходят злые помыслы, прелюбодеяния, любодеяния, убийства,
¹⁷ Еще ли не понимаете, что все, входящее в уста, проходит в чрево и извергается вон?	²² кражи, лихоимство, злоба, коварство, непотребство, завистливое око, богохульство, гордость, безумство, —
¹⁸ А исходящее из уст — из сердца исходит — сие оскверняет человека,	²³ все это зло извнутрь исходит и оскверняет человека.
¹⁹ ибо из сердца исходят злые помыслы, убийства, прелюбодеяния, любодеяния, кражи, лжесвидетельства, хуления —	
²⁰ это оскверняет человека; а есть неумытыми руками — не оскверняет человека.	

И когда Он от народа вошёл в дом, ученики Его, приступив, сказали Ему: «Знаешь ли, что фарисеи, услышав слово сие, соблазнились?»	Неужели не разумеете, что ничто, извне входящее в человека, не может осквернить его? Потому что не в сердце его входит, а в чрево, и выходит вон, чем очищается всякая пища».
Он же сказал в ответ: «Всякое растение, которое не Отец Мой Небесный насадил, искоренится; оставьте их: они — слепые вожди слепых; а если слепой ведёт слепого, то оба упадут в яму».	Далее сказал: «Исходящее из человека оскверняет человека. Ибо извнутрь, из сердца человеческого, исходят злые помыслы, прелюбодеяния, любодеяния, убийства, кражи, лихоимство, злоба, коварство, непотребство, завистливое око, богохульство, гордость, безумство — все это зло извнутрь исходит и оскверняет человека».
Петр же, отвечая, сказал Ему: «Изъясни нам притчу сию».	
Он сказал им: «Неужели и вы так непонятливы?	

172. ИЗГНАНИЕ БЕСА ИЗ ДОЧЕРИ СИРОФИНИКИЯНКИ
Страны Тирские и Сидонские

Матфея.15:21-28	Марка.07:24-30
²¹ И, выйдя оттуда, Иисус удалился в страны Тирские и Сидонские.	²⁴ И, отправившись оттуда, пришел в пределы Тирские и Сидонские; и, войдя в дом, не хотел, чтобы кто узнал; но не мог утаиться.
²² И вот, женщина Хананеянка, выйдя из тех мест, кричала Ему: помилуй меня, Господи, сын Давидов, дочь моя жестоко беснуется.	²⁵ Ибо услышала о Нем женщина, у которой дочь одержима была нечистым духом, и, придя, припа-

---

320 Иисус сказал похожее в Своей Нагорной проповеди (Луки.06:37-42 (Суд ближнего), стр. 50).

23 Но Он не отвечал ей ни слова. И ученики Его, приступив, просили Его: отпусти ее, потому что кричит за нами.

24 Он же сказал в ответ: Я послан только к погибшим овцам дома Израилева.

25 А она, подойдя, кланялась Ему и говорила: Господи! Помоги мне.

26 Он же сказал в ответ: нехорошо взять хлеб у детей и бросить псам.

27 Она сказала: так, Господи! Но и псы едят крохи, которые падают со стола господ их.

28 Тогда Иисус сказал ей в ответ: о, женщина! Велика вера твоя; да будет тебе по желанию твоему. И исцелилась дочь ее в тот час.

29 ...   321

ла к ногам Его;

26 а женщина та была язычница, родом Сирофиникиянка; и просила Его, чтобы изгнал беса из ее дочери.

27 Но Иисус сказал ей: дай прежде насытиться детям, ибо нехорошо взять хлеб у детей и бросить псам.

28 Она же сказала Ему в ответ: так, Господи; но и псы под столом едят крохи у детей.

29 И сказал ей: за это слово, пойди; бес вышел из твоей дочери.

30 И, придя в свой дом, она нашла, что бес вышел и дочь лежит на постели.

И, отправившись оттуда, пришел в пределы Тирские и Сидонские; и, войдя в дом, не хотел, чтобы кто узнал; но не мог утаиться.

Услышала о Нем женщина Хананеянка и, выйдя из тех мест, кричала Ему: «Помилуй меня, Господи, сын Давидов, дочь моя жестоко беснуется». А женщина та была язычница, родом Сирофиникиянка.

Но Он не отвечал ей ни слова. И ученики Его, приступив, просили Его: «Отпусти её, потому что кричит за нами». Он же сказал в ответ: «Я послан только к погибшим овцам дома Израилева».

А она, подойдя, кланялась, припав к ногам Его, и говорила: «Господи! Помоги мне».

Но Иисус сказал ей: «Дай прежде насытиться детям, ибо нехорошо взять хлеб у детей и бросить псам». Она же сказала Ему в ответ: «Так, Господи; но и псы под столом едят крохи у детей».

И сказал ей: «О, женщина! Велика вера твоя; да будет тебе по желанию твоему. За это слово — пойди; бес вышел из твоей дочери».

И, придя в свой дом, она нашла, что бес вышел и дочь лежит на постели.

---

173. ИСЦЕЛЕНИЕ ГЛУХОГО КОСНОЯЗЫЧНОГО
Путь к Галилейскому морю через пределы Десятиградия

Марка.07:31-37

31 Выйдя из пределов Тирских и Сидонских, *Иисус* опять пошел к морю Галилейскому через пределы Десятиградия.

32 Привели к Нему глухого косноязычного и просили Его возложить на него руку.

33 *Иисус*, отведя его в сторону от народа, вложил персты Свои в уши ему и, плюнув, коснулся языка его;

34 и, воззрев на небо, вздохнул и сказал ему: еффафа (то есть: «отверзись»).

35 И тотчас отверзся у него слух и разрешились узы его языка, и стал говорить чисто.

36 И повелел им не сказывать никому. Но сколько Он ни запрещал им, они еще более разглашали.

37 И чрезвычайно дивились, и говорили: все хорошо делает, — и глухих делает слышащими, и немых — говорящими.

8:1   ...   322

---

321 *Матфея.15:29-31 (Исцеление больных), стр. 111.*

322 *Марка.08:01-09а (Иисус кормит четыре тысячи человек), стр. 111.*

174. ИСЦЕЛЕНИЕ БОЛЬНЫХ
Гора, у моря Галилейского

Матфея.15:29-31	
28 … [323]	собою хромых, слепых, немых, увечных и иных многих, и повергли их к ногам Иисусовым; и Он исцелил их;
29 Перейдя оттуда, пришел Иисус к морю Галилейскому и, взойдя на гору, сел там.	31 так что народ дивился, видя немых говорящими, увечных здоровыми, хромых ходящими и слепых видящими; и прославлял Бога Израилева.
30 И приступило к Нему множество народа, имея с	

175. ИИСУС КОРМИТ ЧЕТЫРЕ ТЫСЯЧИ ЧЕЛОВЕК[324]
Гора, у моря Галилейского

Матфея.15:32-38	Марка.08:01-09а
32 Иисус же, призвав учеников Своих, сказал им: жаль Мне народа, что уже три дня находятся при Мне, и нечего им есть; отпустить же их неевшими не хочу, чтобы не ослабели в дороге.	7:37 … [325]
	1 В те дни, когда собралось весьма много народа и нечего было им есть, Иисус, призвав учеников Своих, сказал им:
33 И говорят Ему ученики Его: откуда нам взять в пустыне столько хлебов, чтобы накормить столько народа?	2 жаль Мне народа, что уже три дня находятся при Мне, и нечего им есть.
34 Говорит им Иисус: сколько у вас хлебов? Они же сказали: семь, и немного рыбок.	3 Если неевшими отпущу их в домы их, ослабеют в дороге, ибо некоторые из них пришли издалека.
35 Тогда велел народу возлечь на землю.	4 Ученики Его отвечали Ему: откуда мог бы кто *взять* здесь в пустыне хлебов, чтобы накормить их?
36 И, взяв семь хлебов и рыбы, воздал благодарение, преломил и дал ученикам Своим, а ученики — народу.	5 И спросил их: сколько у вас хлебов? Они сказали: семь.
37 И ели все и насытились; и набрали оставшихся кусков семь корзин полных	6 Тогда велел народу возлечь на землю; и, взяв семь хлебов и воздав благодарение, преломил и дал ученикам Своим, чтобы они раздали; и они раздали народу.
38 а евших было четыре тысячи человек, кроме женщин и детей.	7 Было у них и немного рыбок: благословив, Он велел раздать и их.
	8 И ели, и насытились; и набрали оставшихся кусков семь корзин.
	9а Евших же было около четырех тысяч…

В те дни, когда собралось весьма много народа и нечего было им есть, Иисус, призвав учеников Своих, сказал им: «Жаль Мне народа, что уже три дня находятся при Мне и нечего им есть. Если неевшими отпущу их в домы их, ослабеют в дороге, ибо некоторые из них пришли издалека».	Ученики Его отвечали Ему: «Откуда мог бы кто *взять* здесь, в пустыне, хлебов, чтобы накормить столько народа?»
	И спросил их: «Сколько у вас хлебов?» Они сказали: «Семь».

---

323 *Матфея.15:21-28 (Изгнание беса из дочери сирофиникиянки), стр. 109.*

324 *Иисус уже накормил пять тысяч человек (Матфея.14:15-21, Марка.06:35-44, Луки.09:12-17, и Иоанна.06:04-14 (Иисус кормит пять тысяч человек), стр. 93).*

325 *Марка.07:31-37 (Исцеление глухого косноязычного), стр. 110.*

Тогда велел народу возлечь на землю; и, взяв семь хлебов и воздав благодарение, преломил и дал ученикам Своим, чтобы они раздали; и они раздали народу.	И ели, и насытились; и набрали оставшихся кусков семь корзин полных.
Было у них и немного рыбок: благословив, Он велел раздать и их.	Евших же было около четырёх тысяч человек, кроме женщин и детей. И отпустил их.

176. ФАРИСЕИ И САДДУКЕИ ПРОСЯТ ЗНАМЕНИЯ С НЕБА[326]
Пределы Магдалинские или Далмануфские[327]

Матфея.15:39	Марка.08:09б-13а
39 И, отпустив народ, Он вошел в лодку и прибыл в пределы Магдалинские. Матфея.16:01-04 1 И приступили фарисеи и саддукеи и, искушая Его, просили показать им знамение с неба. 2 Он же сказал им в ответ: вечером вы говорите: «будет ведро, потому что небо красно»; 3 и поутру: «сегодня ненастье, потому что небо багрово». Лицемеры! Различать лицо неба вы умеете, а знамений времен не можете.[328] 4 Род лукавый и прелюбодейный знамения ищет, и знамение не дастся ему, кроме знамения Ионы пророка. И, оставив их, отошел.	9б ...И отпустил их. 10 И тотчас войдя в лодку с учениками Своими, прибыл в пределы Далмануфские. 11 Вышли фарисеи, начали с Ним спорить и требовали от Него знамения с неба, искушая Его. 12 И Он, глубоко вздохнув, сказал: для чего род сей требует знамения? Истинно говорю вам, не дастся роду сему знамение. 13а И, оставив их...

И, отпустив народ, Он вошел в лодку и прибыл в пределы Магдалинские. И приступили фарисеи и саддукеи и, споря и искушая Его, просили показать им знамение с неба. Он, глубоко взохнув, сказал им в ответ: «Вечером вы говорите: «Будет ведро, потому что небо красно»; и поутру: «Сегодня ненастье, потому что небо	багрово». Лицемеры! Различать лицо неба вы умеете, а знамений времен не можете. Род лукавый и прелюбодейный знамения ищет, и знамение не дастся ему, кроме знамения Ионы пророка». И, оставив их, отошёл.

177. ЗАКВАСКА ФАРИСЕЙСКАЯ И САДДУКЕЙСКАЯ[329]
На другой стороне Галилейского моря

Матфея.16:05-12	Марка.08:13б-21

---

326 *От Иисуса уже требовали знамения, когда Он проповедовал в синагоге в Капернауме (Иоанна.06:30-34 (Хлеб, сошедший с небес), стр. 97), и после исцеления одержимого, слепого и немого (Матфея.12:38-42, Луки.11:16, и Луки.11:29-36 (От Иисуса просят знамения; суд с родом этим), стр. 66).*

327 *Матфей говорит, что Иисус прибыл в пределы Магдалинские, а Марк — Далмануфские.*

328 *Иисус сказал похожее в Своей проповеди в Иудее, восходя в Иерусалим (Луки.12:54-57 (Распознавание лица земли и неба), стр. 139).*

329 *Иисус сказал похожее в Иудее, восходя в Иерусалим (Луки.12:01-03 (Закваска фарисейская), стр. 136).*

5 Переправившись на другую сторону, ученики Его забыли взять хлебов.

6 Иисус сказал им: смотрите, берегитесь закваски фарисейской и саддукейской.

7 Они же помышляли в себе и говорили: *это значит*, что хлебов мы не взяли.

8 Уразумев то, Иисус сказал им: что помышляете в себе, маловерные, что хлебов не взяли?

9 Еще ли не понимаете и не помните о пяти хлебах на пять тысяч человек, и сколько коробов вы набрали?

10 Ни о семи хлебах на четыре тысячи, и сколько корзин вы набрали?

11 Как не разумеете, что не о хлебе сказал Я вам: «берегитесь закваски фарисейской и саддукейской»?

12 Тогда они поняли, что Он говорил им беречься не закваски хлебной, но учения фарисейского и саддукейского.

13 ... [330]

13б ...опять вошел в лодку и отправился на ту сторону.

14 При сем ученики Его забыли взять хлебов и кроме одного хлеба не имели с собою в лодке.

15 А Он заповедал им, говоря: смотрите, берегитесь закваски фарисейской и закваски Иродовой.

16 И, рассуждая между собою, говорили: *это значит*, что хлебов нет у нас.

17 Иисус, уразумев, говорит им: что рассуждаете о том, что нет у вас хлебов? Еще ли не понимаете и не разумеете? Еще ли окаменено у вас сердце?

18 Имея очи, не видите? Имея уши, не слышите? И не помните?

19 Когда Я пять хлебов преломил для пяти тысяч человек, сколько полных коробов набрали вы кусков? Говорят Ему: двенадцать.

20 А когда семь для четырех тысяч, сколько корзин набрали вы оставшихся кусков. Сказали: семь.

21 И сказал им: как же не разумеете?

Иисус с учениками опять вошёл в лодку и переправился на другую сторону. При сем ученики Его забыли взять хлебов и кроме одного хлеба не имели ничего с собою в лодке.

А Иисус заповедал им: «Смотрите, берегитесь закваски фарисейской и саддукейской». Они же помышляли в себе и говорили: «Это значит, что хлебов мы не взяли».

Уразумев то, Иисус сказал им: «Что рассуждаете о том, что нет у вас хлебов? Еще ли не понимаете и не разумеете? Еще ли окаменено у вас сердце? Имея очи, не видите? Имея уши, не слышите? И не помните?

Когда Я пять хлебов преломил для пяти тысяч человек, сколько полных коробов набрали вы кусков?» Говорят Ему: «Двенадцать». «А когда семь для четырёх тысяч, сколько корзин набрали вы оставшихся кусков?» Сказали: «Семь».

«Как не разумеете, что не о хлебе сказал Я вам: «Берегитесь закваски фарисейской и саддукейской?»

Тогда они поняли, что Он говорил им беречься не закваски хлебной, но учения фарисейского и саддукейского.

178. ИСЦЕЛЕНИЕ СЛЕПОГО В ВИФСАИДЕ
Вифсаида

Марка.08:22-26

22 Приходит в Вифсаиду; и приводят к Нему слепого и просят, чтобы прикоснулся к нему.

23 Он, взяв слепого за руку, вывел его вон из селения и, плюнув ему на глаза, возложил на него руки и спросил его: видит ли что?

24 Он, взглянув, сказал: вижу проходящих людей, как деревья.

25 Потом опять возложил руки на глаза ему и велел ему взглянуть. И он исцелел и стал видеть все ясно.

26 И послал его домой, сказав: не заходи в селение и не рассказывай никому в селении.

---

330 *Матфея.16:13-20 (Беседа Иисуса с учениками), стр. 114.*

179. БЕСЕДА ИИСУСА С УЧЕНИКАМИ
Страны Кесарии Филипповой[331]

а. За кого почитает народ Иисуса

Матфея.16:13-20	Марка.08:27-30	Луки.09:18-21
[12] ...[332]	[27] И пошел Иисус с учениками Своими в селения Кесарии Филипповой. Дорогою Он спрашивал учеников Своих: за кого почитают Меня люди?	[17] ...[333]
[13] Придя же в страны Кесарии Филипповой, Иисус спрашивал учеников Своих: за кого люди почитают Меня, Сына Человеческого?	[28] Они отвечали: за Иоанна Крестителя; другие же — за Илию; а иные — за одного из пророков.	[18] В одно время, когда Он молился в уединенном месте, и ученики были с Ним, Он спросил их: за кого почитает Меня народ?
[14] Они сказали: одни за Иоанна Крестителя, другие за Илию, а иные за Иеремию, или за одного из пророков.	[29] Он говорит им: а вы за кого почитаете Меня? Петр сказал Ему в ответ: Ты — Христос.	[19] Они сказали в ответ: за Иоанна Крестителя, а иные за Илию; другие же *говорят*, что один из древних пророков воскрес.
[15] Он говорит им: а вы за кого почитаете Меня?	[30] И запретил им, чтобы никому не говорили о Нем.	[20] Он же спросил их: а вы за кого почитаете Меня? Отвечал Петр: за Христа Божия.
[16] Симон же Петр, отвечая, сказал: Ты — Христос, Сын Бога Живого.		[21] Но Он строго приказал им никому не говорить о сем.
[17] Тогда Иисус сказал ему в ответ: блажен ты, Симон, сын Ионин, потому что не плоть и кровь открыли тебе это, но Отец Мой, Сущий на небесах;		
[18] и Я говорю тебе: ты — Петр, и на сем камне Я создам Церковь Мою, и врата ада не одолеют ее;		
[19] и дам тебе ключи Царства Небесного: и что свяжешь на земле, то будет связано на небесах, и что разрешишь на земле, то будет разрешено на небесах.		
[20] Тогда *Иисус* запретил ученикам Своим, чтобы никому не сказывали, что Он есть Иисус Христос.		

---

331 *Интересное различие между Евангелистами. Матфей и Марк описывают это событие, когда Иисус шёл в селения Кесарии Филипповой. Лука говорит, что это произошло в уединённом месте, когда Иисус молился. Вполне возможно, что Евангелисты говорят об одном и том же событии. На пути в селения Кесарии Филипповой Иисус с учениками уединился и, когда молился, спросил их, за кого почитает Его народ. Но вполне возможно, что это разные события — а значит, Иисус задавал этот вопрос Своим ученикам дважды.*

332 *Матфея.16:05-12 (Закваска фарисейская и саддукейская), стр. 112.*

333 *Луки.09:12-17 (Иисус кормит пять тысяч человек), стр. 93.*

И пошёл Иисус с учениками Своими в селения Кесарии Филипповой. Дорогою, когда Он молился в уединённом месте, Он спрашивал учеников Своих: «За кого люди почитают Меня, Сына Человеческого?» Они сказали: «Одни за Иоанна Крестителя, другие за Илию, а иные за Иеремию или за одного из древних пророков». Он говорит им: «А вы за кого почитаете Меня?» Симон же Петр, отвечая, сказал: «Ты — Христос, Сын Бога Живого».	Тогда Иисус сказал ему в ответ: «Блажен ты, Симон, сын Ионин, потому что не плоть и кровь открыли тебе это, но Отец Мой, Сущий на небесах; и Я говорю тебе: ты — Петр, и на сем камне Я создам Церковь Мою, и врата ада не одолеют её; и дам тебе ключи Царства Небесного; и что свяжешь на земле, то будет связано на небесах, и что разрешишь на земле, то будет разрешено на небесах». Тогда *Иисус* запретил ученикам Своим, чтобы никому не сказывали, что Он есть Иисус Христос.

б.   Иисус говорит о грядущих страданиях и смерти

Матфея.16:21	*Марка.08:31-32а*	*Луки.09:22*
21 С того времени Иисус начал открывать ученикам Своим, что Ему должно идти в Иерусалим и много пострадать от старейшин и первосвященников и книжников, и быть убиту, и в третий день воскреснуть.	31 И начал учить их, что Сыну Человеческому много должно пострадать, быть отвержену старейшинами, первосвященниками и книжниками, и быть убиту, и в третий день воскреснуть. 32а И говорил о сем открыто.	22 сказав, что Сыну Человеческому должно много пострадать, и быть отвержену старейшинами, первосвященниками и книжниками, и быть убиту, и в третий день воскреснуть.

С того времени Иисус начал открывать ученикам Своим будущее, говоря, что Сыну Человеческому должно много пострадать и быть отверженным	старейшинами, первосвященниками и книжниками, и быть убитым, и в третий день воскреснуть. И говорил о сем открыто.

в.   Петр прекословит Иисусу

Матфея.16:22-23	*Марка.08:32б-33*
22 И, отозвав Его, Петр начал прекословить Ему: будь милостив к Себе, Господи! Да не будет этого с Тобою! 23 Он же, обратившись, сказал Петру: отойди от Меня, сатана! Ты Мне соблазн! Потому что думаешь не о том, что Божие, но что человеческое.	32б Но Петр, отозвав Его, начал прекословить Ему. 33 Он же, обратившись и взглянув на учеников Своих, воспретил Петру, сказав: отойди от Меня, сатана, потому что ты думаешь не о том, что Божие, но что человеческое.

И, отозвав Его, Петр начал прекословить Ему: «Будь милостив к Себе, Господи! Да не будет этого с Тобою!»	Он же, обратившись и взглянув на учеников Своих, сказал Петру: «Отойди от Меня, сатана! Ты Мне соблазн! Потому что думаешь не о том, что Божие, но что человеческое».

г. Условия хождения за Христом[334]

Матфея.16:24-27	Марка.08:34-38	Луки.09:23-26
[24] Тогда Иисус сказал ученикам Своим: если кто хочет идти за Мною, отвергнись себя, и возьми крест свой, и следуй за Мною, [25] ибо кто хочет душу свою сберечь, тот потеряет ее, а кто потеряет душу свою ради Меня, тот обретет ее; [26] какая польза человеку, если он приобретет весь мир, а душе своей повредит? Или какой выкуп даст человек за душу свою? [27] Ибо приидет Сын Человеческий во славе Отца Своего с Ангелами Своими и тогда воздаст каждому по делам его.	[34] И, подозвав народ с учениками Своими, сказал им: кто хочет идти за Мною, отвергнись себя, и возьми крест свой, и следуй за Мною. [35] Ибо кто хочет душу свою сберечь, тот потеряет ее, а кто потеряет душу свою ради Меня и Евангелия, тот сбережет ее. [36] Ибо какая польза человеку, если он приобретет весь мир, а душе своей повредит? [37] Или какой выкуп даст человек за душу свою? [38] Ибо кто постыдится Меня и Моих слов в роде сем прелюбодейном и грешном, того постыдится и Сын Человеческий, когда приидет в славе Отца Своего со святыми Ангелами.	[23] Ко всем же сказал: если кто хочет идти за Мною, отвергнись себя, и возьми крест свой, и следуй за Мною. [24] Ибо кто хочет душу свою сберечь, тот потеряет ее; а кто потеряет душу свою ради Меня, тот сбережет ее. [25] Ибо что пользы человеку приобрести весь мир, а себя самого погубить или повредить себе? [26] Ибо кто постыдится Меня и Моих слов, того Сын Человеческий постыдится, когда приидет во славе Своей и Отца и святых Ангелов.

И, подозвав народ с учениками Своими, сказал им: «Кто хочет идти за Мною, отвергнись себя и возьми крест свой, и следуй за Мною. Ибо кто хочет душу свою сберечь, тот потеряет её, а кто потеряет душу свою ради Меня и Евангелия, тот сбережёт её. Ибо какая польза человеку, если он приобретёт весь мир, а душе своей повредит? Или какой вы-	куп даст человек за душу свою? Ибо кто постыдится Меня и Моих слов в роде сем прелюбодейном и грешном, того постыдится и Сын Человеческий, когда приидет в славе Отца Своего со святыми Ангелами. Ибо приидет Сын Человеческий во славе Отца Своего с Ангелами Своими и тогда воздаст каждому по делам его».

д. О тех, кто увидит Царствие Божие

Матфея.16:28	Марка.09:01	Луки.09:27
[28] Истинно говорю вам: есть некоторые из стоящих здесь, которые не вкусят смерти, как уже увидят Сына Человеческого, грядущего в Царствии Своем.	[1] И сказал им: истинно говорю вам: есть некоторые из стоящих здесь, которые не вкусят смерти, как уже увидят Царствие Божие, пришедшее в силе.	[27] Говорю же вам истинно: есть некоторые из стоящих здесь, которые не вкусят смерти, как уже увидят Царствие Божие.

«Истинно говорю вам: есть некоторые из стоящих здесь, которые не вкусят смерти, как уже увидят	Сына Человеческого в Царствии Божием, пришедшем в силе».

---

334 Иисус сказал похожее, наставляя двенадцать учеников на проповедь (Матфея.10:37-39 (Приоритеты любви), стр. 87), и в Своей проповеди в Иудее, восходя в Иерусалим (Луки.14:25-35 (Что значит быть учеником Христа), стр. 143).

180. ПРЕОБРАЖЕНИЕ ИИСУСА ХРИСТА
Страны Кесарии Филипповой, Высокая гора[335]

Матфея.17:01-08	Марка.09:02-08	Луки.09:28-36
[1] По прошествии дней шести, взял Иисус Петра, Иакова и Иоанна, брата его, и возвел их на гору высокую одних [2] и преобразился пред ними: и просияло лицо Его, как солнце, одежды же Его сделались белыми, как свет. [3] И вот, явились им Моисей и Илия, с Ним беседующие. [4] При сем Петр сказал Иисусу: Господи! Хорошо нам здесь быть; если хочешь, сделаем здесь три кущи: Тебе одну, и Моисею одну, и одну Илии. [5] Когда он еще говорил, се, облако светлое осенило их; и се, глас из облака глаголющий: Сей есть Сын Мой Возлюбленный, в Котором Мое благоволение; Его слушайте. [6] И, услышав, ученики пали на лица свои и очень испугались. [7] Но Иисус, приступив, коснулся их и сказал: встаньте и не бойтесь. [8] Возведя же очи свои, они никого не увидели, кроме одного Иисуса.	[2] И, по прошествии дней шести, взял Иисус Петра, Иакова и Иоанна, и возвел на гору высокую особо их одних, и преобразился перед ними. [3] Одежды Его сделались блистающими, весьма белыми, как снег, как на земле белильщик не может выбелить. [4] И явился им Илия с Моисеем; и беседовали с Иисусом. [5] При сем Петр сказал Иисусу: Равви! Хорошо нам здесь быть; сделаем три кущи: Тебе одну, Моисею одну, и одну Илии. [6] Ибо не знал, что сказать; потому что они были в страхе. [7] И явилось облако, осеняющее их, и из облака исшел глас, глаголющий: Сей есть Сын Мой возлюбленный; Его слушайте. [8] И, внезапно посмотрев вокруг, никого более с собою не видели, кроме одного Иисуса.	[28] После сих слов, дней через восемь, взяв Петра, Иоанна и Иакова, взошел Он на гору помолиться. [29] И когда молился, вид лица Его изменился, и одежда Его сделалась белою, блистающею. [30] И вот, два мужа беседовали с Ним, которые были Моисей и Илия; [31] явившись во славе, они говорили об исходе Его, который Ему надлежало совершить в Иерусалиме. [32] Петр же и бывшие с ним отягчены были сном; но, пробудившись, увидели славу Его и двух мужей, стоявших с Ним. [33] И когда они отходили от Него, сказал Петр Иисусу: Наставник! Хорошо нам здесь быть; сделаем три кущи: одну Тебе, одну Моисею и одну Илии, — не зная, что говорил. [34] Когда же он говорил это, явилось облако и осенило их; и устрашились, когда вошли в облако. [35] И был из облака глас, глаголющий: Сей есть Сын Мой Возлюбленный, Его слушайте. [36] Когда был глас сей, остался Иисус один. И они умолчали, и никому не говорили в те дни о том, что видели. [37] … [336]

После сих слов, дней через восемь, взяв Петра, Иоанна и Иакова, взошёл Он на гору помолиться. И когда молился, преобразился пред ними — вид лица Его изменился, как солнце, и одежда Его сделалась белою, блистающею, как снег, как на	земле белильщик не может выбелить. И вот, два мужа беседовали с Ним, которые были Моисей и Илия; явившись во славе, они говорили об исходе Его, который Ему надлежало совершить в Иерусалиме.

---

[335] *Сложно определить местонахождение этого и следующих нескольких событий. До этого Иисус пришел в страны Кесарии Филипповой, а после проходил через Галилею. Значит, скорее всего, все это происходило в странах Кесарии Филипповой.*

[336] *Луки.09:37-42 (Изгнание беса из отрока), стр. 118.*

Петр же и бывшие с ним отягчены были сном; но, пробудившись, увидели славу Его и двух мужей, стоявших с Ним. И когда они отходили от Него, сказал Петр Иисусу: «Наставник! Хорошо нам здесь быть; сделаем три кущи: одну Тебе, одну Моисею и одну Илии», — не зная, что говорил, потому что они были в страхе. Когда же он говорил это, явилось облако и осенило их; и устрашились, когда вошли в облако. И был из облака глас, глаголющий: «Сей есть Сын Мой Возлюбленный, в Котором Моё благоволение; Его слушайте». Когда был глас сей, остался Иисус	один. И, услышав, ученики пали на лица свои и очень испугались. Но Иисус, приступив, коснулся их и сказал: «Встаньте и не бойтесь». Возведя же очи свои, они никого не увидели, кроме одного Иисуса. И они умолчали и никому не говорили в те дни о том, что видели.

181. ИИСУС ГОВОРИТ О СВОЁМ ПРЕОБРАЖЕНИИ И ОБ ИЛИИ
Страны Кесарии Филипповой, Высокая гора

Матфея.17:09-13	*Марка.09:09-13*
[9] И когда сходили они с горы, Иисус запретил им, говоря: никому не сказывайте о сем видении, доколе Сын Человеческий не воскреснет из мертвых. [10] И спросили Его ученики Его: как же книжники говорят, что Илии надлежит придти прежде? [11] Иисус сказал им в ответ: правда, Илия должен придти прежде и устроить все; [12] но говорю вам, что Илия уже пришел, и не узнали его, а поступили с ним, как хотели; так и Сын Человеческий пострадает от них. [13] Тогда ученики поняли, что Он говорил им об Иоанне Крестителе.	[9] Когда же сходили они с горы, Он не велел никому рассказывать о том, что видели, доколе Сын Человеческий не воскреснет из мертвых. [10] И они удержали это слово, спрашивая друг друга, что значит: воскреснуть из мертвых. [11] И спросили Его: как же книжники говорят, что Илии надлежит придти прежде? [12] Он сказал им в ответ: правда, Илия должен придти прежде и устроить все; и Сыну Человеческому, как написано о Нем, надлежит много пострадать и быть уничижену. [13] Но говорю вам, что и Илия пришел, и поступили с ним, как хотели, как написано о нем.

Когда же сходили они с горы, Иисус запретил им, говоря: «Никому не сказывайте о сем видении, доколе Сын Человеческий не воскреснет из мёртвых». И они удержали это слово, спрашивая друг друга, что значит воскреснуть из мёртвых. И спросили Его: «Как же книжники говорят, что Илии надлежит прийти прежде?»	Он сказал им в ответ: «Правда, Илия должен прийти прежде и устроить все. Но говорю вам, что и Илия пришел и не узнали его, а поступили с ним, как хотели; так и Сыну Человеческому от них надлежит много пострадать и быть уничижену, как написано о Нем». Тогда ученики поняли, что Он говорил им об Иоанне Крестителе.

182. ИЗГНАНИЕ БЕСА ИЗ ОТРОКА
Страны Кесарии Филипповой

Матфея.17:14-18	*Марка.09:14-27*	*Луки.09:37-42*
[14] Когда они пришли к народу, то	[14] Придя к ученикам, увидел	[36] … [337]

подошел к Нему человек и, преклоняя пред Ним колени

¹⁵ сказал: Господи! Помилуй сына моего; он в новолуния *беснуется* и тяжко страдает, ибо часто бросается в огонь и часто в воду

¹⁶ я приводил его к ученикам Твоим, и они не могли исцелить его.

¹⁷ Иисус же, отвечая, сказал: о, род неверный и развращенный! Доколе буду с вами? Доколе буду терпеть вас? Приведите его ко Мне сюда.

¹⁸ И запретил ему Иисус, и бес вышел из него; и отрок исцелился в тот час.

много народа около них и книжников, спорящих с ними.

¹⁵ Тотчас, увидев Его, весь народ изумился, и, подбегая, приветствовали Его.

¹⁶ Он спросил книжников: о чем спорите с ними?

¹⁷ Один из народа сказал в ответ: Учитель! Я привел к Тебе сына моего, одержимого духом немым:

¹⁸ где ни схватывает его, повергает его на землю, и он испускает пену, и скрежещет зубами своими, и цепенеет. Говорил я ученикам Твоим, чтобы изгнали его, и они не могли.

¹⁹ Отвечая ему, Иисус сказал: о, род неверный! Доколе буду с вами? Доколе буду терпеть вас? Приведите его ко Мне.

²⁰ И привели его к Нему. Как скоро *бесноватый* увидел Его, дух сотряс его; он упал на землю и валялся, испуская пену.

²¹ И спросил *Иисус* отца его: как давно это сделалось с ним? Он сказал: с детства;

²² и многократно *дух* бросал его и в огонь и в воду, чтобы погубить его; но, если что можешь, сжалься над нами и помоги нам.

²³ Иисус сказал ему: если сколько-нибудь можешь веровать, все возможно верующему.

²⁴ И тотчас отец отрока воскликнул со слезами: верую, Господи! Помоги моему неверию.

²⁵ Иисус, видя, что сбегается народ, запретил духу нечистому, сказав ему: дух немой и глухой! Я повелеваю тебе, выйди из него и впредь не входи в него.

²⁶ И, вскрикнув и сильно сотрясши его, вышел; и он сделался, как мертвый, так что многие говорили, что он умер.

²⁷ Но Иисус, взяв его за руку, поднял его; и он встал.

³⁷ В следующий же день, когда они сошли с горы, встретило Его много народа.

³⁸ Вдруг некто из народа воскликнул: Учитель! Умоляю Тебя взглянуть на сына моего, он один у меня:

³⁹ его схватывает дух, и он внезапно вскрикивает, и терзает его, так что он испускает пену; и насилу отступает от него, измучив его.

⁴⁰ Я просил учеников Твоих изгнать его, и они не могли.

⁴¹ Иисус же, отвечая, сказал: о, род неверный и развращенный! Доколе буду с вами и буду терпеть вас? Приведи сюда сына твоего.

---

337 *Луки.09:28-36 (Преображение Иисуса Христа), стр. 117.*

В следующий же день, когда они сошли с горы, Иисус, придя к ученикам, увидел много народа около них и книжников, спорящих с ними. Тотчас, увидев Его, весь народ изумился, и, подбегая, приветствовали Его.	И спросил *Иисус* отца его: «Как давно это сделалось с ним?» Он сказал: «С детства; он в новолуния *беснуется* и тяжко страдает; и многократно *дух* бросал его и в огонь, и в воду, чтобы погубить его; но, если что можешь, сжалься над нами и помоги нам».
Он спросил книжников: «О чем спорите с ними?»	Иисус сказал ему: «Если сколько-нибудь можешь веровать, все возможно верующему».
Подошёл к Нему человек и, преклоняя пред Ним колени сказал: «Учитель! Я привёл к Тебе сына моего, одержимого духом немым. Умоляю Тебя взглянуть на него, он один у меня: его схватывает дух, повергает на землю, и он внезапно вскрикивает, и дух терзает его так, что он испускает пену и скрежещет зубами своими, и цепенеет; и насилу отступает от него, измучив его. Я просил учеников Твоих изгнать его, и они не могли».	И тотчас отец отрока воскликнул со слезами: «Верую, Господи! Помоги моему неверию».
	Иисус, видя, что сбегается народ, запретил духу нечистому, сказав ему: «Дух немой и глухой! Я повелеваю тебе, выйди из него и впредь не входи в него».
Отвечая ему, Иисус сказал: «О, род неверный и развращённый! Доколе буду с вами? Доколе буду терпеть вас? Приведите его ко Мне сюда».	
	И, вскрикнув и сильно сотрясши его, вышел; и он сделался как мёртвый, так что многие говорили, что он умер.
И привели его к Нему. Как скоро *бесноватый* увидел Его, дух сотряс его; он упал на землю и валялся, испуская пену.	Но Иисус, взяв его за руку, поднял его; и он встал.

183. ИИСУС ОБЪЯСНЯЕТ УЧЕНИКАМ, КАК БЕС БЫЛ ИЗГНАН ИЗ ОТРОКА
Страны Кесарии Филипповой

Матфея.17:19-21	*Марка.09:28-29*
19 Тогда ученики, приступив к Иисусу наедине, сказали: почему мы не могли изгнать его? 20 Иисус же сказал им: по неверию вашему; ибо истинно говорю вам: если вы будете иметь веру с горчичное зерно и скажете горе сей: «перейди отсюда туда», и она перейдет; и ничего не будет невозможного для вас;[338] 21 сей же род изгоняется только молитвою и постом.	28 И как вошел *Иисус* в дом, ученики Его спрашивали Его наедине: почему мы не могли изгнать его? 29 И сказал им: сей род не может выйти иначе, как от молитвы и поста.

И когда вошёл *Иисус* в дом, тогда ученики, приступив к Иисусу наедине, сказали: «Почему мы не могли изгнать его?» Иисус же сказал им: «По неверию вашему; ибо ис-	тинно говорю вам: если вы будете иметь веру с горчичное зерно и скажете горе сей: «Перейди отсюда туда», — она перейдет; и ничего не будет невозможного для вас; сей же род изгоняется только молитвою и постом».

---

338 *Иисус сказал похожее в Своей проповеди в Иудее, восходя в Иерусалим (Луки.17:05-10 (Просьба учеников умножить в них веру), стр. 146), и после проклятия смоковницы (Матфея.21:18-22 и Марка.11:20-26 (Проклятая смоковница засохла), стр 161).*

184. ИИСУС ГОВОРИТ УЧЕНИКАМ О СВОЕЙ СМЕРТИ
Страны Кесарии Филипповой → Путь через Галилею

Матфея.17:22-23	Марка.09:30-32	Луки.09:43-45
22 Во время пребывания их в Галилее, Иисус сказал им: Сын Человеческий предан будет в руки человеческие, 23 и убьют Его, и в третий день воскреснет. И они весьма опечалились.	30 Выйдя оттуда, проходили через Галилею; и Он не хотел, чтобы кто узнал. 31 Ибо учил Своих учеников и говорил им, что Сын Человеческий предан будет в руки человеческие, и убьют Его, и, по убиении, в третий день воскреснет. 32 Но они не разумели сих слов, а спросить Его боялись. 33 ... [339]	42 ... [340] 43 И все удивлялись величию Божию. Когда же все дивились всему, что творил Иисус, Он сказал ученикам Своим: 44 вложите вы себе в уши слова сии: Сын Человеческий будет предан в руки человеческие. 45 Но они не поняли слова сего, и оно было закрыто от них, так что они не постигли его, а спросить Его о сем слове боялись. 46 ... [341]

И все удивлялись величию Божию. Выйдя оттуда, проходили через Галилею; и Он не хотел, чтобы кто узнал. Во время пребывания их в Галилее Иисус сказал им: «Вложите вы себе в уши слова сии: Сын Человеческий предан будет в руки человеческие и	убьют Его, и по убиении в третий день воскреснет». Но они не поняли слова сего, и оно было закрыто от них, так что они не постигли его, а спросить Его о сем слове боялись.

185. СОБИРАТЕЛИ ДИДРАХМ
Капернаум, Галилея

Матфея.17:24-25а	
24 Когда же пришли они в Капернаум, то подошли	к Петру собиратели дидрахм и сказали: Учитель ваш не даст ли дидрахмы? 25а Он говорит: да...

186. ИИСУС ПОВЕЛЕВАЕТ ЗАПЛАТИТЬ ДИДРАХМЫ
Капернаум, Галилея

Матфея.17:25б-27	
25б ...И когда вошел он в дом, то Иисус, предупредив его, сказал: как тебе кажется, Симон? Цари земные с кого берут пошлины или подати? С сынов ли своих, или с посторонних?	26 Петр говорит Ему: с посторонних. Иисус сказал ему: итак сыны свободны; 27 но, чтобы нам не соблазнить их, пойди на море, брось уду, и первую рыбу, которая попадется, возьми, и, открыв у ней рот, найдешь статир; возьми его и отдай им за Меня и за себя.

---

339 *Марка.09:33-37 (Беседа Иисуса с учениками), стр. 122.*
340 *Луки.09:37-42 (Изгнание беса из отрока), стр. 118.*
341 *Луки.09:46-48 (Беседа Иисуса с учениками), стр. 122.*

187. БЕСЕДА ИИСУСА С УЧЕНИКАМИ
Капернаум, Галилея

а. Кто больше[342]

Матфея.18:01-05	*Марка.09:33-37*	*Луки.09:46-48*
[1] В то время ученики приступили к Иисусу и сказали: кто больше в Царстве Небесном? [2] Иисус, призвав дитя, поставил его посреди них [3] и сказал: истинно говорю вам, если не обратитесь и не будете как дети, не войдете в Царство Небесное; [4] итак, кто умалится, как это дитя, тот и больше в Царстве Небесном; [5] и кто примет одно такое дитя во имя Мое, тот Меня принимает;[343][344] [6] …[345]	[32] …[346] [33] Пришел в Капернаум; и когда был в доме, спросил их: о чем дорогою вы рассуждали между собою? [34] Они молчали; потому что дорогою рассуждали между собою, кто больше. [35] И, сев, призвал двенадцать и сказал им: кто хочет быть первым, будь из всех последним и всем слугою. [36] И, взяв дитя, поставил его посреди них и, обняв его, сказал им:[343][344] [37] кто примет одно из таких детей во имя Мое, тот принимает Меня; а кто Меня примет, тот не Меня принимает, но Пославшего Меня.[343][344]	[45] …[347] [46] Пришла же им мысль: кто бы из них был больше? [47] Иисус же, видя помышление сердца их, взяв дитя, поставил его пред Собою[343][344] [48] и сказал им: кто примет сие дитя во имя Мое, тот Меня принимает; а кто примет Меня, тот принимает Пославшего Меня; ибо кто из вас меньше всех, тот будет велик.[343][344]

Когда Иисус был в доме, спросил учеников: «О чем дорогою вы рассуждали между собою?» Они молчали, потому что дорогою рассуждали между собою, кто больше. Иисус же, видя помышление сердца их, сев, призвал двенадцать и сказал им: «Кто хочет быть первым, будь из всех последним и всем слугою».	Иисус, призвав дитя, поставил его посреди них и, обняв его, сказал им: «Истинно говорю вам, если не обратитесь и не будете как дети, не войдёте в Царство Небесное; итак, кто умалится как это дитя, тот и больше в Царстве Небесном. Кто примет одно из таких детей во имя Моё, тот принимает Меня; а кто Меня примет, тот не Меня принимает, но Пославшего Меня».

б. Кто не против, тот за

Марка.09:38-40	*Луки.09:49-50*
[38] При сем Иоанн сказал: Учитель! Мы видели че-	[49] При сем Иоанн сказал: Наставник! Мы видели

---

342 *Иисус сказал похожее на Тайной Вечере (Луки.22:24-30 (Кто больше), стр. 192).*

343 *Иисус сказал похожее, благословляя детей (Матфея.19:13-15, Марка.10:13-16, и Луки.18:15-17 (Иисус благословляет детей), стр. 129).*

344 *Иисус сказал похожее, наставляя двенадцать учеников на проповедь (Матфея.10:40-42 (Принимающий вас), стр. 87) и на Тайной Вечере, когда говорил о предателе (Иоанна.13:18-22 (Иисус говорит о предателе), стр. 189).*

345 *Матфея.18:06-14 (Соблазны), стр. 123.*

346 *Марка.09:30-32 (Иисус говорит ученикам о Своей смерти), стр. 121.*

347 *Луки.09:43-45 (Иисус говорит ученикам о Своей смерти), стр. 121.*

ловека, который именем Твоим изгоняет бесов, а не ходит за нами; и запретили ему, потому что не ходит за нами. ³⁹ Иисус сказал: не запрещайте ему, ибо никто, сотворивший чудо именем Моим, не может вскоре злословить Меня. ⁴⁰ Ибо кто не против вас, тот за вас.³⁴⁸	человека, именем Твоим изгоняющего бесов, и запретили ему, потому что он не ходит с нами. ⁵⁰ Иисус сказал ему: не запрещайте, ибо кто не против вас, тот за вас.³⁴⁸ ⁵¹ … ³⁴⁹

При сем Иоанн сказал: «Наставник! Мы видели человека, который именем Твоим изгоняет бесов, а не ходит за нами; и запретили ему, потому что не ходит за нами».	Иисус сказал: «Не запрещайте ему, ибо никто, сотворивший чудо именем Моим, не может вскоре злословить Меня. Ибо кто не против вас, тот за вас».

в.   Соблазны³⁵⁰

Матфея.18:06-14	Марка.09:41-50	Луки.17:01-02
⁵ … ³⁵¹ ⁶ а кто соблазнит одного из малых сих, верующих в Меня, тому лучше было бы, если бы повесили ему мельничный жернов на шею и потопили его во глубине морской. ⁷ Горе миру от соблазнов, ибо надобно придти соблазнам; но горе тому человеку, через которого соблазн приходит. ⁸ Если же рука твоя или нога твоя соблазняет тебя, отсеки их и брось от себя: лучше тебе войти в жизнь без руки или без ноги, нежели с двумя руками и с двумя ногами быть ввержену в огонь вечный; ⁹ и если глаз твой соблазняет тебя, вырви его и брось от себя: лучше тебе с одним глазом войти в жизнь, нежели с двумя глазами быть ввержену в геенну огненную. ¹⁰ Смотрите, не презирайте ни одного из малых сих; ибо говорю вам, что Ангелы их на небесах всегда видят лицо Отца Моего Небесного.	⁴¹ И кто напоит вас чашею воды во имя Мое, потому что вы Христовы, истинно говорю вам, не потеряет награды своей. ⁴² А кто соблазнит одного из малых сих, верующих в Меня, тому лучше было бы, если бы повесили ему жерновный камень на шею и бросили его в море. ⁴³ И если соблазняет тебя рука твоя, отсеки ее: лучше тебе увечному войти в жизнь, нежели с двумя руками идти в геенну, в огонь неугасимый, ⁴⁴ где червь их не умирает и огонь не угасает. ⁴⁵ И если нога твоя соблазняет тебя, отсеки ее: лучше тебе войти в жизнь хромому, нежели с двумя ногами быть ввержену в геенну, в огонь неугасимый, ⁴⁶ где червь их не умирает и огонь не угасает. ⁴⁷ И если глаз твой соблазняет тебя, вырви его: лучше тебе с одним глазом войти в Царствие Божие, нежели с двумя глазами быть ввержену в геенну огнен-	¹⁶:³¹ … ³⁵⁵ ¹ Сказал также Иисус ученикам: невозможно не придти соблазнам, но горе тому, через кого они приходят; ² лучше было бы ему, если бы мельничный жернов повесили ему на шею и бросили его в море, нежели чтобы он соблазнил одного из малых сих.

---

348 *Иисус сказал похожее после исцеления одержимого слепого и немого (Матфея.12:24-30 и Луки.11:17-23 (Сила Иисуса по изгнанию бесов), стр. 63).*

349 *Луки.09:51 (Желание Иисуса идти в Иерусалим), стр. 127.*

350 *Иисус сказал похожее в Своей Нагорной проповеди (Матфея.05:29-30 (Соблазны), стр. 46).*

351 *Матфея.18:01-05 (Кто больше), стр. 122.*

¹¹ Ибо Сын Человеческий пришел взыскать и спасти погибшее.
¹² Как вам кажется? Если бы у кого было сто овец, и одна из них заблудилась, то не оставит ли он девяносто девять в горах и не пойдет ли искать заблудившуюся?³⁵²
¹³ и если случится найти ее, то, истинно говорю вам, он радуется о ней более, нежели о девяноста девяти незаблудившихся.³⁵²
¹⁴ Так, нет воли Отца вашего Небесного, чтобы погиб один из малых сих.³⁵²

ную,
⁴⁸ где червь их не умирает и огонь не угасает.
⁴⁹ Ибо всякий огнем осолится, и всякая жертва солью осолится.
⁵⁰ Соль — добрая вещь; но ежели соль не солона будет, чем вы ее поправите? Имейте в себе соль, и мир имейте между собою.³⁵³
10:1 ... ³⁵⁴

«И кто напоит вас чашею воды во имя Моё, потому что вы Христовы, истинно говорю вам, не потеря-ет награды своей.

А кто соблазнит одного из малых сих, верующих в Меня, тому лучше было бы, если бы повесили ему мельничный жернов на шею и потопили его во глубине морской.

Горе миру от соблазнов, ибо надобно придти соблазнам; но горе тому человеку, через которого соблазн приходит.

И если соблазняет тебя рука твоя, отсеки её и брось от себя: лучше тебе увечному войти в жизнь, нежели с двумя руками идти в геенну, в огонь неугасимый, где червь их не умирает и огонь не угасает.

И если нога твоя соблазняет тебя, отсеки её и брось от себя: лучше тебе войти в жизнь хромому, нежели с двумя ногами быть ввержену в геенну, в огонь неугасимый, где червь их не умирает и огонь не угасает.

И если глаз твой соблазняет тебя, вырви его и брось от себя: лучше тебе с одним глазом войти в

Царствие Божие, нежели с двумя глазами быть ввержену в геенну огненную, где червь их не умирает и огонь не угасает.

Ибо всякий огнём осолится, и всякая жертва солью осолится.

Соль — добрая вещь; но ежели соль не солона будет, чем вы её поправите? Имейте в себе соль и мир имейте между собою.

Смотрите, не презирайте ни одного из малых сих; ибо говорю вам, что Ангелы их на небесах всегда видят лицо Отца Моего Небесного. Ибо Сын Человеческий пришел взыскать и спасти погибшее.

Как вам кажется? Если бы у кого было сто овец и одна из них заблудилась, то не оставит ли он девяносто девять в горах и не пойдёт ли искать заблудившуюся?

И если случится найти её, то, истинно говорю вам, он радуется о ней более, нежели о девяноста девяти незаблудившихся.

Так нет воли Отца вашего Небесного, чтобы погиб один из малых сих».

---

352 *Иисус сказал похожее в Своей проповеди в Иудее, на пути в Иерусалим (Луки.15:01-07 (Притча о потерянной овце), стр. 143.*

355 *Луки.16:19-31 (Притча о бедном Лазаре), стр. 145.*

353 *Иисус сказал похожее в Своей Нагорной проповеди (Матфея.05:13-16 (Соль земли и свет мира), стр. 45) и в Своей проповеди в Иудее, восходя в Иерусалим (Луки.14:25-35 (Что значит быть учеником Христа), стр. 143).*

354 *Марка.10:01-09 (Фарисеи о разводе), стр. 127.*

г.   Согрешивший брат

Матфея.18:15-22	Луки.17:03-04
¹⁵ Если же согрешит против тебя брат твой, пойди и обличи его между тобою и им одним; если послушает тебя, то приобрел ты брата твоего;	³ Наблюдайте за собою. Если же согрешит против тебя брат твой, выговори ему; и если покается, прости ему;
¹⁶ если же не послушает, возьми с собою еще одного или двух, дабы устами двух или трех свидетелей подтвердилось всякое слово;	⁴ и если семь раз в день согрешит против тебя и семь раз в день обратится, и скажет: «каюсь», — прости ему.
¹⁷ если же не послушает их, скажи церкви; а если и церкви не послушает, то да будет он тебе, как язычник и мытарь.	⁵ ... ³⁵⁶
¹⁸ Истинно говорю вам: что вы свяжете на земле, то будет связано на небе; и что разрешите на земле, то будет разрешено на небе.	
¹⁹ Истинно также говорю вам, что если двое из вас согласятся на земле просить о всяком деле, то, чего бы ни попросили, будет им от Отца Моего Небесного,	
²⁰ ибо, где двое или трое собраны во имя Мое, там Я посреди них.	
²¹ Тогда Петр приступил к Нему и сказал: Господи! Сколько раз прощать брату моему, согрешающему против меня? До семи ли раз?	
²² Иисус говорит ему: не говорю тебе: «до семи раз», но до седмижды семидесяти раз.	

«Наблюдайте за собою. Если же согрешит против тебя брат твой, пойди и обличи его между тобою и им одним. Если послушает тебя, то приобрёл ты брата твоего; если же не послушает, возьми с собою ещё одного или двух, дабы устами двух или трёх свидетелей подтвердилось всякое слово. Если же не послушает их, скажи церкви; а если и церкви не послушает, то да будет он тебе, как язычник и мытарь.	Истинно также говорю вам, что если двое из вас согласятся на земле просить о всяком деле, то чего бы ни попросили, будет им от Отца Моего Небесного, ибо где двое или трое собраны во имя Моё, там Я посреди них».
Истинно говорю вам: что вы свяжете на земле, то будет связано на небе; и что разрешите на земле, то будет разрешено на небе.	Тогда Петр приступил к Нему и сказал: «Господи! Сколько раз прощать брату моему, согрешающему против меня? До семи ли раз?»
	Иисус говорит ему: «Не говорю тебе: «До семи раз», — но до седмижды семидесяти раз».

д.   Подобие Царства Небесного — царь и рабы

Матфея.18:23-35	некто, который должен был ему десять тысяч талантов;
²³ Посему Царство Небесное подобно царю, который захотел сосчитаться с рабами своими;	²⁵ а как он не имел, чем заплатить, то государь его приказал продать его, и жену его, и детей, и все, что он имел, и заплатить;
²⁴ когда начал он считаться, приведен был к нему	

---

356 *Луки.17:05-10 (Просьба учеников умножить в них веру), стр. 146.*

²⁶ тогда раб тот пал, и, кланяясь ему, говорил: «государь! Потерпи на мне, и все тебе заплачу».

²⁷ Государь, умилосердившись над рабом тем, отпустил его и долг простил ему.

²⁸ Раб же тот, выйдя, нашел одного из товарищей своих, который должен был ему сто динариев, и,схватив его, душил, говоря: «отдай мне, что должен».

²⁹ Тогда товарищ его пал к ногам его, умолял его и говорил: «потерпи на мне, и все отдам тебе».

³⁰ Но тот не захотел, а пошел и посадил его в темницу, пока не отдаст долга.

³¹ Товарищи его, видев происшедшее, очень огорчились и, придя, рассказали государю своему все бывшее.

³² Тогда государь его призывает его и говорит: «злой раб! Весь долг тот я простил тебе, потому что ты упросил меня;

³³ не надлежало ли и тебе помиловать товарища твоего, как и я помиловал тебя?»

³⁴ И, разгневавшись, государь его отдал его истязателям, пока не отдаст ему всего долга.

³⁵ Так и Отец Мой Небесный поступит с вами, если не простит каждый из вас от сердца своего брату своему согрешений его.

19:1 ... ³⁵⁷

357 Матфея.19:01-02 (Иисус в пределах Иудейских), стр. 127.

ВОСХОЖДЕНИЕ ИИСУСА ХРИСТА В ИЕРУСАЛИМ

188. ЖЕЛАНИЕ ИИСУСА ИДТИ В ИЕРУСАЛИМ[358]
Капернаум, Галилея

Луки.09:51	50 ... [359]
	51 Когда же приближались дни взятия Его *от мира*, Он восхотел идти в Иерусалим;

189. ВЕСТНИКИ ПОСЛАНЫ В САМАРЯНСКОЕ СЕЛЕНИЕ
Капернаум, Галилея[360]

Луки.09:52-56	Господи! Хочешь ли, мы скажем, чтобы огонь сошел с неба и истребил их, как и Илия сделал?
52 и послал вестников пред лицом Своим; и они пошли и вошли в селение Самарянское, чтобы приготовить для Него;	55 Но Он, обратившись к ним, запретил им и сказал: не знаете, какого вы духа;
53 но *там* не приняли Его, потому что Он имел вид путешествующего в Иерусалим.	56 ибо Сын Человеческий пришел не губить души человеческие, а спасать. И пошли в другое селение.
54 Видя то, ученики Его, Иаков и Иоанн, сказали:	57 ... [361]

190. ИИСУС В ПРЕДЕЛАХ ИУДЕЙСКИХ
Пределы Иудейские, за Иорданскою стороною

Матфея.19:01-02	лилеи и пришел в пределы Иудейские, за Иорданскою стороною.
18:35 ... [362]	2 За Ним последовало много людей, и Он исцелил их там.
1 Когда Иисус окончил слова сии, то вышел из Га-	

191. ФАРИСЕИ О РАЗВОДЕ[363]
Пределы Иудейские, за Иорданскою стороною

Матфея.19:03-12	Марка.10:01-09
3 И приступили к Нему фарисеи и, искушая Его, говорили Ему: по всякой ли причине позволительно человеку разводиться с женою своею?	9:50 ... [365]
4 Он сказал им в ответ: не читали ли вы, что Сотворивший вначале мужчину и женщину сотворил	1 Отправившись оттуда, приходит в пределы Иудейские за Иорданскою стороною. Опять собирается к Нему народ, и, по обычаю Своему, Он опять учил их.

---

358 *Нет никаких индикаторов, когда это произошло. Судя по событиям, которые следуют, это, скорее всего, последний путь Иисуса в Иерусалим.*

359 *Луки.09:49-50 (Кто не против, тот за), стр. 122.*

360 *Скорее всего, это событие произошло ещё в Галилее. Матфей и Марк описали, как Иисус просто вышел в пределы Иудейские. Что, возможно, произошло при этом: Иисус просто послал вестников, когда ещё был в Галилее, но туда не пошёл, когда Его не приняли.*

361 *Луки.09:57-62 (Следование за Иисусом), стр. 132.*

362 *Матфея.18:23-35 (Подобие Царства Небесного — царь и рабы), стр. 125.*

363 *Иисус так же говорил о разводе в Своей Нагорной проповеди (Матфея.05:31-32 (Развод), стр. 46), объясняя Своим ученикам (Марка.10:10-12 (Ученики переспрашивают о разводе), стр. 129), и в Своей проповеди в Иудее, восходя в Иерусалим (Луки.16:18 (Развод), стр. 145).*

их?

⁵ И сказал: посему оставит человек отца и мать и прилепится к жене своей, и будут два одною плотью,

⁶ так что они уже не двое, но одна плоть. Итак, что Бог сочетал, того человек да не разлучает.

⁷ Они говорят Ему: как же Моисей заповедал давать разводное письмо и разводиться с нею?

⁸ Он говорит им: Моисей по жестокосердию вашему позволил вам разводиться с женами вашими, а сначала не было так;

⁹ но Я говорю вам: кто разведется с женою своею не за прелюбодеяние и женится на другой, тот прелюбодействует; и женившийся на разведенной прелюбодействует.

¹⁰ Говорят Ему ученики Его: если такова обязанность человека к жене, то лучше не жениться.

¹¹ Он же сказал им: не все вмещают слово сие, но кому дано,

¹² ибо есть скопцы, которые из чрева матернего родились так; и есть скопцы, которые оскоплены от людей; и есть скопцы, которые сделали сами себя скопцами для Царства Небесного. Кто может вместить, да вместит.

¹³ ... ³⁶⁴

² Подошли фарисеи и спросили, искушая Его: позволительно ли разводиться мужу с женою?

³ Он сказал им в ответ: что заповедал вам Моисей?

⁴ Они сказали: Моисей позволил писать разводное письмо и разводиться.

⁵ Иисус сказал им в ответ: по жестокосердию вашему он написал вам сию заповедь.

⁶ В начале же создания, Бог мужчину и женщину сотворил их.

⁷ Посему оставит человек отца своего и мать

⁸ и прилепится к жене своей, и будут два одною плотью; так что они уже не двое, но одна плоть.

⁹ Итак, что Бог сочетал, того человек да не разлучает.

Отправившись оттуда, приходит в пределы Иудейские за Иорданскою стороною. Опять собирается к Нему народ, и, по обычаю Своему, Он опять учил их.

И приступили к Нему фарисеи и, искушая Его, говорили Ему: «По всякой ли причине позволительно человеку разводиться с женою своею?»

Он сказал им в ответ: «Не читали ли вы, что Сотворивший вначале мужчину и женщину сотворил их? И сказал: посему оставит человек отца и мать и прилепится к жене своей, и будут два одною плотью, так что они уже не двое, но одна плоть. Итак, что Бог сочетал, того человек да не разлучает».

Они говорят Ему: «Как же Моисей заповедал давать разводное письмо и разводиться с нею?»

Он говорит им: «Моисей по жестокосердию вашему позволил вам разводиться с жёнами вашими, а сначала не было так; но Я говорю вам: кто разведётся с женою своею не за прелюбодеяние и женится на другой, тот прелюбодействует; и женившийся на разведённой прелюбодействует».

Говорят Ему ученики Его: «Если такова обязанность человека к жене, то лучше не жениться».

Он же сказал им: «Не все вмещают слово сие, но кому дано, ибо есть скопцы, которые из чрева матернего родились так; и есть скопцы, которые оскоплены от людей; и есть скопцы, которые сделали сами себя скопцами для Царства Небесного. Кто может вместить, да вместит».

---

³⁶⁴ *Матфея.19:13-15 (Иисус благословляет детей), стр. 129.*

³⁶⁵ *Марка.09:41-50 (Соблазны), стр. 123.*

192. УЧЕНИКИ ПЕРЕСПРАШИВАЮТ О РАЗВОДЕ[366]
Пределы Иудейские, за Иорданскою стороною

Марка.10:10-12	
10 В доме ученики Его опять спросили Его о том же.	11 Он сказал им: кто разведется с женою своею и женится на другой, тот прелюбодействует от нее; 12 и если жена разведется с мужем своим и выйдет за другого, прелюбодействует.

193. ИИСУС БЛАГОСЛОВЛЯЕТ ДЕТЕЙ
Пределы Иудейские, за Иорданскою стороною

Матфея.19:13-15	Марка.10:13-16	Луки.18:15-17
12 …[367] 13 Тогда приведены были к Нему дети, чтобы Он возложил на них руки и помолился; ученики же возбраняли им. 14 Но Иисус сказал: пустите детей и не препятствуйте им приходить ко Мне, ибо таковых есть Царство Небесное.[368] 15 И, возложив на них руки, пошел оттуда.	13 Приносили к Нему детей, чтобы Он прикоснулся к ним; ученики же не допускали приносящих. 14 Увидев *то*, Иисус вознегодовал и сказал им: пустите детей приходить ко Мне и не препятствуйте им, ибо таковых есть Царствие Божие. 15 Истинно говорю вам: кто не примет Царствия Божия, как дитя, тот не войдет в него.[368] 16 И, обняв их, возложил руки на них и благословил их.	14 …[369] 15 Приносили к Нему и младенцев, чтобы Он прикоснулся к ним; ученики же, видя то, возбраняли им. 16 Но Иисус, подозвав их, сказал: пустите детей приходить ко Мне и не возбраняйте им, ибо таковых есть Царствие Божие.[368] 17 Истинно говорю вам: кто не примет Царствия Божия, как дитя, тот не войдет в него.[368]

Приносили к Нему детей, чтобы Он возложил на них руки и помолился; ученики же не допускали приносящих. Увидев *то*, Иисус вознегодовал и сказал им: «Пустите детей приходить ко Мне и не препятствуйте им, ибо таковых есть Царствие Божие.	Истинно говорю вам: кто не примет Царствия Божия, как дитя, тот не войдет в него». И, обняв их, возложил руки на них и благословил их.

194. ВОПРОС ЮНОШИ О НАСЛЕДИИ ЖИЗНИ ВЕЧНОЙ
Пределы Иудейские, за Иорданскою стороною

а. Наследие жизни вечной — вопрос богатого юноши[370]

Матфея.19:16-22	Марка.10:17-22	Луки.18:18-23

---

366 *Иисус уже говорил о разводе в Своей Нагорной проповеди (Матфея.05:31-32 (Развод), стр. 46), в Своём ответе на вопрос фарисеев (Матфея.19:03-12 (Фарисеи о разводе), стр. 127) и в Своей проповеди в Иудее, восходя в Иерусалим (Луки.16:18 (Развод), стр. 145).*

367 *Матфея.19:03-12 (Фарисеи о разводе), стр. 127.*

368 *Иисус сказал похожее, беседуя с учениками в Капернауме, Галилее (Матфея.18:01-05, Марка.09:33-37 и Луки.09:46-48 (Кто больше), стр. 122).*

369 *Луки.18:09-14 (Притча о фарисее и мытаре), стр. 148.*

370 *Иисус ещё раз ответил на похожий вопрос, но только законника (Луки.10:25-28 (Наследование жизни вечной — вопрос законника), стр. 135).*

¹⁶ И вот, некто, подойдя, сказал Ему: Учитель благий! Что сделать мне доброго, чтобы иметь жизнь вечную?	¹⁷ Когда выходил Он в путь, подбежал некто, пал пред Ним на колени и спросил Его: Учитель благий! Что мне делать, чтобы наследовать жизнь вечную?	¹⁸ И спросил Его некто из начальствующих: Учитель благий! Что мне делать, чтобы наследовать жизнь вечную?
¹⁷ Он же сказал ему: что ты называешь Меня благим? Никто не благ, как только один Бог. Если же хочешь войти в жизнь вечную, соблюди заповеди.	¹⁸ Иисус сказал ему: что ты называешь Меня благим? Никто не благ, как только один Бог.	¹⁹ Иисус сказал ему: «что ты называешь Меня благим? Никто не благ, как только один Бог;
¹⁸ Говорит Ему: какие? Иисус же сказал: «не убивай»; «не прелюбодействуй»; «не кради»; «не лжесвидетельствуй»;	¹⁹ Знаешь заповеди: «не прелюбодействуй», «не убивай», «не кради», «не лжесвидетельствуй», «не обижай», «почитай отца твоего и мать».	²⁰ знаешь заповеди: «не прелюбодействуй», «не убивай», «не кради», «не лжесвидетельствуй», «почитай отца твоего и матерь твою».
¹⁹ «почитай отца и мать»; и: «люби ближнего твоего, как самого себя».	²⁰ Он же сказал Ему в ответ: Учитель! Все это сохранил я от юности моей.	²¹ Он же сказал: все это сохранил я от юности моей.
²⁰ Юноша говорит Ему: все это сохранил я от юности моей; чего еще недостает мне?	²¹ Иисус, взглянув на него, полюбил его и сказал ему: одного тебе недостает: пойди, все, что имеешь, продай и раздай нищим, и будешь иметь сокровище на небесах; и приходи, последуй за Мною, взяв крест.	²² Услышав это, Иисус сказал ему: еще одного недостает тебе: все, что имеешь, продай и раздай нищим, и будешь иметь сокровище на небесах, и приходи, следуй за Мною.
²¹ Иисус сказал ему: если хочешь быть совершенным, пойди, продай имение твое и раздай нищим; и будешь иметь сокровище на небесах; и приходи и следуй за Мною.	²² Он же, смутившись от сего слова, отошел с печалью, потому что у него было большое имение.	²³ Он же, услышав сие, опечалился, потому что был очень богат.
²² Услышав слово сие, юноша отошел с печалью, потому что у него было большое имение.		

Когда выходил Он в путь, подбежал некто, пал пред Ним на колени и спросил Его: «Учитель благий! Что мне делать, чтобы наследовать жизнь вечную?»	го, как самого себя».
Иисус сказал ему: «Что ты называешь Меня благим? Никто не благ, как только один Бог. Если же хочешь войти в жизнь вечную, соблюди заповеди».	Юноша же сказал Ему в ответ: «Учитель! Все это сохранил я от юности моей; чего ещё недостаёт мне?»
Говорит Ему: «Какие?»	Иисус, взглянув на него, полюбил его и сказал ему: «Одного тебе недостаёт: пойди, все, что имеешь, продай и раздай нищим, и будешь иметь сокровище на небесах; и приходи, последуй за Мною, взяв крест».
Иисус же сказал: «Не убивай»; «не прелюбодействуй»; «не кради»; «не лжесвидетельствуй»; «почитай отца твоего и мать» и «люби ближнего твое-	Услышав слово сие, юноша отошёл с печалью, потому что у него было большое имение.

б. Вход богатого в Царство Божие

Матфея.19:23-26	Марка.10:23-27	Луки.18:24-27
²³ Иисус же сказал ученикам Своим: истинно говорю вам, что	²³ И, посмотрев вокруг, Иисус говорит ученикам Своим: как труд-	²⁴ Иисус, видя, что он опечалился, сказал: как трудно имеющим

трудно богатому войти в Царство Небесное; 24 и еще говорю вам: удобнее верблюду пройти сквозь игольные уши, нежели богатому войти в Царство Божие. 25 Услышав это, ученики Его весьма изумились и сказали: так кто же может спастись? 26 А Иисус, воззрев, сказал им: человекам это невозможно, Богу же все возможно.	но имеющим богатство войти в Царствие Божие! 24 Ученики ужаснулись от слов Его. Но Иисус опять говорит им в ответ: дети! Как трудно надеющимся на богатство войти в Царствие Божие! 25 Удобнее верблюду пройти сквозь игольные уши, нежели богатому войти в Царствие Божие. 26 Они же чрезвычайно изумлялись и говорили между собою: кто же может спастись? 27 Иисус, воззрев на них, говорит: человекам это невозможно, но не Богу, ибо все возможно Богу.	богатство войти в Царствие Божие! 25 Ибо удобнее верблюду пройти сквозь игольные уши, нежели богатому войти в Царствие Божие. 26 Слышавшие сие сказали: кто же может спастись? 27 Но Он сказал: невозможное человекам возможно Богу.

И, посмотрев вокруг, Иисус говорит ученикам Своим: «Истинно говорю вам, что трудно богатому войти в Царство Небесное!» Ученики ужаснулись от слов Его. Но Иисус опять говорит им в ответ: «Дети! Как трудно надеющимся на богатство войти в Царствие Божие! Удобнее верблюду пройти сквозь игольные уши,	нежели богатому войти в Царствие Божие». Они же чрезвычайно изумлялись и говорили между собою: «Кто же может спастись?» Иисус, воззрев на них, говорит: «Человекам это невозможно, но не Богу, ибо все возможно Богу».

в. Награда последовавшим за Иисусом

Матфея.19:27-30	*Марка.10:28-31*	*Луки.18:28-30*
27 Тогда Петр, отвечая, сказал Ему: вот, мы оставили все и последовали за Тобою; что же будет нам? 28 Иисус же сказал им: истинно говорю вам, что вы, последовавшие за Мною, — в пакибытии, когда сядет Сын Человеческий на престоле славы Своей, сядете и вы на двенадцати престолах судить двенадцать колен Израилевых. 29 И всякий, кто оставит домы, или братьев, или сестер, или отца, или мать, или жену, или детей, или земли, ради имени Моего, получит во сто крат и наследует жизнь вечную. 30 Многие же будут первые последними, и последние первыми. 371	28 И начал Петр говорить Ему: вот, мы оставили все и последовали за Тобою. 29 Иисус сказал в ответ: истинно говорю вам: нет никого, кто оставил бы дом, или братьев, или сестер, или отца, или мать, или жену, или детей, или земли, ради Меня и Евангелия, 30 и не получил бы ныне, во время сие, среди гонений, во сто крат более домов, и братьев и сестер, и отцов, и матерей, и детей, и земель, а в веке грядущем жизни вечной. 31 Многие же будут первые последними, и последние первыми. 371 32 ... 372	28 Петр же сказал: вот, мы оставили все и последовали за Тобою. 29 Он сказал им: истинно говорю вам: нет никого, кто оставил бы дом, или родителей, или братьев, или сестер, или жену, или детей для Царствия Божия, 30 и не получил бы гораздо более в сие время, и в век будущий жизни вечной. 31 ... 373

И начал Пётр говорить Ему: «Вот, мы оставили все и последовали за Тобою; что же будет нам?»

Иисус же сказал им: «Истинно говорю вам, что вы, последовавшие за Мною, в пакибытии, когда сядет Сын Человеческий на престоле славы Своей, сядете и вы на двенадцати престолах судить двенадцать колен Израилевых.

Истинно говорю вам: нет никого, кто оставил бы дом или братьев, или сестёр, или отца, или мать, или жену, или детей, или земли ради Меня и Евангелия, и не получил бы ныне, во время сие, среди гонений, во сто крат более домов и братьев, и сестёр, и отцов, и матерей, и детей, и земель, а в веке грядущем — жизни вечной.

Многие же будут первые последними, и последние первыми».

г. Подобие Царства Небесного — хозяин, нанявший работников в свой виноградник

Матфея.20:01-16

[1] Ибо Царство Небесное подобно хозяину дома, который вышел рано поутру нанять работников в виноградник свой

[2] и, договорившись с работниками по динарию на день, послал их в виноградник свой;

[3] выйдя около третьего часа, он увидел других, стоящих на торжище праздно,

[4] и им сказал: «идите и вы в виноградник мой, и что следовать будет, дам вам». Они пошли.

[5] Опять выйдя около шестого и девятого часа, сделал то же.

[6] Наконец, выйдя около одиннадцатого часа, он нашёл других, стоящих праздно, и говорит им: «что вы стоите здесь целый день праздно?»

[7] Они говорят ему: «никто нас не нанял». Он говорит им: «идите и вы в виноградник мой, и что следовать будет, получите».

[8] Когда же наступил вечер, говорит господин виноградника управителю своему: «позови работников и отдай им плату, начав с последних до первых».

[9] И пришедшие около одиннадцатого часа получили по динарию.

[10] Пришедшие же первыми думали, что они получат больше, но получили и они по динарию;

[11] и, получив, стали роптать на хозяина дома

[12] и говорили: «эти последние работали один час, и ты сравнял их с нами, перенесшими тягость дня и зной».

[13] Он же в ответ сказал одному из них: «друг! Я не обижаю тебя; не за динарий ли ты договорился со мною?

[14] Возьми своё и пойди; я же хочу дать этому последнему то же, что и тебе;

[15] разве я не властен в своём делать, что хочу? Или глаз твой завистлив от того, что я добр?»

[16] Так будут последние первыми, и первые последними, ибо много званых, а мало избранных.

[17] ... [374]

195. СЛЕДОВАНИЕ ЗА ИИСУСОМ[375]
Путь в Иерусалим, Иудея

Луки.09:57-62

[56] ... [376]

[57] Случилось, что когда они были в пути, некто сказал Ему: Господи! Я пойду за Тобою, куда бы Ты ни пошёл.

[58] Иисус сказал ему: лисицы имеют норы, и птицы небесные — гнезда; а Сын Человеческий не имеет, где приклонить голову.

---

371 *Иисус сказал похожее, восходя в Иерусалим (Луки.13:23-30 (Иисус говорит о спасении), стр. 141).*

372 *Марка.10:32-34 (Иисус говорит ученикам, что с Ним будет), стр. 148.*

373 *Луки.18:31-34 (Иисус говорит ученикам, что с Ним будет), стр. 148.*

374 *Матфея.20:17-19 (Иисус говорит ученикам, что с Ним будет), стр. 148.*

375 *Иисус сказал похожее возле озера в Галилее (Матфея.08:19-22 (Следование за Иисусом), стр. 76).*

376 *Луки.09:52-56 (Вестники посланы в Самарянское селение), стр. 127.*

⁵⁹ А другому сказал: следуй за Мною. Тот сказал: Господи! Позволь мне прежде пойти и похоронить отца моего. ⁶⁰ Но Иисус сказал ему: предоставь мертвым погребать своих мертвецов, а ты иди, благовествуй Царствие Божие.	⁶¹ Еще другой сказал: я пойду за Тобою, Господи! Но прежде позволь мне проститься с домашними моими. ⁶² Но Иисус сказал ему: никто, возложивший руку свою на плуг и озирающийся назад, не благонадежен для Царствия Божия.

196. ИЗБРАНИЕ И НАСТАВЛЕНИЕ СЕМИДЕСЯТИ УЧЕНИКОВ
Путь в Иерусалим, Иудея

а. Иисус призывает и посылает учеников

Луки.10:01-03 ¹ После сего избрал Господь и других семьдесят *учеников*, и послал их по два пред лицом Своим во всякий город и место, куда Сам хотел идти	² и сказал им: жатвы много, а делателей мало; итак, молите Господина жатвы, чтобы выслал делателей на жатву Свою.³⁷⁷ ³ Идите! Я посылаю вас, как агнцев среди волков.³⁷⁸

б. Припасы в дорогу³⁷⁹

Луки.10:04	⁴ Не берите ни мешка, ни сумы, ни обуви, и никого на дороге не приветствуйте.

в. Достойный город или селение; если примут вас³⁸⁰

Луки.10:05-09 ⁵ В какой дом войдете, сперва говорите: «мир дому сему»; ⁶ и если будет там сын мира, то почиет на нем мир ваш, а если нет, то к вам возвратится. ⁷ В доме же том оставайтесь, ешьте и пейте, что у	них есть, ибо трудящийся достоин награды за труды свои; не переходите из дома в дом. ⁸ И если придете в какой город и примут вас, ешьте, что вам предложат, ⁹ и исцеляйте находящихся в нем больных, и говорите им: «приблизилось к вам Царствие Божие».

г. Если не примут вас³⁸¹; Иисус укоряет города³⁸²

Луки.10:10-16 ¹⁰ Если же придете в какой город и не примут вас, то, выйдя на улицу, скажите:	¹¹ «и прах, прилипший к нам от вашего города, отрясаем вам; однако же знайте, что приблизилось к вам Царствие Божие»

---

377 *Иисус сказал похожее, проповедуя и исцеляя в Галилее (Матфея.09:35-38 (Проповедь и исцеления Иисуса), стр. 42).*

378 *Иисус сказал похожее, наставляя двенадцать учеников на проповедь (Матфея.10:16-23 (Овцы среди волков; гонения), стр. 85).*

379 *Иисус сказал похожее, наставляя двенадцать учеников на проповедь (Матфея.10:09-10, Марка.06:08-09 и Луки.09:03 (Припасы в дорогу), стр. 84).*

380 *Иисус сказал похожее, наставляя двенадцать учеников на проповедь (Матфея.10:11-13, Марка.06:10 и Луки.09:04 (Достойный город или селение; если примут вас), стр. 84).*

381 *Иисус сказал похожее, наставляя двенадцать учеников на проповедь (Матфея.10:14-15, Марка.06:11 и Луки.09:05 (Если не примут вас), стр. 85).*

382 *Иисус сказал похожее в Галилее, после того, как говорил об Иоанне Крестителе (Матфея.11:20-24 (Иисус укоряет города), стр. 58).*

¹² Сказываю вам, что Содому в день оный будет отраднее, нежели городу тому.

¹³ Горе тебе, Хоразин! Горе тебе, Вифсаида! Ибо если бы в Тире и Сидоне явлены были силы, явленные в вас, то давно бы они, сидя во вретище и пепле, покаялись;

¹⁴ но и Тиру и Сидону отраднее будет на суде, нежели вам.

¹⁵ И ты, Капернаум, до неба вознесшийся, до ада низвергнешься.

¹⁶ Слушающий вас Меня слушает, и отвергающийся вас Меня отвергается; а отвергающийся Меня отвергается Пославшего Меня.

197. ВОЗВРАЩЕНИЕ СЕМИДЕСЯТИ УЧЕНИКОВ И РАДОСТЬ ИИСУСА
Путь в Иерусалим, Иудея

а. Возвращение учеников

Луки.10:17-20

¹⁷ Семьдесят *учеников* возвратились с радостью и говорили: Господи! И бесы повинуются нам о имени Твоем.

¹⁸ Он же сказал им: Я видел сатану, спадшего с неба, как молнию;

¹⁹ се, даю вам власть наступать на змей и скорпионов и на всю силу вражью, и ничто не повредит вам;

²⁰ однакож тому не радуйтесь, что духи вам повинуются, но радуйтесь тому, что имена ваши написаны на небесах.

б. Радость Иисуса[383]

Луки.10:21

²¹ В тот час возрадовался духом Иисус и сказал: славлю Тебя, Отче, Господи неба и земли, что Ты утаил сие от мудрых и разумных и открыл младенцам. Ей, Отче! Ибо таково было Твое благоволение.

в. Обращение к ученикам

Луки.10:22-24

²² И, обратившись к ученикам, сказал: все предано Мне Отцем Моим; и кто есть Сын, не знает никто, кроме Отца, и кто есть Отец, *не знает никто,* кроме Сына, и кому Сын хочет открыть.[384]

²³ И, обратившись к ученикам, сказал им особо: блаженны очи, видящие то, что вы видите!

²⁴ ибо сказываю вам, что многие пророки и цари желали видеть, что вы видите, и не видели, и слышать, что вы слышите, и не слышали.

---

383 *Иисус сказал похожее в Галилее, после того, как говорил об Иоанне Крестителе (Матфея.11:25-26 (Прославление Отца), стр. 58).*

384 *Иисус сказал похожее в Галилее, после того, как говорил об Иоанне Крестителе (Матфея.11:27-30 (Труждающиеся и обременённые), стр. 58).*

198. ВОПРОС ЗАКОННИКА О НАСЛЕДОВАНИИ ЖИЗНИ ВЕЧНОЙ
Путь в Иерусалим, Иудея

а. Наследование жизни вечной — вопрос законника[385] [386]

Луки.10:25-28	
²⁵ И вот, один законник встал и, искушая Его, сказал: Учитель! Что мне делать, чтобы наследовать жизнь вечную? ²⁶ Он же сказал ему: в законе что написано? Как читаешь?	²⁷ Он сказал в ответ: «возлюби Господа Бога твоего всем сердцем твоим, и всею душею твоею, и всею крепостию твоею, и всем разумением твоим, и ближнего твоего, как самого себя». ²⁸ *Иисус* сказал ему: правильно ты отвечал; так поступай, и будешь жить.

б. Притча о добром Самарянине

Луки.10:29-37	
²⁹ Но он, желая оправдать себя, сказал Иисусу: а кто мой ближний? ³⁰ На это сказал Иисус: некоторый человек шел из Иерусалима в Иерихон и попался разбойникам, которые сняли с него одежду, изранили его и ушли, оставив его едва живым. ³¹ По случаю один священник шел тою дорогою и, увидев его, прошел мимо. ³² Также и левит, быв на том месте, подошел, посмотрел и прошел мимо. ³³ Самарянин же некто, проезжая, нашел на него	и, увидев его, сжалился ³⁴ и, подойдя, перевязал ему раны, возливая масло и вино; и, посадив его на своего осла, привез его в гостиницу и позаботился о нем; ³⁵ а на другой день, отъезжая, вынул два динария, дал содержателю гостиницы и сказал ему: «позаботься о нем; и если издержишь что более, я, когда возвращусь, отдам тебе». ³⁶ Кто из этих троих, думаешь ты, был ближний попавшемуся разбойникам? ³⁷ Он сказал: оказавший ему милость. Тогда Иисус сказал ему: иди, и ты поступай так же.

199. В ДОМЕ У МАРФЫ
Одно селение, Путь в Иерусалим, Иудея

Луки.10:38-42	
³⁸ В продолжение пути их пришел Он в одно селение; здесь женщина, именем Марфа, приняла Его в дом свой; ³⁹ у нее была сестра, именем Мария, которая села у ног Иисуса и слушала слово Его. ⁴⁰ Марфа же заботилась о большом угощении и,	подойдя, сказала: Господи! Или Тебе нужды нет, что сестра моя одну меня оставила служить? Скажи ей, чтобы помогла мне. ⁴¹ Иисус же сказал ей в ответ: Марфа! Марфа! Ты заботишься и суетишься о многом, ⁴² а одно только нужно; Мария же избрала благую часть, которая не отнимется у нее.

---

385 *Иисус уже ответил на похожий вопрос, но только богатого юноши (Матфея.19:16-22, Марка.10:17-22 и Луки.18:18-23 (Наследие жизни вечной — вопрос богатого юноши), стр. 129).*

386 *Иисус потом ещё раз говорил о наибольшей заповеди в ответ на вопрос законника — в Храме, в Иерусалиме (Матфея.22:35-40 и Марка.12:28-34 (Наибольшая заповедь — вопрос законника), стр. 168).*

200. ИИСУС УЧИТ МОЛИТЬСЯ
Путь в Иерусалим, Иудея

а. Молитва[387]

Луки.11:01-04	
[1] Случилось, что когда Он в одном месте молился, и перестал, один из учеников Его сказал Ему: Господи, научи нас молиться, как и Иоанн научил учеников своих. [2] Он сказал им: когда молитесь, говорите: «Отче наш, сущий на небесах! Да святится имя Твое; да	приидет Царствие Твое; да будет воля Твоя и на земле, как на небе; [3] хлеб наш насущный подавай нам на каждый день; [4] и прости нам грехи наши, ибо и мы прощаем всякому должнику нашему; и не введи нас в искушение, но избавь нас от лукавого».

б. Просьба друга в полночь

Луки.11:05-08	
[5] И сказал им: положим, что кто-нибудь из вас, имея друга, придет к нему в полночь и скажет ему: «друг! Дай мне взаймы три хлеба, [6] ибо друг мой с дороги зашел ко мне, и мне нечего предложить ему»;	[7] а тот изнутри скажет ему в ответ: «не беспокой меня, двери уже заперты, и дети мои со мною на постели; не могу встать и дать тебе». [8] Если, говорю вам, он не встанет и не даст ему по дружбе с ним, то по неотступности его, встав, даст ему, сколько просит.

в. Просите и ищите[388]

Луки.11:09-13	
[9] И Я скажу вам: просите, и дано будет вам; ищите, и найдете; стучите, и отворят вам, [10] ибо всякий просящий получает, и ищущий находит, и стучащему отворят. [11] Какой из вас отец, когда сын попросит у него хлеба, подаст ему камень? Или, когда попросит	рыбы, подаст ему змею вместо рыбы? [12] Или, если попросит яйца, подаст ему скорпиона? [13] Итак, если вы, будучи злы, умеете даяния благие давать детям вашим, тем более Отец Небесный даст Духа Святого просящим у Него. [14] ... [389]

201. ПРОПОВЕДЬ УЧЕНИКАМ
Путь в Иерусалим, Иудея

а. Закваска фарисейская[390]

Луки.12:01-03	
11:37 ... [391]	[1] Между тем, когда собрались тысячи народа, так что теснили друг друга, Он начал говорить сперва ученикам Своим: берегитесь закваски фарисейской, которая есть лицемерие.

---

387 *Иисус уже учил учеников молитве в Своей Нагорной проповеди (Матфея.06:05-15 (Молитва), стр. 48).*

388 *Иисус сказал похожее в Своей Нагорной проповеди (Матфея.07:07-12 (Просите и ищите), стр. 51.*

389 *Луки.11:14 (Исцеление бесноватого слепого и немого), стр. 63.*

390 *Иисус сказал похожее ученикам, переправляясь на другую сторону Галилейского моря (Матфея.16:05-12 и Марка.08:13б-21 (Закваска фарисейская и саддукейская), стр. 112).*

391 *Луки.11:37 (На обеде у фарисея), стр. 68.*

2 Нет ничего сокровенного, что не открылось бы, и тайного, чего не узнали бы.	3 Посему, что вы сказали в темноте, то услышится во свете; и что говорили на ухо внутри дома, то будет провозглашено на кровлях.

б. Кого бояться[392]

Луки.12:04-07 4 Говорю же вам, друзьям Моим: не бойтесь убивающих тело и потом не могущих ничего более сделать; 5 но скажу вам, кого бояться: бойтесь того, кто, по	убиении, может ввергнуть в геенну: ей, говорю вам, того бойтесь. 6 Не пять ли малых птиц продаются за два ассария? И ни одна из них не забыта у Бога. 7 А у вас и волосы на голове все сочтены. Итак не бойтесь: вы дороже многих малых птиц.

в. Исповедание Иисуса и хула на Духа Святого

Луки.12:08-10 8 Сказываю же вам: всякого, кто исповедает Меня пред человеками, и Сын Человеческий исповедает пред Ангелами Божиими;[393]	9 а кто отвергнется Меня пред человеками, тот отвержен будет пред Ангелами Божиими.[393] 10 И всякому, кто скажет слово на Сына Человеческого, прощено будет; а кто скажет хулу на Святого Духа, тому не простится.[394]

г. Забота, о чём говорить[395]

Луки.12:11-12 11 Когда же приведут вас в синагоги, к начальствам и властям, не заботьтесь, как или что отве-	чать, или что говорить, 12 ибо Святый Дух научит вас в тот час, что должно говорить.

д. Иисус и деление наследства

Луки.12:13-15 13 Некто из народа сказал Ему: Учитель! Скажи брату моему, чтобы он разделил со мною наследство.	14 Он же сказал человеку тому: кто поставил Меня судить или делить вас? 15 При этом сказал им: смотрите, берегитесь любостяжания, ибо жизнь человека не зависит от изобилия его имения.

е. Притча о человеке с хорошим урожаем

Луки.12:16-21 16 И сказал им притчу: у одного богатого человека	был хороший урожай в поле; 17 и он рассуждал сам с собою: что мне делать? Некуда мне собрать плодов моих?

---

392 *Иисус сказал похожее, наставляя двенадцать учеников на проповедь (Матфея.10:28-31 (Боязнь убивающих тело), стр. 86).*

393 *Иисус сказал похожее, наставляя двенадцать учеников на проповедь (Матфея.10:32-33 (Исповедание Иисуса пред людьми), стр. 86).*

394 *Иисус сказал похожее после исцеления одержимого слепого и немого (Матфея.12:31-32 и Марка.03:28-30 (Хула на Духа Святого), стр. 65).*

395 *Иисус сказал похожее, наставляя двенадцать учеников на проповедь (Матфея.10:16-23 (Овцы среди волков; гонения), стр. 85).*

¹⁸ И сказал: вот что сделаю: «сломаю житницы мои и построю большие, и соберу туда весь хлеб мой и все добро мое, ¹⁹ и скажу душе моей: душа! Много добра лежит у тебя на многие годы: покойся, ешь, пей, веселись».	²⁰ Но Бог сказал ему: «безумный! В сию ночь душу твою возьмут у тебя; кому же достанется то, что ты заготовил?» ²¹ Так бывает с тем, кто собирает сокровища для себя, а не в Бога богатеет.

ж. Забота о завтрашнем дне[396]

Луки.12:22-32 ²² И сказал ученикам Своим: посему говорю вам, — не заботьтесь для души вашей, что вам есть, ни для тела, во что одеться: ²³ душа больше пищи, и тело — одежды. ²⁴ Посмотрите на воронов: они не сеют, не жнут; нет у них ни хранилищ, ни житниц, и Бог питает их; сколько же вы лучше птиц? ²⁵ Да и кто из вас, заботясь, может прибавить себе роста хотя на один локоть? ²⁶ Итак, если и малейшего сделать не можете, что заботитесь о прочем? ²⁷ Посмотрите на лилии, как они растут: не тру-	дятся, не прядут; но говорю вам, что и Соломон во всей славе своей не одевался так, как всякая из них. ²⁸ Если же траву на поле, которая сегодня есть, а завтра будет брошена в печь, Бог так одевает, то кольми паче вас, маловеры! ²⁹ Итак, не ищите, что вам есть, или что пить, и не беспокойтесь, ³⁰ потому что всего этого ищут люди мира сего; ваш же Отец знает, что вы имеете нужду в том; ³¹ наипаче ищите Царствия Божия, и это все приложится вам. ³² Не бойся, малое стадо! Ибо Отец ваш благоволил дать вам Царство.

з. Сбор сокровищ[397]

Луки.12:33-34 ³³ Продавайте имения ваши и давайте милостыню. Приготовляйте себе вместилища неветшаю-	щие, сокровище неоскудевающее на небесах, куда вор не приближается и где моль не съедает, ³⁴ ибо где сокровище ваше, там и сердце ваше будет.

и. Готовность к приходу Сына Человеческого[398]

Луки.12:35-41 ³⁵ Да будут чресла ваши препоясаны и светильники горящи. ³⁶ И вы будьте подобны людям, ожидающим возвращения господина своего с брака, дабы, когда придет и постучит, тотчас отворить ему. ³⁷ Блаженны рабы те, которых господин, придя, найдет бодрствующими; истинно говорю вам, он препояшется и посадит их, и, подходя, станет служить им.	³⁸ И если придет во вторую стражу, и в третью стражу придет, и найдет их так, то блаженны рабы те. ³⁹ Вы знаете, что если бы ведал хозяин дома, в который час придет вор, то бодрствовал бы и не допустил бы подкопать дом свой.[399] ⁴⁰ Будьте же и вы готовы, ибо, в который час не думаете, приидет Сын Человеческий.[399] ⁴¹ Тогда сказал Ему Петр: Господи! К нам ли притчу сию говоришь, или и ко всем?

---

396 *Иисус сказал похожее в Своей Нагорной проповеди (Матфея.06:25-34 (Забота о завтрашнем дне), стр. 49).*

397 *Иисус сказал похожее в Своей Нагорной проповеди (Матфея.06:19-21 (Сокровища) стр. 49).*

398 *Иисус сказал похожее, когда говорил о разрушении храма и о последнем времени (Марка.13:34-37 (Притча о задании слугам перед отхождением в путь), стр. 181).*

399 *Иисус сказал похожее, когда говорил о разрушении храма и о последнем времени (Матфея.24:32-44 и Марка.13:28-33 (Притча о распускающейся смоковнице), стр. 180).*

к.   Благоразумный домоправитель[400]

Луки.12:42-48	служанок, есть и пить и напиваться,
[42] Господь же сказал: кто верный и благоразумный домоправитель, которого господин поставил над слугами своими раздавать им в свое время меру хлеба?	[46] то придет господин раба того в день, в который он не ожидает, и в час, в который не думает, и рассечет его, и подвергнет его одной участи с неверными.
[43] Блажен раб тот, которого господин его, придя, найдет поступающим так.	[47] Раб же тот, который знал волю господина своего, и не был готов, и не делал по воле его, бит будет много;
[44] Истинно говорю вам, что над всем имением своим поставит его.	[48] а который не знал, и сделал достойное наказания, бит будет меньше. И от всякого, кому дано много, много и потребуется, и кому много вверено, с того больше взыщут.
[45] Если же раб тот скажет в сердце своем: «не скоро придет господин мой», и начнет бить слуг и	

л.   Для чего пришёл Иисус

Луки.12:49-53	Нет, говорю вам, но разделение;[401]
[49] Огонь пришел Я низвести на землю, и как желал бы, чтобы он уже возгорелся!	[52] ибо отныне пятеро в одном доме станут разделяться, трое против двух, и двое против трех:[401]
[50] Крещением должен Я креститься; и как Я томлюсь, пока сие совершится!	[53] отец будет против сына, и сын против отца; мать против дочери, и дочь против матери; свекровь против невестки своей, и невестка против свекрови своей.[401]
[51] Думаете ли вы, что Я пришел дать мир земле?	

м.   Распознавание лица земли и неба[402]

Луки.12:54-57	дет», и бывает.
[54] Сказал же и народу: когда вы видите облако, поднимающееся с запада, тотчас говорите: «дождь будет», и бывает так;	[56] Лицемеры! Лицо земли и неба распознавать умеете, как же времени сего не узнаете?
[55] и когда дует южный ветер, говорите: «зной бу-	[57] Зачем же вы и по самим себе не судите, чему быть должно?

н.   Грядущий суд с соперником[403]

Луки.12:58-59	тебя истязателю, а истязатель не вверг тебя в темницу;
[58] Когда ты идешь с соперником своим к начальству, то на дороге постарайся освободиться от него, чтобы он не привел тебя к судье, а судья не отдал	[59] Сказываю тебе: не выйдешь оттуда, пока не отдашь и последней полушки.

---

400 *Иисус сказал похожее, когда говорил о разрушении храма и о последнем времени (Матфея.24:45-51 (Притча о верном и благоразумном рабе), стр. 182).*

401 *Иисус сказал похожее, наставляя двенадцать учеников на проповедь (Матфея.10:34-36 (Разделение, принесённое Иисусом), стр. 86).*

402 *Иисус сказал похожее, когда у него требовали знамения (Матфея.15:39 и Марка.08:09б-13а (Фарисеи и саддукеи просят знамения с неба), стр. 112).*

403 *Иисус сказал похожее в Своей Нагорной проповеди (Матфея.05:25-26 (Мир с соперником), стр. 45).*

202. УБИТЫЕ ГАЛИЛЕЯНЕ; ПРИТЧА О СМОКОВНИЦЕ
Путь в Иерусалим, Иудея

а. Убитые Иродом Галилеяне

Луки.13:01-05	
1 В это время пришли некоторые и рассказали Ему о Галилеянах, которых кровь Пилат смешал с жертвами их. 2 Иисус сказал им на это: думаете ли вы, что эти Галилеяне были грешнее всех Галилеян, что так пострадали?	3 Нет, говорю вам, но, если не покаетесь, все так же погибнете. 4 Или думаете ли, что те восемнадцать человек, на которых упала башня Силоамская и побила их, виновнее были всех, живущих в Иерусалиме? 5 Нет, говорю вам, но, если не покаетесь, все так же погибнете.

б. Притча о смоковнице

Луки.13:06-09	
6 И сказал сию притчу: некто имел в винограднике своем посаженную смоковницу, и пришел искать плода на ней, и не нашел; 7 и сказал виноградарю: «вот, я третий год прихо-	жу искать плода на этой смоковнице и не нахожу; сруби ее: на что она и землю занимает?» 8 Но он сказал ему в ответ: «господин! Оставь ее и на этот год, пока я окопаю ее и обложу навозом, — 9 не принесет ли плода; если же нет, то в следующий год срубишь ее».

203. ИСЦЕЛЕНИЕ СКОРЧЕННОЙ ЖЕНЩИНЫ
Синагога, Путь в Иерусалим, Иудея

а. Исцеление

Луки.13:10-13	
10 В одной из синагог учил Он в субботу. 11 Там была женщина, восемнадцать лет имевшая духа немощи: она была скорчена и не могла вы-	прямиться. 12 Иисус, увидев ее, подозвал и сказал ей: женщина! Ты освобождаешься от недуга твоего. 13 И возложил на нее руки, и она тотчас выпрямилась и стала славить Бога.

б. Негодование начальника синагоги

Луки.13:14-17	
14 При этом начальник синагоги, негодуя, что Иисус исцелил в субботу, сказал народу: есть шесть дней, в которые должно делать; в те и приходите исцеляться, а не в день субботний. 15 Господь сказал ему в ответ: лицемер! Не отвязывает ли каждый из вас вола своего или осла от	яслей в субботу и не ведет ли поить? 16 Сию же дочь Авраамову, которую связал сатана вот уже восемнадцать лет, не надлежало ли освободить от уз сих в день субботний? 17 И когда говорил Он это, все противившиеся Ему стыдились; и весь народ радовался о всех славных делах Его. 18 ... [404]

---

404 *Луки.13:18-19 (Подобие Царства Небесного — горчичное зерно), стр. 74.*

204. ИИСУС НАПРАВЛЯЕТ СВОЙ ПУТЬ К ИЕРУСАЛИМУ
Путь в Иерусалим, Иудея

Луки.13:22	22 И проходил по городам и селениям, уча и направляя путь к Иерусалиму.
21 ... [405]	

205. ИИСУС ГОВОРИТ О СПАСЕНИИ
Путь в Иерусалим, Иудея

Луки.13:23-30	26 Тогда станете говорить: «мы ели и пили пред Тобою, и на улицах наших учил Ты». [408]
23 Некто сказал Ему: Господи! Неужели мало спасающихся? Он же сказал им:	27 Но Он скажет: «говорю вам: не знаю вас, откуда вы; отойдите от Меня все делатели неправды». [408]
24 подвизайтесь войти сквозь тесные врата, ибо, сказываю вам, многие поищут войти, и не возмогут. [406]	28 Там будет плач и скрежет зубов, когда увидите Авраама, Исаака и Иакова и всех пророков в Царствии Божием, а себя изгоняемыми вон.
25 Когда хозяин дома встанет и затворит двери, тогда вы, стоя вне, станете стучать в двери и говорить: «Господи! Господи! Отвори нам»; но Он скажет вам в ответ: «не знаю вас, откуда вы». [407]	29 И придут от востока и запада, и севера и юга, и возлягут в Царствии Божием. [409]
	30 И вот, есть последние, которые будут первыми, и есть первые, которые будут последними. [410]

206. ФАРИСЕИ ПРЕДУПРЕЖДАЮТ ИИСУСА ОБ ИРОДЕ
Путь в Иерусалим, Иудея

а. Предупреждение фарисеев

Луки.13:31-33	изгоняю бесов и совершаю исцеления сегодня и завтра, и в третий день кончу;
31 В тот день пришли некоторые из фарисеев и говорили Ему: выйди и удались отсюда, ибо Ирод хочет убить Тебя.	33 а впрочем, Мне должно ходить сегодня, завтра и в последующий день, потому что не бывает, чтобы пророк погиб вне Иерусалима.
32 И сказал им: пойдите, скажите этой лисице: се,	

б. Слова к Иерусалиму [411]

Луки.13:34-35	и камнями побивающий посланных к тебе! Сколько раз хотел Я собрать чад твоих, как птица птенцов своих под крылья, и вы не захотели!
34 Иерусалим! Иерусалим! Избивающий пророков	

---

405 *Луки.13:20-21 (Подобие Царства Небесного — закваска), стр. 74.*

406 *Иисус сказал похожее в Своей Нагорной проповеди (Матфея.07:13-14 (Тесные врата, узкий путь), стр. 51.*

407 *Иисус сказал похожее в притче о десяти девах (Матфея.25:01-13 (Подобие Царства Небесного — десять дев), стр. 182).*

408 *Иисус сказал похожее в Своей Нагорной проповеди (Матфея.07:21-27 (Царство Небесное и исполнение воли Отца), стр. 52).*

409 *Иисус сказал похожее, когда исцелил слугу сотника (Матфея.08:05-13 (Исцеление слуги сотника), стр. 54).*

410 *Иисус сказал похожее, когда ответил на вопрос богатого юноши о наследии жизни вечной (Матфея.19:27-30 и Марка.10:28-31 (Награда последовавшим за Иисусом), стр. 131).*

411 *Иисус сказал похожее, когда был уже в Иерусалиме до распятия, упрекая книжников и фарисеев (Матфея.23:01-39, Марка.12:38-40 и Луки.20:45-47 (Иисус говорит о книжниках и фарисеях), стр. 170).*

| 35 Се, оставляется вам дом ваш пуст. Сказываю же вам, что вы не увидите Меня, пока не придет | время, когда скажете: «благословен Грядый во имя Господне!» |

207. ИСЦЕЛЕНИЕ ЧЕЛОВЕКА С ВОДЯНОЙ БОЛЕЗНЬЮ
В доме у фарисейского начальника, путь в Иерусалим, Иудея

| *Луки.14:01-06*

1 Случилось Ему в субботу придти в дом одного из начальников фарисейских вкусить хлеба, и они наблюдали за Ним.
2 И вот, предстал пред Него человек, страждущий водяною болезнью.
3 По сему случаю Иисус спросил законников и фа- | рисеев: позволительно ли врачевать в субботу?
4 Они молчали. И, прикоснувшись, исцелил его и отпустил.
5 При сем сказал им: если у кого из вас осел или вол упадет в колодезь, не тотчас ли вытащит его и в субботу?
6 И не могли отвечать Ему на это. |

208. МЕСТО НА БРАЧНОМ ПИРЕ
В доме у фарисейского начальника, путь в Иерусалим, Иудея

а. Выбор места на брачном пире

| *Луки.14:07-11*

7 Замечая же, как званые выбирали первые места, сказал им притчу:
8 когда ты будешь позван кем на брак, не садись на первое место, чтобы не случился кто из званых им почетнее тебя,
9 и звавший тебя и его, подойдя, не сказал бы | тебе: «уступи ему место»; и тогда со стыдом должен будешь занять последнее место.
10 Но когда зван будешь, придя, садись на последнее место, чтобы звавший тебя, подойдя, сказал: «друг! Пересядь выше»; тогда будет тебе честь пред сидящими с тобою,
11 ибо всякий возвышающий сам себя унижен будет, а унижающий себя возвысится. |

б. Кого звать на пир

| *Луки.14:12-14*

12 Сказал же и позвавшему Его: когда делаешь обед или ужин, не зови друзей твоих, ни братьев твоих, ни родственников твоих, ни соседей богатых, чтобы и они тебя когда не позвали, и не полу- | чил ты воздаяния.
13 Но, когда делаешь пир, зови нищих, увечных, хромых, слепых,
14 и блажен будешь, что они не могут воздать тебе, ибо воздастся тебе в воскресение праведных. |

в. Большой ужин человека и приглашённые[412]

| *Луки.14:15-24*

15 Услышав это, некто из возлежащих с Ним сказал Ему: блажен, кто вкусит хлеба в Царствии Божием!
16 Он же сказал ему: один человек сделал большой ужин и звал многих, | 17 и когда наступило время ужина, послал раба своего сказать званым: «идите, ибо уже все готово».
18 И начали все, как бы сговорившись, извиняться. Первый сказал ему: «я купил землю, и мне нужно пойти посмотреть ее; прошу тебя, извини меня». |

---

412 *Иисус сказал похожее в Храме, в Иерусалиме (Матфея.22:01-14 (Подобие Царства Небесного — царь, сделавший пир для сына своего), стр. 165).*

¹⁹ Другой сказал: «я купил пять пар волов и иду испытать их; прошу тебя, извини меня».

²⁰ Третий сказал: «я женился и потому не могу придти».

²¹ И, возвратившись, раб тот донес о сем господину своему. Тогда, разгневавшись, хозяин дома сказал рабу своему: «пойди скорее по улицам и переулкам города и приведи сюда нищих, увечных, хромых и слепых».

²² И сказал раб: «господин! Исполнено, как приказал ты, и еще есть место».

²³ Господин сказал рабу: «пойди по дорогам и изгородям и убеди придти, чтобы наполнился дом мой.

²⁴ Ибо сказываю вам, что никто из тех званых не вкусит моего ужина, ибо много званых, но мало избранных».

209. ЧТО ЗНАЧИТ БЫТЬ УЧЕНИКОМ ХРИСТА
Путь в Иерусалим, Иудея

Луки.14:25-35

²⁵ С Ним шло множество народа; и Он, обратившись, сказал им:

²⁶ если кто приходит ко Мне и не возненавидит отца своего и матери, и жены и детей, и братьев и сестер, а притом и самой жизни своей, тот не может быть Моим учеником;[413]

²⁷ и кто не несет креста своего и идет за Мною, не может быть Моим учеником.[413]

²⁸ Ибо кто из вас, желая построить башню, не сядет прежде и не вычислит издержек, имеет ли он, что нужно для совершения ее,

²⁹ дабы, когда положит основание и не возможет совершить, все видящие не стали смеяться над ним,

³⁰ говоря: «этот человек начал строить и не мог окончить».

³¹ Или какой царь, идя на войну против другого царя, не сядет и не посоветуется прежде, силен ли он с десятью тысячами противостать идущему на него с двадцатью тысячами?

³² Иначе, пока тот еще далеко, он пошлет к нему посольство просить о мире.

³³ Так всякий из вас, кто не отрешится от всего, что имеет, не может быть Моим учеником.

³⁴ Соль — добрая вещь; но если соль потеряет силу, чем исправить ее?[414]

³⁵ Ни в землю, ни в навоз не годится; вон выбрасывают ее. Кто имеет уши слышать, да слышит![414]

210. ПРИТЧИ И ПРОПОВЕДЬ ИИСУСА ХРИСТА
Путь в Иерусалим, Иудея

a.   Притча о потерянной овце[415]

Луки.15:01-07

¹ Приближались к Нему все мытари и грешники слушать Его.

² Фарисеи же и книжники роптали, говоря: Он принимает грешников и ест с ними.

³ Но Он сказал им следующую притчу:

⁴ кто из вас, имея сто овец и потеряв одну из них, не оставит девяноста девяти в пустыне и не пойдет за пропавшею, пока не найдет ее?

⁵ А найдя, возьмет ее на плечи свои с радостью

⁶ и, придя домой, созовет друзей и соседей и скажет им: «порадуйтесь со мною: я нашел мою пропавшую овцу».

⁷ Сказываю вам, что так на небесах более радости будет об одном грешнике кающемся, нежели о девяноста девяти праведниках, не имеющих нужды в покаянии.

---

413 *Иисус сказал похожее, наставляя двенадцать учеников на проповедь (Матфея.10:37-39 (Приоритеты любви), стр. 87) и беседуя с учениками в селениях Кесарии Филипповой (Матфея.16:24-27, Марка.08:34-38 и Луки.09:23-26 (Условия хождения за Христом), стр. 116).*

414 *Иисус сказал похожее в Своей Нагорной проповеди (Матфея.05:13-16 (Соль земли и свет мира), стр. 45) и в Капернауме, беседуя с учениками (Марка.09:41-50 (Соблазны), стр. 123).*

415 *Иисус сказал похожее в Капернауме, беседуя с учениками (Матфея.18:06-14 (Соблазны), стр. 123).*

б. Притча о потерянной драхме

Луки.15:08-10	найдет,
⁸ Или какая женщина, имея десять драхм, если потеряет одну драхму, не зажжет свечи и не станет мести комнату и искать тщательно, пока не	⁹ а найдя, созовет подруг и соседок и скажет: «порадуйтесь со мною: я нашла потерянную драхму». ¹⁰ Так, говорю вам, бывает радость у Ангелов Божиих и об одном грешнике кающемся.

в. Притча о блудном сыне

Луки.15:11-32	²² А отец сказал рабам своим: «принесите лучшую одежду и оденьте его, и дайте перстень на руку его и обувь на ноги;
¹¹ Еще сказал: у некоторого человека было два сына; ¹² и сказал младший из них отцу: отче! Дай мне следующую мне часть имения. И отец разделил им имение. ¹³ По прошествии немногих дней младший сын, собрав все, пошел в дальнюю сторону и там расточил имение свое, живя распутно. ¹⁴ Когда же он прожил все, настал великий голод в той стране, и он начал нуждаться; ¹⁵ и пошел, пристал к одному из жителей страны той, а тот послал его на поля свои пасти свиней; ¹⁶ и он рад был наполнить чрево свое рожками, которые ели свиньи, но никто не давал ему. ¹⁷ Придя же в себя, сказал: «сколько наемников у отца моего избыточествуют хлебом, а я умираю от голода; ¹⁸ встану, пойду к отцу моему и скажу ему: отче! Я согрешил против неба и пред тобою ¹⁹ и уже недостоин называться сыном твоим; прими меня в число наемников твоих». ²⁰ Встал и пошел к отцу своему. И когда он был еще далеко, увидел его отец его и сжалился; и, побежав, пал ему на шею и целовал его. ²¹ Сын же сказал ему: «отче! Я согрешил против неба и пред тобою и уже недостоин называться сыном твоим».	²³ и приведите откормленного теленка, и заколите; станем есть и веселиться! ²⁴ Ибо этот сын мой был мертв и ожил, пропадал и нашелся». И начали веселиться. ²⁵ Старший же сын его был на поле; и возвращаясь, когда приблизился к дому, услышал пение и ликование; ²⁶ и, призвав одного из слуг, спросил: «что это такое?» ²⁷ Он сказал ему: «брат твой пришел, и отец твой заколол откормленного теленка, потому что принял его здоровым». ²⁸ Он осердился и не хотел войти. Отец же его, выйдя, звал его. ²⁹ Но он сказал в ответ отцу: «вот, я столько лет служу тебе и никогда не преступал приказания твоего, но ты никогда не дал мне и козленка, чтобы мне повеселиться с друзьями моими; ³⁰ а когда этот сын твой, расточивший имение свое с блудницами, пришел, ты заколол для него откормленного теленка». ³¹ Он же сказал ему: «сын мой! Ты всегда со мною, и все мое твое, ³² а о том надобно было радоваться и веселиться, что брат твой сей был мертв и ожил, пропадал и нашелся».

г. Притча о неверном управителе

Луки.16:01-12	можешь более управлять».
¹ Сказал же и к ученикам Своим: один человек был богат и имел управителя, на которого донесено было ему, что расточает имение его; ² и, призвав его, сказал ему: «что это я слышу о тебе? Дай отчет в управлении твоем, ибо ты не	³ Тогда управитель сказал сам в себе: «что мне делать? Господин мой отнимает у меня управление домом; копать не могу, просить стыжусь; ⁴ знаю, что сделать, чтобы приняли меня в домы свои, когда отставлен буду от управления домом».

⁵ И, призвав должников господина своего, каждого порознь, сказал первому: «сколько ты должен господину моему?» ⁶ Он сказал: «сто мер масла». И сказал ему: «возьми твою расписку и садись скорее, напиши: пятьдесят». ⁷ Потом другому сказал: «а ты сколько должен?» Он отвечал: «сто мер пшеницы». И сказал ему: «возьми твою расписку и напиши: восемьдесят». ⁸ И похвалил господин управителя неверного, что догадливо поступил; ибо сыны века сего догадли-	вее сынов света в своем роде. ⁹ И Я говорю вам: приобретайте себе друзей богатством неправедным, чтобы они, когда обнищаете, приняли вас в вечные обители. ¹⁰ Верный в малом и во многом верен, а неверный в малом неверен и во многом. ¹¹ Итак, если вы в неправедном богатстве не были верны, кто поверит вам истинное? ¹² И если в чужом не были верны, кто даст вам ваше?

д. Служба двум господам[416]

Луки.16:13-14 ¹³ Никакой слуга не может служить двум господам, ибо или одного будет ненавидеть, а другого лю-	бить, или одному станет усердствовать, а о другом нерадеть. Не можете служить Богу и маммоне. ¹⁴ Слышали все это и фарисеи, которые были сребролюбивы, и они смеялись над Ним.

е. Вход в Царствие Божие

Луки.16:15-17 ¹⁵ Он сказал им: вы выказываете себя праведниками пред людьми, но Бог знает сердца ваши, ибо что высоко у людей, то мерзость пред Богом.	¹⁶ Закон и пророки до Иоанна; с сего времени Царствие Божие благовествуется, и всякий усилием входит в него. ¹⁷ Но скорее небо и земля прейдут, нежели одна черта из закона пропадет.[417]

ж. Развод[418]

Луки.16:18 ¹⁸ Всякий, разводящийся с женою своею и женя-	щийся на другой, прелюбодействует, и всякий, женящийся на разведенной с мужем, прелюбодействует.

з. Притча о бедном Лазаре

Луки.16:19-31 ¹⁹ Некоторый человек был богат, одевался в порфиру и виссон и каждый день пиршествовал блистательно. ²⁰ Был также некоторый нищий, именем Лазарь, который лежал у ворот его в струпьях ²¹ и желал напитаться крошками, падающими со стола богача, и псы, приходя, лизали струпья его.	²² Умер нищий и отнесен был Ангелами на лоно Авраамово. Умер и богач, и похоронили его. ²³ И в аде, будучи в муках, он поднял глаза свои, увидел вдали Авраама и Лазаря на лоне его ²⁴ и, возопив, сказал: «отче Аврааме! Умилосердись надо мною и пошли Лазаря, чтобы омочил конец перста своего в воде и прохладил язык мой, ибо я мучаюсь в пламени сем».

---

416 *Иисус сказал похожее в Своей Нагорной проповеди (Матфея.06:24 (Служба двум господам) стр. 49).*

417 *Иисус сказал похожее в Своей Нагорной проповеди (Матфея.05:17-20 (Исполнение закона и пророков), стр. 45).*

418 *Иисус также говорил о разводе в Своей Нагорной проповеди (Матфея.05:31-32 (Развод), стр. 46), в Своём ответе на вопрос фарисеев (Матфея.19:03-12 (Фарисеи о разводе) и объясняя Своим ученикам (Марка.10:10-12 (Ученики переспрашивают о разводе), стр. 129).*

²⁵ Но Авраам сказал: «чадо! Вспомни, что ты получил уже доброе твое в жизни твоей, а Лазарь — злое; ныне же он здесь утешается, а ты страдаешь;

²⁶ и сверх всего того между нами и вами утверждена великая пропасть, так что хотящие перейти отсюда к вам не могут, также и оттуда к нам не переходят».

²⁷ Тогда сказал он: «так прошу тебя, отче, пошли его в дом отца моего,

²⁸ ибо у меня пять братьев; пусть он засвиде-

тельствует им, чтобы и они не пришли в это место мучения».

²⁹ Авраам сказал ему: «у них есть Моисей и пророки; пусть слушают их».

³⁰ Он же сказал: «нет, отче Аврааме, но если кто из мертвых придет к ним, покаются».

³¹ Тогда Авраам сказал ему: «если Моисея и пророков не слушают, то, если бы кто и из мертвых воскрес, не поверят».

17:1 … [419]

и. Просьба учеников умножить в них веру

Луки.17:05-10

4 … [420]

⁵ И сказали Апостолы Господу: умножь в нас веру.

⁶ Господь сказал: если бы вы имели веру с зерно горчичное и сказали смоковнице сей: «исторгнись и пересадись в море», то она послушалась бы вас.[421]

⁷ Кто из вас, имея раба пашущего или пасущего,

по возвращении его с поля, скажет ему: «пойди скорее, садись за стол»?

⁸ Напротив, не скажет ли ему: «приготовь мне поужинать и, подпоясавшись, служи мне, пока буду есть и пить, и потом ешь и пей сам»?

⁹ Станет ли он благодарить раба сего за то, что он исполнил приказание? Не думаю.

¹⁰ Так и вы, когда исполните все повеленное вам, говорите: «мы рабы ничего не стоящие, потому что сделали, что должны были сделать».

211. ИСЦЕЛЕНИЕ ДЕСЯТИ ПРОКАЖЁННЫХ[422]
Дорога между Самарией и Галилеей, путь в Иерусалим, Иудея

Луки.17:11-14

¹¹ Идя в Иерусалим, Он проходил между Самариею и Галилеею.

¹² И когда входил Он в одно селение, встретили Его десять человек прокаженных, которые остано-

вились вдали

¹³ и громким голосом говорили: Иисус Наставник! Помилуй нас.

¹⁴ Увидев *их*, Он сказал им: пойдите, покажитесь священникам. И когда они шли, очистились.

212. ВОЗВРАЩЕНИЕ ИСЦЕЛЁННОГО САМАРЯНИНА
Дорога между Самарией и Галилеей, путь в Иерусалим, Иудея

Луки.17:15-19

¹⁵ Один же из них, видя, что исцелен, возвратился, громким голосом прославляя Бога

¹⁶ и пал ниц к ногам Его, благодаря Его; и это был Самарянин.

¹⁷ Тогда Иисус сказал: не десять ли очистились? Где же девять?

¹⁸ Как они не возвратились воздать славу Богу, кроме сего иноплеменника?

¹⁹ И сказал ему: встань, иди; вера твоя спасла тебя.

---

419 *Луки.17:01-02 (Соблазны), стр. 123.*

420 *Луки.17:03-04 (Согрешивший брат), стр. 125.*

421 *Иисус сказал похожее после изгнания беса из отрока (Матфея.17:19-21 (Иисус объясняет ученикам, как бес был изгнан из отрока), стр. 120) и после проклятия смоковницы (Матфея.21:18-22 и Марка.11:20-26 (Проклятая смоковница засохла), стр 161).*

422 *Иисус исцелил прокажённого в Галилее (Матфея.08:01-04, Марка.01:40-44 и Луки.05:12-14 (Исцеление прокажённого), стр. 53).*

213. ПРИТЧИ И ПРОПОВЕДИ ИИСУСА ХРИСТА
Путь в Иерусалим, Иудея

а. Приход Царствия Божия

Луки.17:20-37

20 Быв же спрошен фарисеями, когда придет Царствие Божие, отвечал им: не придет Царствие Божие приметным образом,

21 и не скажут: «вот, оно здесь», или: «вот, там». Ибо вот, Царствие Божие внутрь вас есть.

22 Сказал также ученикам: придут дни, когда пожелаете видеть хотя один из дней Сына Человеческого, и не увидите;

23 и скажут вам: «вот, здесь», или: «вот, там», — не ходите и не гоняйтесь,[423]

24 ибо, как молния, сверкнувшая от одного края неба, блистает до другого края неба, так будет Сын Человеческий в день Свой.[423]

25 Но прежде надлежит Ему много пострадать и быть отвержену родом сим.

26 И как было во дни Ноя, так будет и во дни Сына Человеческого:[424]

27 ели, пили, женились, выходили замуж, до того дня, как вошел Ной в ковчег, и пришел потоп и погубил всех.[424]

28 Так же, как было и во дни Лота: ели, пили, покупали, продавали, садили, строили;

29 но в день, в который Лот вышел из Содома, пролился с неба дождь огненный и серный и истребил всех;

30 так будет и в тот день, когда Сын Человеческий явится.

31 В тот день, кто будет на кровле, а вещи его в доме, тот не сходи взять их; и кто будет на поле, также не обращайся назад.

32 Вспоминайте жену Лотову.

33 Кто станет сберегать душу свою, тот погубит ее; а кто погубит ее, тот оживит ее.

34 Сказываю вам: в ту ночь будут двое на одной постели: один возьмется, а другой оставится;[424]

35 две будут молоть вместе: одна возьмется, а другая оставится;[424]

36 двое будут на поле: один возьмется, а другой оставится.[424]

37 На это сказали Ему: где, Господи? Он же сказал им: где труп, там соберутся и орлы.[425]

б. Притча о неправедном судье

Луки.18:01-08

1 Сказал также им притчу о том, что должно всегда молиться и не унывать

2 говоря: в одном городе был судья, который Бога не боялся и людей не стыдился.

3 В том же городе была одна вдова, и она, приходя к нему, говорила: «защити меня от соперника моего».

4 Но он долгое время не хотел. А после сказал сам в себе: «хотя я и Бога не боюсь и людей не сты-

жусь,

5 но, как эта вдова не дает мне покоя, защищу ее, чтобы она не приходила больше докучать мне».

6 И сказал Господь: слышите, что говорит судья неправедный?

7 Бог ли не защитит избранных Своих, вопиющих к Нему день и ночь, хотя и медлит защищать их?

8 Сказываю вам, что подаст им защиту вскоре. Но Сын Человеческий, придя, найдет ли веру на земле?

---

423 *Иисус сказал похожее, когда говорил о лжехристах и лжепророках, о разрушении храма и о последнем времени (Матфея.24:23-28 и Марка.13:21-23 (Лжехристы и лжепророки), стр. 178).*

424 *Иисус сказал похожее в Своей притче о распускающейся смоковнице, когда говорил о разрушении храма и о последнем времени (Матфея.24:32-44 (Притча о распускающейся смоковнице), стр. 180).*

425 *Иисус сказал похожее, когда говорил о лжехристах и лжепророках, о разрушении храма и о последнем времени (Матфея.24:23-28 и Марка.13:21-23 (Лжехристы и лжепророки), стр. 178).*

в. Притча о фарисее и мытаре

Луки.18:09-14	
9 Сказал также к некоторым, которые уверены были о себе, что они праведны, и уничижали других, следующую притчу: 10 два человека вошли в храм помолиться: один фарисей, а другой мытарь. 11 Фарисей, став, молился сам в себе так: «Боже! Благодарю Тебя, что я не таков, как прочие люди, грабители, обидчики, прелюбодеи, или как этот мытарь:	12 пощусь два раза в неделю, даю десятую часть из всего, что приобретаю». 13 Мытарь же, стоя вдали, не смел даже поднять глаз на небо; но, ударяя себя в грудь, говорил: «Боже! Будь милостив ко мне грешнику!» 14 Сказываю вам, что сей пошел оправданным в дом свой более, нежели тот: ибо всякий, возвышающий сам себя, унижен будет, а унижающий себя возвысится. 15 ... 426

214. ИИСУС ГОВОРИТ УЧЕНИКАМ, ЧТО С НИМ БУДЕТ
Путь в Иерусалим, Иудея

Матфея.20:17-19	*Марка.10:32-34*	*Луки.18:31-34*
17 И, восходя в Иерусалим, Иисус дорогою отозвал двенадцать учеников одних, и сказал им: 18 вот, мы восходим в Иерусалим, и Сын Человеческий предан будет первосвященникам и книжникам, и осудят Его на смерть; 19 и предадут Его язычникам на поругание и биение и распятие; и в третий день воскреснет. 20 ... 427	31 ... 428 32 Когда были они на пути, восходя в Иерусалим, Иисус шел впереди их, а они ужасались и, следуя за Ним, были в страхе. Подозвав двенадцать, Он опять начал им говорить о том, что будет с Ним: 33 вот, мы восходим в Иерусалим, и Сын Человеческий предан будет первосвященникам и книжникам, и осудят Его на смерть, и предадут Его язычникам, 34 и поругаются над Ним, и будут бить Его, и оплюют Его, и убьют Его; и в третий день воскреснет.	30 ... 429 31 Отозвав же двенадцать учеников Своих, сказал им: вот, мы восходим в Иерусалим, и совершится все, написанное через пророков о Сыне Человеческом, 32 ибо предадут Его язычникам, и поругаются над Ним, и оскорбят Его, и оплюют Его, 33 и будут бить, и убьют Его: и в третий день воскреснет. 34 Но они ничего из этого не поняли; слова сии были для них сокровенны, и они не разумели сказанного. 35 ... 430

Когда были они на пути, восходя в Иерусалим, Иисус шёл впереди их, а они ужасались и, следуя за Ним, были в страхе. Подозвав двенадцать учеников одних, Он опять начал им говорить о том, что будет с Ним: «Вот, мы восходим в Иерусалим и совершится все, написанное через пророков о Сыне Человеческом. Сын Человеческий предан будет первосвященни-	кам и книжникам, и осудят Его на смерть, и предадут Его язычникам, и поругаются над Ним, и будут бить Его, и оплюют Его, и убьют Его; и в третий день воскреснет». Но они ничего из этого не поняли; слова сии были для них сокровенны, и они не разумели сказанного.

---

426 *Луки.18:15-17 (Иисус благословляет детей), стр. 129.*

427 *Матфея.20:01-16 (Подобие Царства Небесного — хозяин, нанявший работников в свой виноградник), стр. 132.*

428 *Марка.10:28-31 (Награда последовавшим за Иисусом), стр. 131.*

429 *Луки.18:28-30 (Награда последовавшим за Иисусом), стр. 131.*

430 *Луки.18:35-43 (Исцеление слепого Вартимея), стр. 150.*

215. ПРОСЬБА СЫНОВЕЙ ЗЕВЕДЕЕВЫХ
Путь в Иерусалим, Иудея

Матфея.20:20-28	Марка.10:35-45
²⁰ Тогда приступила к Нему мать сыновей Зеведеевых с сыновьями своими, кланяясь и чего-то прося у Него.⁴³¹	³⁵ *Тогда* подошли к Нему сыновья Зеведеевы Иаков и Иоанн и сказали: Учитель! Мы желаем, чтобы Ты сделал нам, о чем попросим.⁴³¹
²¹ Он сказал ей: чего ты хочешь? Она говорит Ему: скажи, чтобы сии два сына мои сели у Тебя один по правую сторону, а другой по левую в Царстве Твоем.	³⁶ Он сказал им: что хотите, чтобы Я сделал вам?
	³⁷ Они сказали Ему: дай нам сесть у Тебя, одному по правую сторону, а другому по левую в славе Твоей.
²² Иисус сказал в ответ: не знаете, чего просите. Можете ли пить чашу, которую Я буду пить, или креститься крещением, которым Я крещусь? Они говорят Ему: можем.	³⁸ Но Иисус сказал им: не знаете, чего просите. Можете ли пить чашу, которую Я пью, и креститься крещением, которым Я крещусь?
²³ И говорит им: чашу Мою будете пить, и крещением, которым Я крещусь, будете креститься, но дать сесть у Меня по правую сторону и по левую — не от Меня зависит, но кому уготовано Отцем Моим.	³⁹ Они отвечали: можем. Иисус же сказал им: чашу, которую Я пью, будете пить, и крещением, которым Я крещусь, будете креститься;
	⁴⁰ а дать сесть у Меня по правую сторону и по левую — не от Меня зависит, но кому уготовано.
²⁴ Услышав *сие, прочие* десять *учеников* вознегодовали на двух братьев.	⁴¹ И, услышав, десять начали негодовать на Иакова и Иоанна.
²⁵ Иисус же, подозвав их, сказал: вы знаете, что князья народов господствуют над ними, и вельможи властвуют ими;	⁴² Иисус же, подозвав их, сказал им: вы знаете, что почитающиеся князьями народов господствуют над ними, и вельможи их властвуют ими.
²⁶ но между вами да не будет так: а кто хочет между вами быть большим, да будет вам слугою;	⁴³ Но между вами да не будет так: а кто хочет быть большим между вами, да будет вам слугою;
²⁷ и кто хочет между вами быть первым, да будет вам рабом;	⁴⁴ и кто хочет быть первым между вами, да будет всем рабом.
²⁸ так как Сын Человеческий не для того пришел, чтобы Ему служили, но чтобы послужить и отдать душу Свою для искупления многих.	⁴⁵ Ибо и Сын Человеческий не для того пришел, чтобы Ему служили, но чтобы послужить и отдать душу Свою для искупления многих.

Тогда подошла к Нему мать сыновей Зеведеевых с сыновьями своими, кланяясь, и сказала: «Учитель! Мы желаем, чтобы Ты сделал нам, о чем попросим».	Они отвечали: «Можем».
Он сказал им: «Что хотите, чтобы Я сделал вам?»	Иисус же сказал им: «Чашу, которую Я пью, будете пить, и крещением, которым Я крещусь, будете креститься; а дать сесть у Меня по правую сторону и по левую — не от Меня зависит, но кому уготовано».
Мать говорит Ему: «Скажи, чтобы сии два сына мои сели у Тебя один по правую сторону, а другой по левую в Царстве Твоём».	И, услышав, десять учеников начали негодовать на Иакова и Иоанна.
Но Иисус сказал им: «Не знаете, чего просите. Можете ли пить чашу, которую Я пью, и креститься крещением, которым Я крещусь?»	Иисус же, подозвав их, сказал: «Вы знаете, что почитающиеся князьями народов господствуют над ними, и вельможи их властвуют ими.

---

431 *Матфей говорит, что просила мама сыновей Зеведеевых, а Марк — что сами сыновья Зеведеевы.*

Но между вами да не будет так, а кто хочет быть большим между вами, да будет вам слугою; и кто хочет быть первым между вами, да будет всем рабом.	Ибо и Сын Человеческий не для того пришел, чтобы Ему служили, но чтобы послужить и отдать душу Свою для искупления многих».

216. ИСЦЕЛЕНИЕ СЛЕПОГО ВАРТИМЕЯ[432]
Вблизи Иерихона, путь в Иерусалим, Иудея

Матфея.20:29-34	*Марка.10:46-52*	*Луки.18:35-43*
29 И когда выходили они из Иерихона, за Ним следовало множество народа. 30 И вот, двое слепых, сидевшие у дороги, услышав, что Иисус идет мимо, начали кричать: помилуй нас, Господи, Сын Давидов! 31 Народ же заставлял их молчать; но они еще громче стали кричать: помилуй нас, Господи, Сын Давидов! 32 Иисус, остановившись, подозвал их и сказал: чего вы хотите от Меня? 33 Они говорят Ему: Господи! Чтобы открылись глаза наши. 34 Иисус же, умилосердившись, прикоснулся к глазам их; и тотчас прозрели глаза их, и они пошли за Ним. 21:1 … [433]	46 Приходят в Иерихон. И когда выходил Он из Иерихона с учениками Своими и множеством народа, Вартимей, сын Тимеев, слепой сидел у дороги, прося *милостыни*. 47 Услышав, что это Иисус Назорей, он начал кричать и говорить: Иисус, Сын Давидов! Помилуй меня. 48 Многие заставляли его молчать; но он еще более стал кричать: Сын Давидов! Помилуй меня. 49 Иисус остановился и велел его позвать. Зовут слепого и говорят ему: не бойся, вставай, зовет тебя. 50 Он сбросил с себя верхнюю одежду, встал и пришел к Иисусу. 51 Отвечая ему, Иисус спросил: чего ты хочешь от Меня? Слепой сказал Ему: Учитель! Чтобы мне прозреть. 52 Иисус сказал ему: иди, вера твоя спасла тебя. И он тотчас прозрел и пошел за Иисусом по дороге. 11:1 … [434]	34 … [435] 35 Когда же подходил Он к Иерихону, один слепой сидел у дороги, прося милостыни 36 и, услышав, что мимо него проходит народ, спросил: что это такое? 37 Ему сказали, что Иисус Назорей идет. 38 Тогда он закричал: Иисус, Сын Давидов! Помилуй меня. 39 Шедшие впереди заставляли его молчать; но он еще громче кричал: Сын Давидов! Помилуй меня. 40 Иисус, остановившись, велел привести его к Себе: и, когда тот подошел к Нему, спросил его: 41 чего ты хочешь от Меня? Он сказал: Господи! Чтобы мне прозреть. 42 Иисус сказал ему: прозри! Вера твоя спасла тебя. 43 И он тотчас прозрел и пошел за Ним, славя Бога; и весь народ, видя это, воздал хвалу Богу.

Приходят в Иерихон. И когда выходил Он из Иерихона с учениками Своими и множеством народа, Вартимей, сын Тимеев, слепой, сидел у дороги, прося *милостыни*. Услышав, что мимо него проходит народ, спросил:	«Что это такое?» Услышав, что это Иисус Назорей, он начал кричать и говорить: «Иисус, Сын Давидов! Помилуй меня».

---

432 *Матфей говорит, что слепых было двое, а Марк и Лука — один.*

433 *Матфея.21:01-05 (Повеление Иисуса о подготовке осла), стр. 155.*

434 *Марка.11:01-03 (Повеление Иисуса о подготовке осла), стр. 155.*

435 *Луки.18:31-34 (Иисус говорит ученикам, что с Ним будет), стр. 148.*

Многие заставляли его молчать; но он ещё более стал кричать: «Сын Давидов! Помилуй меня». Иисус остановился и велел привести его к Себе. Зовут слепого и говорят ему: «Не бойся, вставай, зовёт тебя». Он сбросил с себя верхнюю одежду, встал и пришел к Иисусу. Отвечая ему, Иисус спросил: «Чего ты хочешь от Меня?»	Слепой сказал Ему: «Учитель! Чтобы мне прозреть». Иисус же, умилосердившись, прикоснулся и сказал ему: «Иди, вера твоя спасла тебя». И он тотчас прозрел и пошёл за Ним, славя Бога; и весь народ, видя это, воздал хвалу Богу.

217. ИИСУС И ЗАКХЕЙ
Путь в Иерусалим, Иерихон, Иудея

а. Приглашение Закхея

Луки.19:01-06 ¹ Потом *Иисус* вошел в Иерихон и проходил через него. ² И вот, некто, именем Закхей, начальник мытарей и человек богатый ³ искал видеть Иисуса, кто Он, но не мог за народом, потому что мал был ростом	⁴ и, забежав вперед, взлез на смоковницу, чтобы увидеть Его, потому что Ему надлежало проходить мимо нее. ⁵ Иисус, когда пришел на это место, взглянув, увидел его и сказал ему: Закхей! Сойди скорее, ибо сегодня надобно Мне быть у тебя в доме. ⁶ И он поспешно сошел и принял Его с радостью.

б. Обращение Закхея

Луки.19:07-10 ⁷ И все, видя то, начали роптать, и говорили, что Он зашел к грешному человеку; ⁸ Закхей же, став, сказал Господу: Господи! Половину имения моего я отдам нищим, и, если кого	чем обидел, воздам вчетверо. ⁹ Иисус сказал ему: ныне пришло спасение дому сему, потому что и он сын Авраама, ¹⁰ ибо Сын Человеческий пришел взыскать и спасти погибшее.

в. Притча о правителе и распределении мин[436]

Луки.19:11-28 ¹¹ Когда же они слушали это, присовокупил притчу: ибо Он был близ Иерусалима, и они думали, что скоро должно открыться Царствие Божие. ¹² Итак сказал: некоторый человек высокого рода отправлялся в дальнюю страну, чтобы получить себе царство и возвратиться; ¹³ призвав же десять рабов своих, дал им десять мин и сказал им: «употребляйте их в оборот, пока я возвращусь». ¹⁴ Но граждане ненавидели его и отправили вслед за ним посольство, сказав: «не хотим, чтобы он	царствовал над нами». ¹⁵ И когда возвратился, получив царство, велел призвать к себе рабов тех, которым дал серебро, чтобы узнать, кто что приобрел. ¹⁶ Пришел первый и сказал: «господин! Мина твоя принесла десять мин». ¹⁷ И сказал ему: «хорошо, добрый раб! За то, что ты в малом был верен, возьми в управление десять городов». ¹⁸ Пришел второй и сказал: «господин! Мина твоя принесла пять мин». ¹⁹ Сказал и этому: «и ты будь над пятью городами».

---

436 *Иисус сказал похожую притчу, когда говорил о разрушении храма и о последнем времени (Матфея.25:14-30 (Притча о талантах), стр. 182).*

²⁰ Пришел третий и сказал: «господин! Вот твоя мина, которую я хранил, завернув в платок,

²¹ ибо я боялся тебя, потому что ты человек жестокий: берешь, чего не клал, и жнешь, чего не сеял».

²² Господин сказал ему: «твоими устами буду судить тебя, лукавый раб! Ты знал, что я человек жестокий, беру, чего не клал, и жну, чего не сеял;

²³ для чего же ты не отдал серебра моего в оборот, чтобы я, придя, получил его с прибылью?»

²⁴ И сказал предстоящим: «возьмите у него мину и дайте имеющему десять мин».

²⁵ И сказали ему: «господин! У него есть десять мин».

²⁶ «Сказываю вам, что всякому имеющему дано будет, а у неимеющего отнимется и то, что имеет;⁴³⁷

²⁷ врагов же моих тех, которые не хотели, чтобы я царствовал над ними, приведите сюда и избейте предо мною».

²⁸ Сказав это, Он пошел далее, восходя в Иерусалим.

²⁹ … ⁴³⁸

218. БОЛЕЗНЬ ЛАЗАРЯ[439]
Вифания, Иудея

Иоанна.11:01-03

10:42 … ⁴⁴⁰

¹ Был болен некто Лазарь из Вифании, из селения, *где жили* Мария и Марфа, сестра ее.

² Мария же, которой брат Лазарь был болен, была *та*, которая помазала Господа миром и отерла ноги Его волосами своими.

³ Сестры послали сказать Ему: Господи! Вот, кого Ты любишь, болен.

219. ИИСУС УСЛЫШАЛ О БОЛЕЗНИ ЛАЗАРЯ
Неизвестно, не Иудея

Иоанна.11:04-06

⁴ Иисус, услышав *то*, сказал: эта болезнь не к смерти, но к славе Божией, да прославится через

нее Сын Божий.

⁵ Иисус же любил Марфу и сестру ее и Лазаря.

⁶ Когда же услышал, что он болен, то пробыл два дня на том месте, где находился.

220. НАМЕРЕНИЕ ИИСУСА ИДТИ В ИУДЕЮ
Неизвестно, не Иудея

Иоанна.11:07-16

⁷ После этого сказал ученикам: пойдем опять в Иудею.

⁸ Ученики сказали Ему: Равви! Давно ли Иудеи искали побить Тебя камнями, и Ты опять идешь туда?

⁹ Иисус отвечал: не двенадцать ли часов во дне? Кто ходит днем, тот не спотыкается, потому что видит свет мира сего;

¹⁰ а кто ходит ночью, спотыкается, потому что нет света с ним.

¹¹ Сказав это, говорит им потом: Лазарь, друг наш, уснул; но Я иду разбудить его.

¹² Ученики Его сказали: Господи! Если уснул, то выздоровеет.

¹³ Иисус говорил о смерти его, а они думали, что Он говорит о сне обыкновенном.

¹⁴ Тогда Иисус сказал им прямо: Лазарь умер;

---

437 *Иисус сказал похожее, объясняя, почему Он говорит притчами (Матфея.13:10-17 (Почему Иисус говорит притчами), стр. 70) и объясняя значение притчи о сеятеле (Марка.04:13-25 и Луки.08:11-18 (Значение притчи о сеятеле), стр. 71).*

438 *Луки.19:29-31 (Повеление Иисуса о подготовке осла), стр. 155.*

439 *Нет никаких индикаторов хронологической последовательности. Это и следующие несколько событий вставлены сюда потому, что сразу после этого Иисус пришел в Иерусалим в последний раз. Следовательно, это событие не могло произойти в другое время.*

440 *Иоанна.10:40-42 (Иисус удалился за Иордан), стр. 107.*

¹⁵ и радуюсь за вас, что Меня не было там, дабы вы уверовали; но пойдем к нему.	¹⁶ Тогда Фома, иначе называемый Близнец, сказал ученикам: пойдем и мы умрем с ним.

221. ПРИХОД ИИСУСА В ВИФАНИЮ И ВСТРЕЧА С МАРФОЙ
Вне селения Вифания, Иудея

Иоанна.11:17-27 ¹⁷ Иисус, придя, нашел, что он уже четыре дня в гробе. ¹⁸ Вифания же была близ Иерусалима, стадиях в пятнадцати; ¹⁹ и многие из Иудеев пришли к Марфе и Марии утешать их *в печали* о брате их. ²⁰ Марфа, услышав, что идет Иисус, пошла навстречу Ему; Мария же сидела дома. ²¹ Тогда Марфа сказала Иисусу: Господи! Если бы Ты был здесь, не умер бы брат мой.	²² Но и теперь знаю, что чего Ты попросишь у Бога, даст Тебе Бог. ²³ Иисус говорит ей: воскреснет брат твой. ²⁴ Марфа сказала Ему: знаю, что воскреснет в воскресение, в последний день. ²⁵ Иисус сказал ей: Я есмь воскресение и жизнь; верующий в Меня, если и умрет, оживет. ²⁶ И всякий, живущий и верующий в Меня, не умрет вовек. Веришь ли сему? ²⁷ Она говорит Ему: так, Господи! Я верую, что Ты Христос, Сын Божий, грядущий в мир.

222. МАРФА ЗОВЁТ МАРИЮ К ИИСУСУ
Вне селения Вифания, Иудея

Иоанна.11:28-31 ²⁸ Сказав это, пошла и позвала тайно Марию, сестру свою, говоря: Учитель здесь и зовет тебя. ²⁹ Она, как скоро услышала, поспешно встала и пошла к Нему.	³⁰ Иисус еще не входил в селение, но был на том месте, где встретила Его Марфа. ³¹ Иудеи, которые были с нею в доме и утешали ее, видя, что Мария поспешно встала и вышла, пошли за нею, полагая, что она пошла на гроб — плакать там.

223. ВСТРЕЧА МАРИИ С ИИСУСОМ
Вне селения Вифания, Иудея

Иоанна.11:32-37 ³² Мария же, придя туда, где был Иисус, и увидев Его, пала к ногам Его и сказала Ему: Господи! Если бы Ты был здесь, не умер бы брат мой. ³³ Иисус, когда увидел ее плачущую и пришедших с нею Иудеев плачущих, Сам восскорбел духом и возмутился	³⁴ и сказал: где вы положили его? Говорят Ему: Господи! Пойди и посмотри. ³⁵ Иисус прослезился. ³⁶ Тогда Иудеи говорили: смотри, как Он любил его. ³⁷ А некоторые из них сказали: не мог ли Сей, отверзший очи слепому, сделать, чтобы и этот не умер?

224. ВОСКРЕШЕНИЕ ЛАЗАРЯ
Гроб, Вифания, Иудея

Иоанна.11:38-45 ³⁸ Иисус же, опять скорбя внутренно, приходит ко гробу. То была пещера, и камень лежал на ней. ³⁹ Иисус говорит: отнимите камень. Сестра умер-	шего, Марфа, говорит Ему: Господи! Уже смердит; ибо четыре дня, как он во гробе. ⁴⁰ Иисус говорит ей: не сказал ли Я тебе, что, если будешь веровать, увидишь славу Божию?

41 Итак, отняли камень *от пещеры*, где лежал умерший. Иисус же возвел очи к небу и сказал: Отче! Благодарю Тебя, что Ты услышал Меня.

42 Я и знал, что Ты всегда услышишь Меня; но сказал сие для народа, здесь стоящего, чтобы поверили, что Ты послал Меня.

43 Сказав это, Он воззвал громким голосом: Ла-

зарь! Иди вон.

44 И вышел умерший, обвитый по рукам и ногам погребальными пеленами, и лицо его обвязано было платком. Иисус говорит им: развяжите его, пусть идет.

45 Тогда многие из Иудеев, пришедших к Марии и видевших, что сотворил Иисус, уверовали в Него.

225. ИУДЕИ РАССКАЗАЛИ ФАРИСЕЯМ О ВОСКРЕСЕНИИ ЛАЗАРЯ
Иерусалим, Иудея

Иоанна.11:46	46 А некоторые из них пошли к фарисеям и сказали им, что сделал Иисус.

226. СОВЕТ ПЕРВОСВЯЩЕННИКОВ И ФАРИСЕЕВ
Иерусалим, Иудея

Иоанна.11:47-53

47 Тогда первосвященники и фарисеи собрали совет и говорили: что нам делать? Этот Человек много чудес творит.

48 Если оставим Его так, то все уверуют в Него, и придут Римляне и овладеют и местом нашим и народом.

49 Один же из них, некто Каиафа, будучи на тот год первосвященником, сказал им: вы ничего не

знаете

50 и не подумаете, что лучше нам, чтобы один человек умер за людей, нежели чтобы весь народ погиб.

51 Сие же он сказал не от себя, но, будучи на тот год первосвященником, предсказал, что Иисус умрет за народ

52 и не только за народ, но чтобы и рассеянных чад Божиих собрать воедино.

53 С этого дня положили убить Его.

227. ИИСУС УДАЛИЛСЯ В ЕФРАИМ
Ефраим

Иоанна.11:54

54 Посему Иисус уже не ходил явно между Иудея-

ми, а пошел оттуда в страну близ пустыни, в город, называемый Ефраим, и там оставался с учениками Своими.

228. ПРИБЛИЖЕНИЕ ПРАЗДНИКА ПАСХИ
Иерусалим, Иудея

Иоанна.11:55-57

55 Приближалась Пасха Иудейская, и многие из всей страны пришли в Иерусалим перед Пасхою, чтобы очиститься.

56 Тогда искали Иисуса и, стоя в храме, говорили

друг другу: как вы думаете? Не придет ли Он на праздник?

57 Первосвященники же и фарисеи дали приказание, что если кто узнает, где Он будет, то объявил бы, дабы взять Его.

229. ИИСУС НА ВЕЧЕРЕ ЗА ШЕСТЬ ДНЕЙ ДО ПАСХИ[441] [442]
Вифания, Иудея

Иоанна.12:01-09	
[1] За шесть дней до Пасхи пришел Иисус в Вифанию, где был Лазарь умерший, которого Он воскресил из мертвых.	[5] Для чего бы не продать это миро за триста динариев и не раздать нищим?
[2] Там приготовили Ему вечерю, и Марфа служила, и Лазарь был одним из возлежавших с Ним.	[6] Сказал же он это не потому, чтобы заботился о нищих, но потому что был вор. Он имел *при себе денежный* ящик и носил, что туда опускали.
[3] Мария же, взяв фунт нардового чистого драгоценного мира, помазала ноги Иисуса и отерла волосами своими ноги Его; и дом наполнился благоуханием от мира.	[7] Иисус же сказал: оставьте ее; она сберегла это на день погребения Моего.
	[8] Ибо нищих всегда имеете с собою, а Меня не всегда.
[4] Тогда один из учеников Его, Иуда Симонов Искариот, который хотел предать Его, сказал:	[9] Многие из Иудеев узнали, что Он там, и пришли не только для Иисуса, но чтобы видеть и Лазаря, которого Он воскресил из мертвых.

230. НАМЕРЕНИЕ ПЕРВОСВЯЩЕННИКОВ УБИТЬ ЛАЗАРЯ
Иерусалим, Иудея

Иоанна.12:10-11	
	[11] потому что ради него многие из Иудеев приходили и веровали в Иисуса.
[10] Первосвященники же положили убить и Лазаря	[12] ... [443]

231. ПОВЕЛЕНИЕ ИИСУСА О ПОДГОТОВКЕ ОСЛА
Виффагия и Вифания, гора Елеонская, Иудея

Матфея.21:01-05	*Марка.11:01-03*	*Луки.19:29-31*
20:34 ... [444]	10:52 ... [446]	28 ... [447]
[1] И когда приблизились к Иерусалиму и пришли в Виффагию к горе Елеонской, тогда Иисус послал двух учеников	[1] Когда приблизились к Иерусалиму, к Виффагии и Вифании, к горе Елеонской, *Иисус посылает* двух из учеников Своих	[29] И когда приблизился к Виффагии и Вифании, к горе, называемой Елеонскою, послал двух учеников Своих
[2] сказав им: пойдите в селение, которое прямо перед вами; и тотчас найдете ослицу привязанную и молодого осла с нею; отвязав, приведите ко Мне;[445]	[2] и говорит им: пойдите в селение, которое прямо перед вами; входя в него, тотчас найдете привязанного молодого осла, на которого никто из людей не садил-	[30] сказав: пойдите в противолежащее селение; войдя в него, найдете молодого осла привязанного, на которого никто из людей никогда не садился; отвязав

---

[441] *Иисусу впервые омыли ноги, когда Он был ещё в Галилее (Луки.07:36-50 (Омовение ног Иисуса), стр. 59). Второй раз — в данном событии. В третий — за два дня до Пасхи (Матфея.26:06-13 и Марка.14:03-09 (Иисус на вечере за два дня до Пасхи), стр. 186).*

[442] *Марк и Лука пишут, что Иисус был в Вифании ещё раз, но только за два дня до Пасхи, в доме Симона прокажённого (Матфея.26:06-13 и Марка.14:03-09 (Иисус на вечере за два дня до Пасхи), стр. 186).Там женщина тоже помазала миром Иисуса, но только Его голову. Возможно, данное событие и то, которое описали Матфей и Марк, одно и то же; но маловероятно, так как существует несколько отличающихся ключевых моментов.*

[443] *Иоанна.12:12-18 (Въезд Иисуса Христа в Иерусалим), стр. 156.*

[444] *Матфея.20:29-34 (Исцеление слепого Вартимея), стр. 150.*

[445] *Матфей говорит, что молодой осёл будет возле своей матери. Марк и Лука об этом не говорят.*

[446] *Марка.10:46-52 (Исцеление слепого Вартимея), стр. 150.*

[447] *Луки.19:11-28 (Притча о правителе и распределении мин), стр. 151.*

3 и если кто скажет вам что-нибудь, отвечайте, что они надобны Господу; и тотчас пошлет их. 4 Все же сие было, да сбудется реченное через пророка, который говорит: 5 Скажите дщери Сионовой: «се, Царь твой грядет к тебе кроткий, сидя на ослице и молодом осле, сыне подъяремной».	ся; отвязав его, приведите. 3 И если кто скажет вам: «что вы это делаете?» — отвечайте, что он надобен Господу; и тотчас пошлет его сюда.	его, приведите; 31 и если кто спросит вас: «зачем отвязываете?», скажите ему так: «он надобен Господу».

Когда приблизились к Иерусалиму, к Виффагии и Вифании, к горе Елеонской, тогда Иисус послал двух из учеников Своих и сказав им: пойдите в селение, которое прямо перед вами; входя в него, тотчас найдёте ослицу привязанную и молодого осла с нею на котором никто из людей не садился; отвязав его, приведите ко Мне. И если кто спросит	вас: «зачем отвязываете?», скажите ему так: «он надобен Господу» и тотчас пошлёт его сюда. Все же сие было, да сбудется речённое через пророка, который говорит: Скажите дщери Сионовой: «се, Царь твой грядёт к тебе кроткий, сидя на ослице и молодом осле, сыне подъяремной».

232. УЧЕНИКИ ПОДГОТАВЛИВАЮТ ОСЛИКА
Противолежащее селение Виффагии и Вифании, Иудея

Матфея.21:06-07а	Марка.11:04-06	Луки.19:32-34
6 Ученики пошли и поступили так, как повелел им Иисус: 7а привели ослицу и молодого осла…	4 Они пошли, и нашли молодого осла, привязанного у ворот на улице, и отвязали его. 5 И некоторые из стоявших там говорили им: что делаете? Зачем отвязываете осленка? 6 Они отвечали им, как повелел Иисус; и те отпустили их.	32 Посланные пошли и нашли, как Он сказал им. 33 Когда же они отвязывали молодого осла, хозяева его сказали им: зачем отвязываете осленка? 34 Они отвечали: он надобен Господу.

Ученики пошли и нашли молодого осла, привязанного у ворот на улице, и отвязали его. Когда же они отвязывали молодого осла, хозяева его сказали им: «Что делаете? Зачем отвязываете	осленка?» Они отвечали им, как повелел Иисус; и те отпустили их.

233. ВЪЕЗД ИИСУСА ХРИСТА В ИЕРУСАЛИМ
Иерусалим, Иудея

Матфея.21:07б-09	Марка.11:07-10	Луки.19:35-40	Иоанна.12:12-18
7б …и положили на них одежды свои, и Он сел поверх их. 8 Множество же народа постилали свои одежды	7 И привели осленка к Иисусу, и возложили на него одежды свои; Иисус сел на него. 8 Многие же постилали	35 И привели его к Иисусу, и, накинув одежды свои на осленка, посадили на него Иисуса. 36 И, когда Он ехал, по-	11 … [452] 12 На другой день множество народа, пришедшего на праздник, услышав, что Иисус идет в

по дороге, а другие резали ветви с дерев и постилали по дороге; ⁹ народ же, предшествовавший и сопровождавший, восклицал: осанна Сыну Давидову! Благословен Грядущий во имя Господне! Осанна в вышних! 10 ... ⁴⁴⁸	одежды свои по дороге; а другие резали ветви с дерев и постилали по дороге. ⁹ И предшествовавшие и сопровождавшие восклицали: осанна! Благословен Грядущий во имя Господне! ¹⁰ Благословенно грядущее во имя Господа царство отца нашего Давида! Осанна в вышних! 11 ... ⁴⁴⁹	стилали одежды свои по дороге. ³⁷ А когда Он приблизился к спуску с горы Елеонской, все множество учеников начало в радости велегласно славить Бога за все чудеса, какие видели они ³⁸ говоря: благословен Царь, грядущий во имя Господне! Мир на небесах и слава в вышних!⁴⁵⁰ ³⁹ И некоторые фарисеи из среды народа сказали Ему: Учитель! Запрети ученикам Твоим. ⁴⁰ Но Он сказал им в ответ: сказываю вам, что если они умолкнут, то камни возопиют. 41 ... ⁴⁵¹	Иерусалим ¹³ взяли пальмовые ветви, вышли навстречу Ему и восклицали: осанна! Благословен грядущий во имя Господне, Царь Израилев! ¹⁴ Иисус же, найдя молодого осла, сел на него, как написано: ¹⁵ «Не бойся, дщерь Сионова! Се, Царь твой грядет, сидя на молодом осле». ¹⁶ Ученики Его сперва не поняли этого; но когда прославился Иисус, тогда вспомнили, что так было о Нем написано, и это сделали Ему. ¹⁷ Народ, бывший с Ним прежде, свидетельствовал, что Он вызвал из гроба Лазаря и воскресил его из мертвых. ¹⁸ Потому и встретил Его народ, ибо слышал, что Он сотворил это чудо.

И привели ослёнка к Иисусу, и возложили на него одежды свои; *Иисус* сел на него. Как написано: «Не бойся, дщерь Сионова! Се, Царь твой грядёт, сидя на молодом осле». Ученики Его сперва не поняли этого; но когда прославился Иисус, тогда вспомнили, что так было о Нем написано. Множество народа, пришедшего на праздник, услышав, что Иисус идёт в Иерусалим, взяли пальмовые ветви и вышли навстречу Ему. И когда Он ехал, постилали одежды свои по дороге; а другие резали ветви с дерев и постилали по дороге. А когда Он приблизился к спуску с горы Елеон-	ской, все множество учеников начало в радости велегласно славить Бога за все чудеса, какие видели они, говоря: «Благословен Царь, грядущий во имя Господне! Мир на небесах и слава в вышних!» И некоторые фарисеи из среды народа сказали Ему: «Учитель! Запрети ученикам Твоим». Но Он сказал им в ответ: «Сказываю вам, что если они умолкнут, то камни возопиют». Народ же, предшествовавший и сопровождавший, восклицал: «Осанна Сыну Давидову! Благословен Грядущий во имя Господне!

448 *Матфея.21:10-11 (Иисус въехал в Иерусалим), стр. 159.*

449 *Марка.11:11 (Иисус в храме и ночлег в Вифании), стр. 159.*

450 *Матфей, Марк и Иоанн говорят, что народ славил Иисуса, а Лука — что только ученики.*

451 *Луки.19:41-44 (Иисус плачет об Иерусалиме), стр. 158.*

452 *Иоанна.12:10-11 (Намерение первосвященников убить Лазаря), стр. 155.*

Благословенно грядущее во имя Господа царство отца нашего Давида! Осанна в вышних!» Народ, бывший с Ним прежде, свидетельствовал,	что Он вызвал из гроба Лазаря и воскресил его из мёртвых. Потому и встретил Его народ, ибо слышал, что Он сотворил это чудо.

234. РАЗГОВОРЫ ФАРИСЕЕВ МЕЖДУ СОБОЙ
Иерусалим, Иудея

Иоанна.12:19 [19] Фарисеи же говорили между собою: видите ли,	что не успеваете ничего? Весь мир идет за Ним. 20 ... [453]

235. ИИСУС ПЛАЧЕТ ОБ ИЕРУСАЛИМЕ
Иерусалим, Иудея

Луки.19:41-44 [41] И когда приблизился к городу, то, смотря на него, заплакал о нем [42] и сказал: о, если бы и ты хотя в сей твой день узнал, что служит к миру твоему! Но это сокрыто ныне от глаз твоих,	[43] ибо придут на тебя дни, когда враги твои обложат тебя окопами и окружат тебя, и стеснят тебя отовсюду, [44] и разорят тебя, и побьют детей твоих в тебе, и не оставят в тебе камня на камне за то, что ты не узнал времени посещения твоего. 45 ... [454]

---

453 *Иоанна.12:20-22 (Еллины хотят видеть Иисуса), стр. 184.*

454 *Луки.19:45-46 (Второе очищение храма), стр. 159.*

ИИСУС ХРИСТОС В ИЕРУСАЛИМЕ В ПОСЛЕДНИЙ РАЗ

236. ИИСУС ВЪЕХАЛ В ИЕРУСАЛИМ
Иерусалим, Иудея

Матфея.21:10-11	
9 ... [455] 10 И когда вошел Он в Иерусалим, весь город при-	шел в движение и говорил: кто Сей? 11 Народ же говорил: Сей есть Иисус, Пророк из Назарета Галилейского. 12 ... [456]

237. ИИСУС В ХРАМЕ И НОЧЛЕГ В ВИФАНИИ
Иерусалим, Иудея → Вифания, Иудея

Марка.11:11	
10 ... [457]	11 И вошел Иисус в Иерусалим и в храм; и, осмотрев все, как время уже было позднее, вышел в Вифанию с двенадцатью.

238. ПРОКЛЯТИЕ СМОКОВНИЦЫ[458]
Вифания, Иудея → Иерусалим, Иудея

Марка.11:12-14	
12 На другой день, когда они вышли из Вифании, Он взалкал; 13 и, увидев издалека смоковницу, покрытую лис-	тьями, пошел, не найдет ли чего на ней; но, придя к ней, ничего не нашел, кроме листьев, ибо еще не время было *собирания* смокв. 14 И сказал ей Иисус: отныне да не вкушает никто от тебя плода вовек! И слышали то ученики Его.

239. ВТОРОЕ ОЧИЩЕНИЕ ХРАМА[459]
Иерусалим, Иудея

Матфея.21:12-16	Марка.11:15-17	Луки.19:45-46
11 ... [460] 12 И вошел Иисус в храм Божий и выгнал всех продающих и покупающих в храме, и опрокинул столы меновщиков и скамьи продающих голубей	15 Пришли в Иерусалим. Иисус, войдя в храм, начал выгонять продающих и покупающих в храме; и столы меновщиков и скамьи продающих голубей опрокинул;	44 ... [462] 45 И, войдя в храм, начал выгонять продающих в нем и покупающих 46 говоря им: написано: «дом

---

455 *Матфея.21:07б-09 (Въезд Иисуса Христа в Иерусалим), стр. 156.*

456 *Матфея.21:12-16 (Второе очищение храма), стр. 159.*

457 *Марка.11:07-10 (Въезд Иисуса Христа в Иерусалим), стр. 156.*

458 *Матфей и Марк отличаются в изложении этого события.*

Марк говорит, что Иисус после торжественного въезда в Иерусалим удалился в Вифанию. На следующий день, на пути в Иерусалим из Вифании, до очищения храма, Иисус проклял смоковницу, которая не сразу засохла. После очищения храма Иисус опять удалился в Вифанию. На пути в Иерусалим из Вифании ученики заметили, что смоковница засохла.

Матфей описывает все это как одно событие. После очищения храма Иисус удалился в Вифанию и там ночевал. На пути в Иерусалим из Вифании Иисус взалкал и тогда проклял смоковницу, которая сразу и засохла (Матфея.21:18-22 (Проклятая смоковница засохла), стр. 161).

Скорее всего, Марк более точен в своём изложении. Когда Иисус был в последний раз в Иерусалиме, Он часто ночевал в Вифании. А значит, Он ходил той же дорогой. Именно там смоковница и была проклята.

459 *В первый раз Иисус очистил храм в начале Своего служения (Иоанна.02:13-22 (Первое очищение храма), стр. 23).*

460 *Матфея.21:10-11 (Иисус въехал в Иерусалим), стр. 159.*

13 и говорил им: написано: «дом Мой домом молитвы наречется»; а вы сделали его вертепом разбойников. 14 И приступили к Нему в храме слепые и хромые, и Он исцелил их. 15 Видев же первосвященники и книжники чудеса, которые Он сотворил, и детей, восклицающих в храме и говорящих: «осанна Сыну Давидову!» — вознегодовали 16 и сказали Ему: слышишь ли, что они говорят? Иисус же говорит им: да! Разве вы никогда не читали: «из уст младенцев и грудных детей Ты устроил хвалу?» 17 … 461	16 и не позволял, чтобы кто пронес через храм какую-либо вещь. 17 И учил их, говоря: не написано ли: «дом Мой домом молитвы наречется для всех народов»? А вы сделали его вертепом разбойников.	Мой есть дом молитвы», а вы сделали его вертепом разбойников. 47а … 463

Пришли в Иерусалим. Иисус, войдя в храм, начал выгонять продающих и покупающих в храме; и столы меновщиков и скамьи продающих голубей опрокинул; и не позволял, чтобы кто пронёс через храм какую-либо вещь. И учил их, говоря: «Не написано ли: «Дом Мой домом молитвы наречётся для всех народов»? А вы сделали его вертепом разбойников».	И приступили к Нему в храме слепые и хромые, и Он исцелил их. Первосвященники и книжники, увидя чудеса, которые Он сотворил, и детей, восклицающих в храме и говорящих: «Осанна Сыну Давидову!» — вознегодовали и сказали Ему: «Слышишь ли, что они говорят?» Иисус же говорит им: «Да! Разве вы никогда не читали: «Из уст младенцев и грудных детей Ты устроил хвалу?»

240. КНИЖНИКИ И ПЕРВОСВЯЩЕННИКИ ИЩУТ УБИТЬ ИИСУСА
Иерусалим, Иудея

Марка.11:18	*Луки.19:47б-48*
18 Услышали *это* книжники и первосвященники, и искали, как бы погубить Его, ибо боялись Его, потому что весь народ удивлялся учению Его.	47а … 463 47б …Первосвященники же и книжники и старейшины народа искали погубить Его 48 и не находили, что бы сделать с Ним; потому что весь народ неотступно слушал Его. 20:1 … 464

461 *Матфея.21:17 (Иисус ночует в Вифании), стр. 161.*
462 *Луки.19:41-44 (Иисус плачет об Иерусалиме), стр. 158.*
463 *Луки.19:47а (Иисус учит в храме, а ночи проводит на горе), стр. 162.*
464 *Луки.20:01-08 (У Иисуса спрашивают о Его власти), стр. 162.*

Услышали *это* книжники, первосвященники и старейшины народа и искали, как бы погубить Его, ибо боялись Его, потому что весь народ удивлялся учению Его.	Но не находили, что бы сделать с Ним; потому что весь народ неотступно слушал Его.

241. ИИСУС НОЧУЕТ В ВИФАНИИ
Иерусалим, Иудея → Вофания, Иудея

Матфея.21:17	*Марка.11:19*
16 ... [465] ¹⁷ И, оставив их, вышел вон из города в Вифанию и провел там ночь.	¹⁹ Когда же стало поздно, Он вышел вон из города.

Когда же стало поздно, Он, оставив их, вышел вон из города в Вифанию и провёл там ночь.

242. ПРОКЛЯТАЯ СМОКОВНИЦА ЗАСОХЛА[466]
Вифания, Иудея → Иерусалим, Иудея

Матфея.21:18-22	*Марка.11:20-26*
¹⁸ Поутру же, возвращаясь в город, взалкал; ¹⁹ и увидев при дороге одну смоковницу, подошел к ней и, ничего не найдя на ней, кроме одних листьев, говорит ей: да не будет же впредь от тебя плода вовек. И смоковница тотчас засохла. ²⁰ Увидев это, ученики удивились и говорили: как это тотчас засохла смоковница? ²¹ Иисус же сказал им в ответ: истинно говорю вам, если будете иметь веру и не усомнитесь, не только сделаете то, что сделано со смоковницею, но если и горе сей скажете: «поднимись и ввергнись в море», — будет;[467] ²² и все, чего ни попросите в молитве с верою, получите.[467] 23 ... [468]	²⁰ Поутру, проходя мимо, увидели, что смоковница засохла до корня. ²¹ И, вспомнив, Петр говорит Ему: Равви! Посмотри, смоковница, которую Ты проклял, засохла. ²² Иисус, отвечая, говорит им:[467] ²³ имейте веру Божию, ибо истинно говорю вам, если кто скажет горе сей: «поднимись и ввергнись в море», и не усомнится в сердце своем, но поверит, что сбудется по словам его, — будет ему, что ни скажет.[467] ²⁴ Потому говорю вам: все, чего ни будете просить в молитве, верьте, что получите, — и будет вам.[467] ²⁵ И когда стоите на молитве, прощайте, если что имеете на кого, дабы и Отец ваш Небесный простил вам согрешения ваши.

---

465 *Матфея.21:12-16 (Второе очищение храма), стр. 159.*

466 *Матфей и Марк отличаются в изложении этого события.*

Марк говорит, что Иисус после торжественного въезда в Иерусалим удалился в Вифанию (Марка.11:11 (Иисус в храме и ночлег в Вифании), стр. 159). На следующий день, на пути в Иерусалим из Вифании, до очищения храма, Иисус проклял смоковницу, которая не сразу засохла (Марка.11:12-14 (Проклятие смоковницы), стр. 159). После очищения храма Иисус опять удалился в Вифанию. На пути в Иерусалим из Вифании ученики заметили, что смоковница засохла (Марка.11:20-26 (Проклятая смоковница засохла), стр 161).

Матфей описывает все это как одно событие. После очищения храма Иисус удалился в Вифанию и там ночевал. На пути в Иерусалим из Вифании Иисус взалкал и тогда проклял смоковницу, которая сразу засохла.

Скорее всего, Марк более точен в своём изложении. Когда Иисус был в последний раз в Иерусалиме, Он часто ночевал в Вифании. А значит, Он ходил той же дорогой. Именно там смоковница и была проклята.

467 *Иисус сказал похожее в Своей проповеди в Иудее, восходя в Иерусалим (Луки.17:05-10 (Просьба учеников умножить в них веру), стр. 146) и после изгнания беса из отрока (Матфея.17:19-21 (Иисус объясняет ученикам, как бес был изгнан из отрока), стр. 120).*

468 *Матфея.21:23-27 (У Иисуса спрашивают о Его власти), стр. 162.*

	²⁶ Если же не прощаете, то и Отец ваш Небесный не простит вам согрешений ваших. ⁴⁶⁹ 27 … ⁴⁷⁰

Поутру, возвращаясь в город и проходя мимо, ученики увидели, что смоковница засохла до корня. И, вспомнив, Петр говорит Ему: «Равви! Посмотри, смоковница, которую Ты проклял, засохла». Иисус, отвечая, говорит им: «Имейте веру Божию, ибо истинно говорю вам, если кто скажет горе сей: «Поднимись и ввергнись в море», — и не усомнится в сердце своём, но поверит, что сбудется	по словам его, — будет ему, что ни скажет. Потому говорю вам: все, чего ни будете просить в молитве, верьте, что получите, — и будет вам. И когда стоите на молитве, прощайте, если что имеете на кого, дабы и Отец ваш Небесный простил вам согрешения ваши. Если же не прощаете, то и Отец ваш Небесный не простит вам согрешений ваших».

243. ИИСУС УЧИТ В ХРАМЕ
Иерусалим, Иудея

а. Иисус учит в храме, а ночи проводит на горе

Луки.19:47а	*Луки.21:37-38*
46 … ⁴⁷¹ ^{47а} И учил каждый день в храме… 47б … ⁴⁷²	36 … ⁴⁷³ ³⁷ Днем Он учил в храме, а ночи, выходя, проводил на горе, называемой Елеонскою. ³⁸ И весь народ с утра приходил к Нему в храм слушать Его. 22:1 … ⁴⁷⁴

б. У Иисуса спрашивают о Его власти

Матфея.21:23-27	*Марка.11:27-33*	*Луки.20:01-08*
22 … ⁴⁷⁵ ²³ И когда пришел Он в храм и учил, приступили к Нему первосвященники и старейшины народа и сказали: какой властью Ты это делаешь? И кто Тебе дал такую власть? ²⁴ Иисус сказал им в ответ: спро-	26 … ⁴⁷⁶ ²⁷ Пришли опять в Иерусалим. И когда Он ходил в храме, подошли к Нему первосвященники и книжники, и старейшины ²⁸ и говорили Ему: какою властью Ты это делаешь? И кто Тебе дал власть делать это?	19:48 … ⁴⁷⁸ ¹ В один из тех дней, когда Он учил народ в храме и благовествовал, приступили первосвященники и книжники со старейшинами ² и сказали Ему: скажи нам, какою властью Ты это делаешь,

---

469 *Иисус сказал похожее в Своей Нагорной проповеди (Матфея.06:05-15 (Молитва), стр. 48).*

470 *Марка.11:27-33 (У Иисуса спрашивают о Его власти), стр. 162.*

471 *Луки.19:45-46 (Второе очищение храма), стр. 159.*

472 *Луки.19:47б-48 (Книжники и первосвященники ищут убить Иисуса), стр. 160.*

473 *Луки.21:29-36 (Притча о распускающейся смоковнице), стр. 180.*

474 *Луки.22:01-02 (Совет первосвященников, книжников и старейшин), стр. 185.*

475 *Матфея.21:18-22 (Проклятая смоковница засохла), стр. 161.*

476 *Марка.11:20-26 (Проклятая смоковница засохла), стр. 161.*

шу и Я вас об одном; если о том скажете Мне, то и Я вам скажу, какою властью это делаю;

²⁵ крещение Иоанново откуда было: с небес, или от человеков? Они же рассуждали между собою: если скажем: «с небес», то Он скажет нам: «почему же вы не поверили ему?»

²⁶ а если сказать: «от человеков», — боимся народа, ибо все почитают Иоанна за пророка.

²⁷ И сказали в ответ Иисусу: не знаем. Сказал им и Он: и Я вам не скажу, какою властью это делаю.

²⁹ Иисус сказал им в ответ: спрошу и Я вас об одном, отвечайте Мне; тогда и Я скажу вам, какою властью это делаю.

³⁰ Крещение Иоанново с небес было, или от человеков? Отвечайте Мне.

³¹ Они рассуждали между собою: если скажем: «с небес», — то Он скажет: «почему же вы не поверили ему?»

³² а сказать: «от человеков» — боялись народа, потому что все полагали, что Иоанн точно был пророк.

³³ И сказали в ответ Иисусу: не знаем. Тогда Иисус сказал им в ответ: и Я не скажу вам, какою властью это делаю.

³⁴   …⁴⁷⁷

или кто дал Тебе власть сию?

³ Он сказал им в ответ: спрошу и Я вас об одном, и скажите Мне:

⁴ крещение Иоанново с небес было, или от человеков?

⁵ Они же, рассуждая между собою, говорили: если скажем: «с небес», то скажет: «почему же вы не поверили ему?»

⁶ А если скажем: «от человеков», то весь народ побьет нас камнями, ибо он уверен, что Иоанн есть пророк.

⁷ И отвечали: не знаем откуда.

⁸ Иисус сказал им: и Я не скажу вам, какою властью это делаю.

⁹   …⁴⁷⁹

Пришли опять в Иерусалим. И когда Он ходил в храме и учил, подошли к Нему первосвященники, книжники и старейшины народа и говорили Ему: «Какою властью Ты это делаешь? И кто Тебе дал власть делать это?»

Иисус сказал им в ответ: «Спрошу и Я вас об одном, отвечайте Мне; тогда и Я скажу вам, какою властью это делаю.

Крещение Иоанново с небес было или от человеков? Отвечайте Мне».

Они рассуждали между собою: «Если скажем: «С небес», — то Он скажет: «Почему же вы не поверили ему?» А сказать: «От человеков», — то весь народ побьёт нас камнями, ибо он уверен, что Иоанн есть пророк».

И сказали в ответ Иисусу: «Не знаем, откуда».

Тогда Иисус сказал им в ответ: «И Я не скажу вам, какою властью это делаю».

в.   Два сына и работа в винограднике отца

Матфея.21:28-32

²⁸ А как вам кажется? У одного человека было два сына; и он, подойдя к первому, сказал: сын! Пойди сегодня работай в винограднике моем.

²⁹ Но он сказал в ответ: не хочу; а после, раскаявшись, пошел.

³⁰ И подойдя к другому, он сказал то же. Этот сказал в ответ: иду, государь, и не пошел.

³¹ Который из двух исполнил волю отца? Говорят Ему: первый. Иисус говорит им: истинно говорю вам, что мытари и блудницы вперед вас идут в Царство Божие,

³² ибо пришел к вам Иоанн путем праведности, и вы не поверили ему, а мытари и блудницы поверили ему; вы же, и видев это, не раскаялись после, чтобы поверить ему.

---

477 *Марка.12:01-11 (Притча о злых виноградарях), стр. 164.*

478 *Луки.19:47б-48 (Книжники и первосвященники ищут убить Иисуса), стр. 160.*

479 *Луки.20:09-18 (Притча о злых виноградарях), стр. 164.*

г.   Притча о злых виноградарях

Матфея.21:33-44	Марка.12:01-11	Луки.20:09-18
³³ Выслушайте другую притчу: был некоторый хозяин дома, который насадил виноградник, обнес его оградою, выкопал в нем точило, построил башню и, отдав его виноградарям, отлучился.	11:33 … ⁴⁸⁰ ¹ И начал говорить им притчами: некоторый человек насадил виноградник и обнес оградою, и выкопал точило, и построил башню, и, отдав его виноградарям, отлучился.	8 … ⁴⁸¹ ⁹ И начал Он говорить к народу притчу сию: один человек насадил виноградник и отдал его виноградарям, и отлучился на долгое время;
³⁴ Когда же приблизилось время плодов, он послал своих слуг к виноградарям взять свои плоды;	² И послал в свое время к виноградарям слугу — принять от виноградарей плодов из виноградника.	¹⁰ и в свое время послал к виноградарям раба, чтобы они дали ему плодов из виноградника; но виноградари, прибив его, отослали ни с чем.
³⁵ виноградари, схватив слуг его, иного прибили, иного убили, а иного побили камнями.	³ Они же, схватив его, били, и отослали ни с чем.	¹¹ Еще послал другого раба; но они и этого, прибив и обругав, отослали ни с чем.
³⁶ Опять послал он других слуг, больше прежнего; и с ними поступили так же.	⁴ Опять послал к ним другого слугу; и тому камнями разбили голову и отпустили его с бесчестьем.	¹² И еще послал третьего; но они и того, изранив, выгнали.
³⁷ Наконец, послал он к ним своего сына, говоря: «постыдятся сына моего».	⁵ И опять иного послал: и того убили; и многих других то били, то убивали.	¹³ Тогда сказал господин виноградника: «что мне делать? Пошлю сына моего возлюбленного; может быть, увидев его, постыдятся».
³⁸ Но виноградари, увидев сына, сказали друг другу: «это наследник; пойдем, убьем его и завладеем наследством его».	⁶ Имея же еще одного сына, любезного ему, напоследок послал и его к ним, говоря: «постыдятся сына моего».	¹⁴ Но виноградари, увидев его, рассуждали между собою, говоря: «это наследник; пойдем, убьем его, и наследство его будет наше».
³⁹ И, схватив его, вывели вон из виноградника и убили.	⁷ Но виноградари сказали друг другу: «это наследник; пойдем, убьем его, и наследство будет наше».	¹⁵ И, выведя его вон из виноградника, убили. Что же сделает с ними господин виноградника?
⁴⁰ Итак, когда придет хозяин виноградника, что сделает он с этими виноградарями?	⁸ И, схватив его, убили и выбросили вон из виноградника.	¹⁶ Придет и погубит виноградарей тех, и отдаст виноградник другим. Слышавшие же это сказали: да не будет!
⁴¹ Говорят Ему: злодеев сих предаст злой смерти, а виноградник отдаст другим виноградарям, которые будут отдавать ему плоды во времена свои.	⁹ Что же сделает хозяин виноградника? — Придет и предаст смерти виноградарей, и отдаст виноградник другим.	¹⁷ Но Он, взглянув на них, сказал: что значит сие написанное: «камень, который отвергли строители, тот самый сделался главою угла»?
⁴² Иисус говорит им: неужели вы никогда не читали в Писании: «камень, который отвергли строители, тот самый сделался главою угла; это от Господа, и есть дивно в очах наших?»	¹⁰ Неужели вы не читали сего в Писании: «камень, который отвергли строители, тот самый сделался главою угла;	¹⁸ Всякий, кто упадет на тот камень, разобьется, а на кого он упадет, того раздавит.
⁴³ Потому сказываю вам, что отнимется от вас Царство Божие и дано будет народу, приносящему плоды его;	¹¹ это от Господа, и есть дивно в очах наших»?	
⁴⁴ и тот, кто упадет на этот камень, разобьется, а на кого он упадет, того раздавит.		

---

480 Марка.11:27-33 (У Иисуса спрашивают о Его власти), стр. 162.

481 Луки.20:01-08 (У Иисуса спрашивают о Его власти), стр. 162.

И начал говорить народу притчами: «Был некоторый хозяин дома, который насадил виноградник и обнёс оградою, и выкопал точило, и построил башню, и, отдав его виноградарям, отлучился на долгое время.

Когда же приблизилось время плодов, он послал к виноградарям слугу — принять от виноградарей плодов из виноградника. Они же, схватив его, били и отослали ни с чем.

Опять послал к ним другого слугу; и тому камнями разбили голову и отпустили его с бесчестьем.

И опять иного послал: и того убили; и многих других то били, то убивали.

Тогда сказал господин виноградника: «Что мне делать?» Имея же ещё одного сына, любезного ему, напоследок послал и его к ним, говоря:

«Постыдятся сына моего». Но виноградари сказали друг другу: «Это наследник; пойдём, убьём его, и наследство будет наше». И, схватив его, вывели вон из виноградника и убили.

Итак, когда придёт хозяин виноградника, что сделает он с этими виноградарями?»

Говорят Ему: «Злодеев сих предаст злой смерти, а виноградник отдаст другим виноградарям, которые будут отдавать ему плоды во времена свои».

Иисус говорит им: «Неужели вы никогда не читали в Писании: «Камень, который отвергли строители, тот самый сделался главою угла; это от Господа, и есть дивно в очах наших»? Потому сказываю вам, что отнимется от вас Царство Божие и дано будет народу, приносящему плоды его; и тот, кто упадёт на этот камень, разобьётся, а на кого он упадёт, того раздавит».

д. Реакция на притчу Иисуса

Матфея.21:45-46	*Марка.12:12*	*Луки.20:19*
[45] И слышав притчи Его, первосвященники и фарисеи поняли, что Он о них говорит [46] и старались схватить Его, но побоялись народа, потому что Его почитали за Пророка.	[12] И старались схватить Его, но побоялись народа, ибо поняли, что о них сказал притчу; и, оставив Его, отошли. [13] … [482]	[19] И искали в это время первосвященники и книжники, чтобы наложить на Него руки, но побоялись народа, ибо поняли, что о них сказал Он эту притчу. [20] … [483]

И услышав притчи Его, первосвященники и фарисеи поняли, что Он о них говорит и старались	схватить Его, но побоялись народа, потому что Его почитали за Пророка; и, оставив Его, отошли.

е. Подобие Царства Небесного — царь, сделавший пир для сына своего[484]

Матфея.22:01-14	
[1] Иисус, продолжая говорить им притчами, сказал: [2] Царство Небесное подобно человеку царю, который сделал брачный пир для сына своего [3] и послал рабов своих звать званых на брачный пир; и не хотели придти. [4] Опять послал других рабов, сказав: скажите зва-	ным: «вот, я приготовил обед мой, тельцы мои и что откормлено, заколото, и все готово; приходите на брачный пир». [5] Но они, пренебрегши то, пошли, кто на поле свое, а кто на торговлю свою; [6] прочие же, схватив рабов его, оскорбили и убили их. [7] Услышав о сем, царь разгневался, и, послав войска свои, истребил убийц оных и сжег город их.

---

482 *Марка.12:13-17 (Подать кесарю), стр. 166.*

483 *Луки.20:20-26 (Подать кесарю), стр. 166.*

484 *Иисус сказал похожее, когда был в доме у фарисейского начальника, на пути в Иерусалим (Луки.14:15-24 (Большой ужин человека и приглашённые), стр. 142).*

<table>
<tr><td>

[8] Тогда говорит он рабам своим: «брачный пир готов, а званые не были достойны;

[9] итак пойдите на распутия и всех, кого найдете, зовите на брачный пир».

[10] И рабы те, выйдя на дороги, собрали всех, кого только нашли, и злых и добрых; и брачный пир наполнился возлежащими.

[11] Царь, войдя посмотреть возлежащих, увидел

</td><td>

там человека, одетого не в брачную одежду,

[12] и говорит ему: «друг! Как ты вошел сюда не в брачной одежде?» Он же молчал.

[13] Тогда сказал царь слугам: «связав ему руки и ноги, возьмите его и бросьте во тьму внешнюю; там будет плач и скрежет зубов»;

[14] ибо много званых, а мало избранных.

</td></tr>
</table>

ж.   Подать кесарю

Матфея.22:15-22	Марка.12:13-17	Луки.20:20-26
[15] Тогда фарисеи пошли и совещались, как бы уловить Его в словах. [16] И посылают к Нему учеников своих с иродианами, говоря: Учитель! Мы знаем, что Ты справедлив, и истинно пути Божию учишь, и не заботишься об угождении кому-либо, ибо не смотришь ни на какое лицо; [17] итак скажи нам: как Тебе кажется? Позволительно ли давать подать кесарю, или нет? [18] Но Иисус, видя лукавство их, сказал: что искушаете Меня, лицемеры? [19] покажите Мне монету, которою платится подать. Они принесли Ему динарий. [20] И говорит им: чье это изображение и надпись? [21] Говорят Ему: кесаревы. Тогда говорит им: итак отдавайте кесарево кесарю, а Божие Богу. [22] Услышав это, они удивились и, оставив Его, ушли.	[12] ... [485] [13] И посылают к Нему некоторых из фарисеев и иродиан, чтобы уловить Его в слове. [14] Они же, придя, говорят Ему: Учитель! Мы знаем, что Ты справедлив и не заботишься об угождении кому-либо, ибо не смотришь ни на какое лицо, но истинно пути Божию учишь. Позволительно ли давать подать кесарю или нет? Давать ли нам или не давать? [15] Но Он, зная их лицемерие, сказал им: что искушаете Меня? Принесите Мне динарий, чтобы Мне видеть его. [16] Они принесли. Тогда говорит им: чье это изображение и надпись? Они сказали Ему: кесаревы. [17] Иисус сказал им в ответ: отдавайте кесарево кесарю, а Божие Богу. И дивились Ему.	[19] ... [486] [20] И, наблюдая за Ним, подослали лукавых людей, которые, притворившись благочестивыми, уловили бы Его в каком-либо слове, чтобы предать Его начальству и власти правителя. [21] И они спросили Его: Учитель! Мы знаем, что Ты правдиво говоришь и учишь и не смотришь на лицо, но истинно пути Божию учишь; [22] позволительно ли нам давать подать кесарю, или нет? [23] Он же, уразумев лукавство их, сказал им: что вы Меня искушаете? [24] Покажите Мне динарий: чье на нем изображение и надпись? Они отвечали: кесаревы. [25] Он сказал им: итак, отдавайте кесарево кесарю, а Божие Богу. [26] И не могли уловить Его в слове перед народом, и, удивившись ответу Его, замолчали.

<table>
<tr><td>

Тогда фарисеи пошли и совещались, как бы уловить Его в словах, чтобы предать Его начальству и власти правителя.

И посылают к Нему учеников своих с иродианами, которые, притворившись благочестивыми, спросили: «Учитель! Мы знаем, что Ты справедлив и истинно пути Божию учишь, и не заботишься об

</td><td>

угождении кому-либо, ибо не смотришь ни на какое лицо; итак, скажи нам: позволительно ли давать подать кесарю или нет? Давать ли нам или не давать?»

Но Иисус, видя лукавство их, сказал: «Что искушаете Меня, лицемеры?

</td></tr>
</table>

Покажите Мне динарий, которым платится подать». Они принесли Ему динарий. Тогда говорит им: «Чьё это изображение и надпись?» Говорят Ему: «Кесаревы».	Иисус сказал им в ответ: «Итак, отдавайте кесарево кесарю, а Божие Богу». И не могли уловить Его в слове перед народом, и, удивившись ответу Его, замолчали.

з. Саддукеи о воскресении

Матфея.22:23-32	Марка.12:18-27	Луки.20:27-38
23 В тот день приступили к Нему саддукеи, которые говорят, что нет воскресения, и спросили Его: 24 Учитель! Моисей сказал: «если кто умрет, не имея детей, то брат его пусть возьмет за себя жену его и восстановит семя брату своему»; 25 было у нас семь братьев; первый, женившись, умер и, не имея детей, оставил жену свою брату своему; 26 подобно и второй, и третий, даже до седьмого; 27 после же всех умерла и жена; 28 итак, в воскресении, которого из семи будет она женою? Ибо все имели ее. 29 Иисус сказал им в ответ: заблуждаетесь, не зная Писаний, ни силы Божией, 30 ибо в воскресении ни женятся, ни выходят замуж, но пребывают, как Ангелы Божии на небесах. 31 А о воскресении мертвых не читали ли вы реченного вам Богом: 32 «Я Бог Авраама, и Бог Исаака, и Бог Иакова»? Бог не есть Бог мертвых, но живых.	18 Потом пришли к Нему саддукеи, которые говорят, что нет воскресения, и спросили Его, говоря: 19 Учитель! Моисей написал нам: «если у кого умрет брат и оставит жену, а детей не оставит, то брат его пусть возьмет жену его и восстановит семя брату своему». 20 Было семь братьев: первый взял жену и, умирая, не оставил детей. 21 Взял ее второй и умер, и он не оставил детей; также и третий. 22 Брали ее *за себя* семеро и не оставили детей. После всех умерла и жена. 23 Итак, в воскресении, когда воскреснут, которого из них будет она женою? Ибо семеро имели ее женою? 24 Иисус сказал им в ответ: этим ли приводитесь вы в заблуждение, не зная Писаний, ни силы Божией? 25 Ибо, когда из мертвых воскреснут, тогда не будут ни жениться, ни замуж выходить, но будут, как Ангелы на небесах. 26 А о мертвых, что они воскреснут, разве не читали вы в книге Моисея, как Бог при купине сказал ему: «Я Бог Авраама, и Бог Исаака, и Бог Иакова»? 27 Бог не есть Бог мертвых, но Бог живых. Итак, вы весьма заблуждаетесь. 28 ...⁴⁸⁷	27 Тогда пришли некоторые из саддукеев, отвергающих воскресение, и спросили Его: 28 Учитель! Моисей написал нам, что если у кого умрет брат, имевший жену, и умрет бездетным, то брат его должен взять его жену и восставить семя брату своему. 29 Было семь братьев, первый, взяв жену, умер бездетным; 30 взял ту жену второй, и тот умер бездетным; 31 взял ее третий; также и все семеро, и умерли, не оставив детей; 32 после всех умерла и жена; 33 итак, в воскресение которого из них будет она женою, ибо семеро имели ее женою? 34 Иисус сказал им в ответ: чада века сего женятся и выходят замуж; 35 а сподобившиеся достигнуть того века и воскресения из мертвых ни женятся, ни замуж не выходят, 36 и умереть уже не могут, ибо они равны Ангелам и суть сыны Божии, будучи сынами воскресения. 37 А что мертвые воскреснут, и Моисей показал при купине, когда назвал Господа Богом Авраама и Богом Исаака и Богом Иакова. 38 Бог же не есть Бог мертвых, но живых, ибо у Него все живы.

487 Марка.12:28-34 (Наибольшая заповедь — вопрос законника), стр. 168.

Потом пришли к Нему саддукеи, которые говорят, что нет воскресения, и спросили Его, говоря: «Учитель! Моисей написал нам: «Если у кого умрёт брат и оставит жену, а детей не оставит, то брат его пусть возьмёт жену его и восстановит семя брату своему». Было семь братьев: первый взял жену и, умирая, не оставил детей. Взял её второй и умер, и он не оставил детей; также и третий. Брали её *за себя* семеро и не оставили детей. После всех умерла и жена. Итак, в воскресении, когда воскреснут, которого из них будет она женою? Ибо семеро имели её женою».	Иисус сказал им в ответ: «Этим ли приводитесь вы в заблуждение, не зная Писаний, ни силы Божией? Чада века сего женятся и выходят замуж; а сподобившиеся достигнуть того века и воскресения из мёртвых, когда из мёртвых воскреснут, тогда не будут ни жениться, ни замуж выходить, и умереть уже не могут, но будут как Ангелы Божии на небесах и суть сыны Божии, будучи сынами воскресения. А о мёртвых, что они воскреснут, разве не читали вы в книге Моисея, как Бог при купине сказал ему: «Я Бог Авраама, и Бог Исаака, и Бог Иакова»? Бог не есть Бог мёртвых, но Бог живых, ибо у Него все живы. Итак, вы весьма заблуждаетесь».

и.   Народ дивится ответу Иисуса саддукеям

Матфея.22:33-34	*Луки.20:39*
[33] И, слыша, народ дивился учению Его. [34] А фарисеи, услышав, что Он привел саддукеев в молчание, собрались вместе.	[39] На это некоторые из книжников сказали: Учитель! Ты хорошо сказал. [40] … [488]

На это некоторые из книжников сказали: «Учитель! Ты хорошо сказал». И, слыша, народ дивился учению Его.	А фарисеи, услышав, что Он привёл саддукеев в молчание, собрались вместе.

к.   Наибольшая заповедь — вопрос законника[489]

Матфея.22:35-40	*Марка.12:28-34*
[35] И один из них, законник, искушая Его, спросил, говоря: [36] Учитель! Какая наибольшая заповедь в законе? [37] Иисус сказал ему: «возлюби Господа Бога твоего всем сердцем твоим и всею душею твоею и всем разумением твоим», — [38] сия есть первая и наибольшая заповедь; [39] вторая же подобная ей: «возлюби ближнего твоего, как самого себя»; [40] на сих двух заповедях утверждается весь закон и пророки.	[27] … [490] [28] Один из книжников, слыша их прения и видя, что *Иисус* хорошо им отвечал, подошел и спросил Его: какая первая из всех заповедей? [29] Иисус отвечал ему: первая из всех заповедей: «слушай, Израиль! Господь Бог наш есть Господь единый; [30] и возлюби Господа Бога твоего всем сердцем твоим, и всею душею твоею, и всем разумением твоим, и всею крепостию твоею», — вот первая заповедь! [31] Вторая подобная ей: «возлюби ближнего твоего, как самого себя». Иной большей сих заповеди нет.

---

488 *Луки.20:40-44 (Иисус говорит о Христе), стр. 169.*

489 *Наибольшая заповедь уже была упомянута законником в попытке искусить Иисуса (Луки.10:25-28 (Наследование жизни вечной — вопрос законника), стр. 135).*

490 *Марка.12:18-27 (Саддукеи о воскресении), стр. 167.*

	32 Книжник сказал Ему: хорошо, Учитель! Истину сказал Ты, что один есть Бог и нет иного, кроме Его;
	33 и любить Его всем сердцем, и всем умом, и всею душею, и всею крепостью, и любить ближнего, как самого себя, есть больше всех всесожжений и жертв.
	34 Иисус, видя, что он разумно отвечал, сказал ему: недалеко ты от Царствия Божия. После того никто уже не смел спрашивать Его.

Один из книжников, законник, слыша их прения и видя, что *Иисус* хорошо им отвечал, подошёл и, искушая Его, спросил: «Учитель! Какая наибольшая заповедь в законе?»	нет. На сих двух заповедях утверждается весь закон и пророки».
Иисус отвечал ему: «Первая из всех заповедей: «Слушай, Израиль! Господь Бог наш есть Господь единый; и возлюби Господа Бога твоего всем сердцем твоим, и всею душою твоею, и всем разумением твоим, и всею крепостью твоею», — сия есть первая и наибольшая заповедь!	Книжник сказал Ему: «Хорошо, Учитель! Истину сказал Ты, что один есть Бог и нет иного, кроме Его; и любить Его всем сердцем, и всем умом, и всею душою, и всею крепостью, и любить ближнего, как самого себя, есть больше всех всесожжений и жертв».
Вторая подобная ей: «Возлюби ближнего твоего, как самого себя». Иной, большей сих, заповеди	Иисус, видя, что он разумно отвечал, сказал ему: «Недалеко ты от Царствия Божия». После того никто уже не смел спрашивать Его.

л. Иисус говорит о Христе

Матфея.22:41-46	*Марка.12:35-37*	*Луки.20:40-44*
41 Когда же собрались фарисеи, Иисус спросил их:[491]	**35** Продолжая учить в храме, Иисус говорил: как говорят книжники, что Христос есть Сын Давидов?[491]	**39** … [492]
42 что вы думаете о Христе? Чей Он сын? Говорят Ему: Давидов.	**36** Ибо сам Давид сказал Духом Святым: «сказал Господь Господу моему: седи одесную Меня, доколе положу врагов Твоих в подножие ног Твоих».	**40** И уже не смели спрашивать Его ни о чем. Он же сказал им:[491]
43 Говорит им: как же Давид, по вдохновению, называет Его Господом, когда говорит:	**37** Итак, сам Давид называет Его Господом: как же Он Сын ему? И множество народа слушало Его с услаждением.	**41** как говорят, что Христос есть Сын Давидов,
44 «сказал Господь Господу моему: седи одесную Меня, доколе положу врагов Твоих в подножие ног Твоих?»		**42** а сам Давид говорит в книге псалмов: «сказал Господь Господу моему: седи одесную Меня,
45 Итак, если Давид называет Его Господом, как же Он сын ему?		**43** доколе положу врагов Твоих в подножие ног Твоих»?
46 И никто не мог отвечать Ему ни слова; и с того дня никто уже не смел спрашивать Его.		**44** Итак, Давид Господом называет Его; как же Он Сын ему?

---

491 *Матфей говорит, что Иисус сказал это фарисеям. Марк и Лука — народу.*

492 *Луки.20:39 (Народ дивится ответу Иисуса саддукеям), стр. 168.*

Продолжая учить в храме, Иисус спросил собравшихся фарисеев: «Что вы думаете о Христе? Чей Он сын?» Говорят Ему: «Давидов». Говорит им: «Как же Давид, по вдохновению, называет Его Господом, когда говорит: «Сказал Гос-	подь Господу моему: седи одесную Меня, доколе положу врагов Твоих в подножие ног Твоих?» Итак, если Давид называет Его Господом, как же Он сын ему?» И никто не мог отвечать Ему ни слова; и с того дня никто уже не смел спрашивать Его. И множество народа слушало Его с наслаждением.

м.   Иисус говорит о книжниках и фарисеях[493]

Матфея.23:01-39[494]	*Марка.12:38-40*	*Луки.20:45-47*
[1] Тогда Иисус начал говорить народу и ученикам Своим [2] и сказал: на Моисеевом седалище сели книжники и фарисеи; [3] итак все, что они велят вам соблюдать, соблюдайте и делайте; по делам же их не поступайте, ибо они говорят, и не делают: [4] связывают бремена тяжелые и неудобоносимые и возлагают на плечи людям, а сами не хотят и перстом двинуть их; [5] все же дела свои делают с тем, чтобы видели их люди: расширяют хранилища свои и увеличивают воскрилия одежд своих; [6] также любят предвозлежания на пиршествах и председания в синагогах [7] и приветствия в народных собраниях, и чтобы люди звали их: «учитель! Учитель!» [8] А вы не называйтесь учителями, ибо один у вас Учитель — Христос, все же вы — братья; [9] и отцом себе не называйте никого на земле, ибо один у вас Отец, Который на небесах; [10] и не называйтесь наставниками, ибо один у вас Наставник — Христос. [11] Больший из вас да будет вам слуга:	[38] И говорил им в учении Своем: остерегайтесь книжников, любящих ходить в длинных одеждах и принимать приветствия в народных собраниях, [39] сидеть впереди в синагогах и возлежать на первом месте на пиршествах, — [40] сии, поядающие домы вдов и напоказ долго молящиеся, примут тягчайшее осуждение.	[44] … [498] [45] И когда слушал весь народ, Он сказал ученикам Своим: [46] остерегайтесь книжников, которые любят ходить в длинных одеждах и любят приветствия в народных собраниях, председания в синагогах и предвозлежания на пиршествах, [47] которые поедают домы вдов и лицемерно долго молятся; они примут тем большее осуждение.

---

493 *Иисус уже упрекал фарисеев и законников, когда говорил о еде неумытыми руками (Луки.11:42-52 (Иисус упрекает фарисеев и законников), стр. 68).*

494 *Матфей, видимо, собрал все, что говорил Иисус про фарисеев и книжников в одно место. Марк и Лука изложили это в отдельных проповедях Иисуса.*

¹² ибо, кто возвышает себя, тот унижен будет, а кто унижает себя, тот возвысится.

¹³ Горе вам, книжники и фарисеи, лицемеры, что затворяете Царство Небесное человекам, ибо сами не входите и хотящих войти не допускаете.

¹⁴ Горе вам, книжники и фарисеи, лицемеры, что поедаете домы вдов и лицемерно долго молитесь: за то примете тем большее осуждение.

¹⁵ Горе вам, книжники и фарисеи, лицемеры, что обходите море и сушу, дабы обратить хотя одного; и когда это случится, делаете его сыном геенны, вдвое худшим вас.

¹⁶ Горе вам, вожди слепые, которые говорите: «если кто поклянется храмом, то ничего, а если кто поклянется золотом храма, то повинен».

¹⁷ Безумные и слепые! Что больше: золото, или храм, освящающий золото?

¹⁸ Также: «если кто поклянется жертвенником, то ничего, если же кто поклянется даром, который на нем, то повинен».

¹⁹ Безумные и слепые! Что больше: дар, или жертвенник, освящающий дар?

²⁰ Итак клянущийся жертвенником клянется им и всем, что на нем;

²¹ и клянущийся храмом клянется им и Живущим в нем;

²² и клянущийся небом клянется Престолом Божиим и Сидящим на нем.

²³ Горе вам, книжники и фарисеи, лицемеры, что даете десятину с мяты, аниса и тмина, и оставили важнейшее в законе: суд, милость и веру; сие надлежало делать, и того не оставлять.

²⁴ Вожди слепые, оцеживающие комара, а верблюда поглощающие!

²⁵ Горе вам, книжники и фарисеи, лицемеры, что очищаете внешность чаши и блюда, между тем как внутри они полны хищения и неправды.

²⁶ Фарисей слепой! Очисти прежде внутренность чаши и блюда, чтобы чиста была и внешность их.

²⁷ Горе вам, книжники и фарисеи, лицемеры, что уподобляетесь окрашенным гробам, которые снаружи кажутся красивыми, а внутри полны костей мертвых и всякой нечистоты;

²⁸ так и вы по наружности кажетесь людям праведными, а внутри исполнены лицемерия и беззакония.

²⁹ Горе вам, книжники и фарисеи, лицемеры, что строите гробницы пророкам и украшаете памятники праведников,

³⁰ и говорите: «если бы мы были во дни отцов наших, то не были бы сообщниками их в пролитии крови пророков»;

³¹ таким образом вы сами против себя свидетельствуете, что вы сыновья тех, которые избили пророков;

³² дополняйте же меру отцов ваших.

³³ Змии, порождения ехиднины! Как убежите вы от осуждения в геенну?[495]

³⁴ Посему, вот, Я посылаю к вам пророков, и мудрых, и книжников; и вы иных убьете и распнете, а иных будете бить в синагогах ваших и гнать из города в город;

³⁵ да придет на вас вся кровь праведная, пролитая на земле, от крови Авеля праведного до крови Захарии, сына Варахиина, которого вы убили между храмом и жертвенником.

³⁶ Истинно говорю вам, что все сие придет на род сей.

---

495 *Иоанн Креститель задал подобный вопрос фарисеям и саддукеям (Матфея.03:07-10 и Луки.03:07-09 (Достойные плоды покаяния), стр. 16).*

³⁷ Иерусалим, Иерусалим, избивающий пророков и камнями побивающий посланных к тебе! Сколько раз хотел Я собрать детей твоих, как птица собирает птенцов своих под крылья, и вы не захотели!⁴⁹⁶

³⁸ Се, оставляется вам дом ваш пуст.⁴⁹⁶

³⁹ Ибо сказываю вам: не увидите Меня отныне, доколе не воскликнете: «благословен Грядый во имя Господне!»⁴⁹⁶

24:1 ...⁴⁹⁷

Тогда Иисус начал говорить народу и ученикам Своим и сказал:

«На Моисеевом седалище сели книжники и фарисеи; итак, все, что они велят вам соблюдать, соблюдайте и делайте; по делам же их не поступайте, ибо они говорят, и не делают: связывают бремена тяжёлые и неудобоносимые и возлагают на плечи людям, а сами не хотят и перстом двинуть их; все же дела свои делают с тем, чтобы видели их люди: расширяют хранилища свои и увеличивают воскрилия одежд своих; также любят предвозлежания на пиршествах и председания в синагогах и приветствия в народных собраниях, и чтобы люди звали их: «Учитель! Учитель!»

А вы не называйтесь учителями, ибо один у вас Учитель — Христос, все же вы — братья; и отцом себе не называйте никого на земле, ибо один у вас Отец, Который на небесах; и не называйтесь наставниками, ибо один у вас Наставник — Христос.

Больший из вас да будет вам слуга: ибо, кто возвышает себя, тот унижен будет, а кто унижает себя, тот возвысится.

Горе вам, книжники и фарисеи, лицемеры, что затворяете Царство Небесное человекам, ибо сами не входите и хотящих войти не допускаете.

Горе вам, книжники и фарисеи, лицемеры, что поедаете домы вдов и лицемерно долго молитесь: за то примете тем большее осуждение.

Горе вам, книжники и фарисеи, лицемеры, что обходите море и сушу, дабы обратить хотя бы одного; и когда это случится, делаете его сыном геенны, вдвое худшим вас.

Горе вам, вожди слепые, которые говорите: «Если кто поклянётся храмом, то ничего, а если кто поклянётся золотом храма, то повинен». Безумные и слепые! Что больше: золото или храм, освящающий золото? Также: «Если кто поклянётся жертвенником, то ничего, если же кто поклянётся даром, который на нем, то повинен». Безумные и слепые! Что больше: дар или жертвенник, освящающий дар? Итак, клянущийся жертвенником клянётся им и всем, что на нем; и клянущийся храмом клянётся им и Живущим в нем; и клянущийся небом клянётся Престолом Божиим и Сидящим на нем.

Горе вам, книжники и фарисеи, лицемеры, что даёте десятину с мяты, аниса и тмина, и оставили важнейшее в законе: суд, милость и веру; сие надлежало делать, и того не оставлять. Вожди слепые, оцеживающие комара, а верблюда поглощающие!

Горе вам, книжники и фарисеи, лицемеры, что очищаете внешность чаши и блюда, между тем как внутри они полны хищения и неправды. Фарисей слепой! Очисти прежде внутренность чаши и блюда, чтобы чиста была и внешность их.

---

496 Иисус сказал похожее после того, как фарисеи предупредили Его об Ироде (Луки.13:34-35 (Слова к Иерусалиму), стр. 141).

498 Луки.20:40-44 (Иисус говорит о Христе), стр. 169.

497 Матфея.24:01-02 (Иисусу показывают здания храма), стр. 174.

Горе вам, книжники и фарисеи, лицемеры, что уподобляетесь окрашенным гробам, которые снаружи кажутся красивыми, а внутри полны костей мёртвых и всякой нечистоты; так и вы по наружности кажетесь людям праведными, а внутри исполнены лицемерия и беззакония.	Посему, вот, Я посылаю к вам пророков, и мудрых, и книжников; и вы иных убьёте и распнёте, а иных будете бить в синагогах ваших и гнать из города в город; да придёт на вас вся кровь праведная, пролитая на земле, от крови Авеля праведного до крови Захарии, сына Варахиина, которого вы убили между храмом и жертвенником.
Горе вам, книжники и фарисеи, лицемеры, что строите гробницы пророкам, украшаете памятники праведников и говорите: «Если бы мы были во дни отцов наших, то не были бы сообщниками их в пролитии крови пророков», — таким образом вы сами против себя свидетельствуете, что вы сыновья тех, которые избили пророков; дополняйте же меру отцов ваших.	Истинно говорю вам, что все сие придёт на род сей.

Иерусалим, Иерусалим, избивающий пророков и камнями побивающий посланных к тебе! Сколько раз хотел Я собрать детей твоих, как птица собирает птенцов своих под крылья, и вы не захотели! Се, оставляется вам дом ваш пуст. Ибо сказываю вам: не увидите Меня отныне, доколе не воскликнете: «Благословен Грядый во имя Господне!» |
| Змии, порождения ехидны! Как убежите вы от осуждения в геенну? | |

н. Иисус у сокровищницы

Марка.12:41-44	Луки.21:01-04
[41] И сел Иисус против сокровищницы, и смотрел, как народ кладет деньги в сокровищницу. Многие богатые клали много. [42] Придя же, одна бедная вдова положила две лепты, что составляет кодрант. [43] Подозвав учеников Своих, *Иисус* сказал им: истинно говорю вам, что эта бедная вдова положила больше всех, клавших в сокровищницу, [44] ибо все клали от избытка своего, а она от скудости своей положила все, что имела, все пропитание свое.	[1] Взглянув же, Он увидел богатых, клавших дары свои в сокровищницу; [2] увидел также и бедную вдову, положившую туда две лепты [3] и сказал: истинно говорю вам, что эта бедная вдова больше всех положила; [4] ибо все те от избытка своего положили в дар Богу, а она от скудости своей положила все пропитание свое, какое имела.

И сел Иисус против сокровищницы и смотрел, как народ кладёт деньги в сокровищницу. Многие богатые клали много.

Придя же, одна бедная вдова положила две лепты, что составляет кодрант. | Подозвав учеников Своих, *Иисус* сказал им: «Истинно говорю вам, что эта бедная вдова положила больше всех, клавших в сокровищницу, ибо все клали от избытка своего, а она от скудости своей положила все, что имела, все пропитание своё, какое имела». |

244. ИИСУСУ ПОКАЗЫВАЮТ ЗДАНИЯ ХРАМА
Иерусалим, Иудея

Матфея.24:01-02	Марка.13:01-02	Луки.21:05-06
23:39 … [499] [1] И выйдя, Иисус шел от храма; и	[1] И когда выходил Он из храма, говорит Ему один из учеников	[5] И когда некоторые говорили о храме, что он украшен дорогими

---

499 *Матфея.23:01-39 (Иисус говорит о книжниках и фарисеях), стр. 170.*

| приступили ученики Его, чтобы показать Ему здания храма.

2 Иисус же сказал им: видите ли все это? Истинно говорю вам: не останется здесь камня на камне; все будет разрушено. | его: Учитель! Посмотри, какие камни и какие здания!

2 Иисус сказал ему в ответ: видишь сии великие здания? Все это будет разрушено, так что не останется здесь камня на камне. | камнями и вкладами, Он сказал:

6 придут дни, в которые из того, что вы здесь видите, не останется камня на камне; все будет разрушено. |

| И выйдя, Иисус шёл от храма; и приступили ученики Его, чтобы показать Ему здания храма, и говорит Ему один из учеников его: «Учитель! Посмотри, какие камни и какие здания!» | Иисус сказал ему в ответ: «Видишь сии великие здания? Придут дни, в которые из того, что вы здесь видите, не останется камня на камне; все будет разрушено». |

245. ИИСУС О РАЗРУШЕНИИ ХРАМА И О ПОСЛЕДНЕМ ВРЕМЕНИ
Гора Елеонская, Иерусалим, Иудея

а. Вопросы учеников

Матфея.24:03	Марка.13:03-04	Луки.21:07
3 Когда же сидел Он на горе Елеонской, то приступили к Нему ученики[500] наедине и спросили: скажи нам, когда это будет? И какой признак Твоего пришествия и кончины века?	3 И когда Он сидел на горе Елеонской против храма, спрашивали Его наедине Петр, и Иаков, и Иоанн, и Андрей:[500] 4 скажи нам, когда это будет, и какой признак, когда все сие должно совершиться?	7 И спросили Его[500]: Учитель! Когда же это будет? И какой признак, когда это должно произойти?

| И когда Он сидел на горе Елеонской против храма, спрашивали Его наедине Петр и Иаков, и Иоанн, и Андрей: | «Учитель! Когда же это будет? И какой признак, когда это должно произойти?» |

б. Лжехристы[501]

Матфея.24:04-05	Марка.13:05-06	Луки.21:08
4 Иисус сказал им в ответ: берегитесь, чтобы кто не прельстил вас, 5 ибо многие придут под именем Моим, и будут говорить: «я Христос», и многих прельстят.	5 Отвечая им, Иисус начал говорить: берегитесь, чтобы кто не прельстил вас, 6 ибо многие придут под именем Моим и будут говорить, что это Я; и многих прельстят.	8 Он сказал: берегитесь, чтобы вас не ввели в заблуждение, ибо многие придут под именем Моим, говоря, что это Я; и это время близко: не ходите вслед их.

| Отвечая им, Иисус начал говорить:

«Берегитесь, чтобы вас не ввели в заблуждение, | ибо многие придут под именем Моим, говоря, что это Я; и это время близко: не ходите вслед их». |

---

500 *Матфей говорит, что спросили Иисуса «ученики», а Марк говорит, что конкретно спросили Петр, Иаков, Иоанн и Андрей.*

501 *Иисус в этой же проповеди ещё раз говорил похожее (Матфея.24:23-28 и Марка.13:21-23 (Лжехристы и лжепророки), стр. 178).*

в.   Войны и военные слухи

Матфея.24:06-08	Марка.13:07-08	Луки.21:09-11
6 Также услышите о войнах и о военных слухах. Смотрите, не ужасайтесь, ибо надлежит всему тому быть, но это еще не конец: 7 ибо восстанет народ на народ, и царство на царство; и будут глады, моры и землетрясения по местам; 8 все же это — начало болезней. 9 ... 502	7 Когда же услышите о войнах и о военных слухах, не ужасайтесь: ибо надлежит сему быть, — но это еще не конец. 8 Ибо восстанет народ на народ и царство на царство; и будут землетрясения по местам, и будут глады и смятения. Это — начало болезней. 9 ... 503	9 Когда же услышите о войнах и смятениях, не ужасайтесь, ибо этому надлежит быть прежде; но не тотчас конец. 10 Тогда сказал им: восстанет народ на народ, и царство на царство; 11 будут большие землетрясения по местам, и глады, и моры, и ужасные явления, и великие знамения с неба. 12 ... 504

«Когда же услышите о войнах, о военных слухах и смятениях, не ужасайтесь, ибо этому надлежит быть прежде; но не тотчас конец». Тогда сказал им: «Восстанет народ на народ и	царство на царство; будут большие землетрясения по местам и глады, и моры, и ужасные явления, и великие знамения с неба. Это — начало болезней».

г.   Проповедь Евангелия

Матфея.24:14	Марка.13:10
14 И проповедано будет сие Евангелие Царствия по всей вселенной, во свидетельство всем народам; и тогда придет конец. 15 ... 505	10 И во всех народах прежде должно быть проповедано Евангелие.

«И проповедано будет сие Евангелие Царствия по всей вселенной, во свидетельство всем народам;	и тогда придёт конец».

д.   Предательства и мучения[506]

Матфея.24:09-13	Марка.13:09	Луки.21:12-19
9 Тогда будут предавать вас на мучения и убивать вас; и вы будете ненавидимы всеми народами за имя Мое; 10 и тогда соблазнятся многие, и	9 Но вы смотрите за собою, ибо вас будут предавать в судилища и бить в синагогах, и перед правителями и царями поставят вас за Меня, для свидетельства пе-	12 Прежде же всего того возложат на вас руки и будут гнать вас, предавая в синагоги и в темницы, и поведут пред царей и правителей за имя Мое;

---

502 *Матфея.24:09-13 (Предательства и мучения), стр. 176.*

503 *Марка.13:09 (Предательства и мучения), стр. 176.*

504 *Луки.21:12-19 (Предательства и мучения), стр. 176.*

505 *Матфея.24:15-20 (Мерзость запустения), стр 177.*

506 *Иисус сказал похоже, наставляя двенадцать учеников на проповедь (Матфея.10:16-23 (Овцы среди волков; гонения), стр. 85).*

друг друга будут предавать, и возненавидят друг друга; 11 и многие лжепророки восстанут, и прельстят многих; 12 и, по причине умножения беззакония, во многих охладеет любовь; 13 претерпевший же до конца спасется.	ред ними. *Марка.13:11-13* 11 Когда же поведут предавать вас, не заботьтесь наперед, что вам говорить, и не обдумывайте; но что дано будет вам в тот час, то и говорите, ибо не вы будете говорить, но Дух Святый. 12 Предаст же брат брата на смерть, и отец — детей; и восстанут дети на родителей, и умертвят их. 13 И будете ненавидимы всеми за имя Мое; претерпевший же до конца спасется.	13 будет же это вам для свидетельства. 14 Итак положите себе на сердце не обдумывать заранее, что отвечать, 15 ибо Я дам вам уста и премудрость, которой не возмогут противоречить ни противостоять, все, противящиеся вам. 16 Преданы также будете и родителями, и братьями, и родственниками, и друзьями, и некоторых из вас умертвят; 17 и будете ненавидимы всеми за имя Мое, 18 но и волос с головы вашей не пропадет, — 19 терпением вашим спасайте души ваши.

«Но вы смотрите за собою, прежде же всего того возложат на вас руки и будут гнать вас, будут предавать в судилища и в темницы на мучения и убивать вас, и бить в синагогах, и перед правителями и царями поставят вас за Меня, для свидетельства перед ними. Когда же поведут предавать вас, положите себе на сердце не обдумывать заранее, что отвечать, ибо Я дам вам уста и премудрость, которой не возмогут ни противоречить, ни противостоять все, противящиеся вам. Ибо не вы будете говорить, но Дух Святый.	Тогда соблазнятся многие и друг друга будут предавать, и преданы также будете и родителями, и братьями, и родственниками, и друзьями, и некоторых из вас умертвят; и будете ненавидимы всеми за имя Моё, но и волос с головы вашей не пропадёт, — терпением вашим спасайте души ваши. И многие лжепророки восстанут и прельстят многих; и, по причине умножения беззакония, во многих охладеет любовь; претерпевший же до конца спасётся».

е. Мерзость запустения

Матфея.24:15-20	*Марка.13:14-18*	*Луки.21:20-24*
15 Итак, когда увидите мерзость запустения, реченную через пророка Даниила, стоящую на святом месте, — читающий да разумеет, — 16 тогда находящиеся в Иудее да бегут в горы; 17 и кто на кровле, тот да не сходит взять что-нибудь из дома своего; 18 и кто на поле, тот да не обращается назад взять одежды	14 Когда же увидите мерзость запустения, реченную пророком Даниилом, стоящую, где не должно, — читающий да разумеет, — тогда находящиеся в Иудее да бегут в горы; 15 а кто на кровле, тот не сходи в дом и не входи взять что-нибудь из дома своего; 16 и кто на поле, не обращайся назад взять одежду свою. 17 Горе беременным и питающим	20 Когда же увидите Иерусалим, окруженный войсками, тогда знайте, что приблизилось запустение его: 21 тогда находящиеся в Иудее да бегут в горы; и кто в городе, выходи из него; и кто в окрестностях, не входи в него, 22 потому что это дни отмщения, да исполнится все написанное. 23 Горе же беременным и питающим сосцами в те дни; ибо вели-

| свои. ¹⁹ Горе же беременным и питающим сосцами в те дни! ²⁰ Молитесь, чтобы не случилось бегство ваше зимою или в субботу, | сосцами в те дни. ¹⁸ Молитесь, чтобы не случилось бегство ваше зимою. | кое будет бедствие на земле и гнев на народ сей: ²⁴ и падут от острия меча, и отведутся в плен во все народы; и Иерусалим будет попираем язычниками, доколе не окончатся времена язычников. ²⁵ … ⁵⁰⁷ |

| «Итак, когда же увидите мерзость запустения, реченную через пророка Даниила, стоящую на святом месте, — читающий да разумеет, — тогда находящиеся в Иудее да бегут в горы; и кто в городе, выходи из него; и кто в окрестностях, не входи в него; а кто на кровле, тот не сходи в дом и не входи взять что-нибудь из дома своего; и кто на поле, не обращайся назад взять одежду свою. Потому что это дни отмщения, да исполнится все написанное. | Горе же беременным и питающим сосцами в те дни! Молитесь, чтобы не случилось бегство ваше зимою или в субботу. Ибо великое будет бедствие на земле и гнев на народ сей: и падут от острия меча, и отведутся в плен во все народы; и Иерусалим будет попираем язычниками, доколе не окончатся времена язычников». |

ж. Великая скорбь

Матфея.24:21-22	Марка.13:19-20
²¹ ибо тогда будет великая скорбь, какой не было от начала мира доныне, и не будет. ²² И если бы не сократились те дни, то не спаслась бы никакая плоть; но ради избранных сократятся те дни.	¹⁹ Ибо в те дни будет такая скорбь, какой не было от начала творения, которое сотворил Бог, даже доныне, и не будет. ²⁰ И если бы Господь не сократил тех дней, то не спаслась бы никакая плоть; но ради избранных, которых Он избрал, сократил те дни.

| «Ибо тогда будет великая скорбь, такая, какой не было от начала творения, которое сотворил Бог, даже доныне, и не будет. | И если бы Господь не сократил тех дней, то не спаслась бы никакая плоть; но ради избранных, которых Он избрал, сократил те дни». |

з. Лжехристы и лжепророки⁵⁰⁸

Матфея.24:23-28	Марка.13:21-23
²³ Тогда, если кто скажет вам: «вот, здесь Христос, или там», — не верьте. ²⁴ Ибо восстанут лжехристы и лжепророки, и дадут великие знамения и чудеса, чтобы прельстить, если возможно, и избранных. ²⁵ Вот, Я наперед сказал вам. ²⁶ Итак, если скажут вам: «вот, Он в пустыне», —	²¹ Тогда, если кто вам скажет: «вот, здесь Христос», или: «вот, там», — не верьте. ²² Ибо восстанут лжехристы и лжепророки и дадут знамения и чудеса, чтобы прельстить, если возможно, и избранных. ²³ Вы же берегитесь. Вот, Я наперед сказал вам все.

---

507 *Луки.21:25-26 (Небесные знамения), стр. 179.*

508 *Иисус сказал похожее, говоря о приходе Царствия Божия, в Иудее, восходя в Иерусалим (Луки.17:20-37 (Приход Царствия Божия), стр. 147) и в начале этой проповеди (Матфея.24:04-05, Марка.13:05-06, и Луки.21:08 (Лжехристы), стр. 175).*

не выходите; «вот, Он в потаенных комнатах», — не верьте; ²⁷ ибо, как молния исходит от востока и видна бывает даже до запада, так будет пришествие Сына Человеческого; ²⁸ ибо, где будет труп, там соберутся орлы.	

«Тогда, если кто скажет вам: «Вот, здесь Христос, или там», — не верьте. Ибо восстанут лжехристы и лжепророки и дадут великие знамения и чудеса, чтобы прельстить, если возможно, и избранных. Вы же берегитесь. Вот, Я наперёд сказал вам все.	Итак, если скажут вам: «Вот, Он в пустыне», — не выходите; «Вот, Он в потаённых комнатах», — не верьте; ибо как молния исходит от востока и видна бывает даже до запада, так будет пришествие Сына Человеческого; ибо где будет труп, там соберутся орлы».

и. Небесные знамения

Матфея.24:29	Марка.13:24-25	Луки.21:25-26
²⁹ И вдруг, после скорби дней тех, солнце померкнет, и луна не даст света своего, и звезды спадут с неба, и силы небесные поколеблются;	²⁴ Но в те дни, после скорби той, солнце померкнет, и луна не даст света своего, ²⁵ и звезды спадут с неба, и силы небесные поколеблются.	²⁴ ... ⁵⁰⁹ ²⁵ И будут знамения в солнце и луне и звездах, а на земле уныние народов и недоумение; и море восшумит и возмутится; ²⁶ люди будут издыхать от страха и ожидания бедствий, грядущих на вселенную, ибо силы небесные поколеблются,

«Но в те дни, после скорби той, будут знамения в солнце и луне, и звёздах; солнце померкнет, и луна не даст света своего, и звезды спадут с неба, и силы небесные поколеблются.	А на земле — уныние народов и недоумение; и море восшумит и возмутится; люди будут издыхать от страха и ожидания бедствий, грядущих на вселенную, ибо силы небесные поколеблются».

к. Второе пришествие Иисуса Христа

Матфея.24:30-31	Марка.13:26-27	Луки.21:27-28
³⁰ тогда явится знамение Сына Человеческого на небе; и тогда восплачутся все племена земные и увидят Сына Человеческого, грядущего на облаках небесных с силою и славою великою; ³¹ и пошлет Ангелов Своих с трубою громогласною, и соберут избранных Его от четырех ветров, от края небес до края их.	²⁶ Тогда увидят Сына Человеческого, грядущего на облаках с силою многою и славою. ²⁷ И тогда Он пошлет Ангелов Своих и соберет избранных Своих от четырех ветров, от края земли до края неба.	²⁷ и тогда увидят Сына Человеческого, грядущего на облаке с силою и славою великою. ²⁸ Когда же начнет это сбываться, тогда восклонитесь и поднимите головы ваши, потому что приближается избавление ваше.

509 *Луки.21:20-24 (Мерзость запустения), стр. 177.*

«Тогда явится знамение Сына Человеческого на небе; и тогда восплачут все племена земные и увидят Сына Человеческого, грядущего на облаках небесных с силою и славою великою. И тогда Он пошлёт Ангелов Своих с трубою громо-	гласною, и соберут избранных Его от четырёх ветров, от края земли до края неба. Когда же начнёт это сбываться, тогда восклонитесь и поднимите головы ваши, потому что приближается избавление ваше».

л. Притча о распускающейся смоковнице

Матфея.24:32-44	Марка.13:28-33	Луки.21:29-36
[32] От смоковницы возьмите подобие: когда ветви ее становятся уже мягки и пускают листья, то знаете, что близко лето; [33] так, когда вы увидите все сие, знайте, что близко, при дверях. [34] Истинно говорю вам: не прейдет род сей, как все сие будет; [35] небо и земля прейдут, но слова Мои не прейдут. [36] О дне же том и часе никто не знает, ни Ангелы небесные, а только Отец Мой один; [37] но, как было во дни Ноя, так будет и в пришествие Сына Человеческого:[510] [38] ибо, как во дни перед потопом ели, пили, женились и выходили замуж, до того дня, как вошел Ной в ковчег,[510] [39] и не думали, пока не пришел потоп и не истребил всех, — так будет и пришествие Сына Человеческого;[510] [40] тогда будут двое на поле: один берется, а другой оставляется;[510] [41] две мелющие в жерновах: одна берется, а другая оставляется.[510] [42] Итак бодрствуйте, потому что не знаете, в который час Господь ваш приидет. [43] Но это вы знаете, что, если бы ведал хозяин дома, в какую стражу придет вор, то бодрствовал бы и не дал бы подкопать дома своего.[511]	[28] От смоковницы возьмите подобие: когда ветви ее становятся уже мягки и пускают листья, то знаете, что близко лето. [29] Так и когда вы увидите то сбывающимся, знайте, что близко, при дверях. [30] Истинно говорю вам: не прейдет род сей, как все это будет. [31] Небо и земля прейдут, но слова Мои не прейдут. [32] О дне же том, или часе, никто не знает, ни Ангелы небесные, ни Сын, но только Отец. [33] Смотрите, бодрствуйте, молитесь, ибо не знаете, когда наступит это время.[511]	[29] И сказал им притчу: посмотрите на смоковницу и на все деревья: [30] когда они уже распускаются, то, видя это, знаете сами, что уже близко лето. [31] Так, и когда вы увидите то сбывающимся, знайте, что близко Царствие Божие. [32] Истинно говорю вам: не прейдет род сей, как все это будет; [33] небо и земля прейдут, но слова Мои не прейдут. [34] Смотрите же за собою, чтобы сердца ваши не отягчались объядением и пьянством и заботами житейскими, и чтобы день тот не постиг вас внезапно, [35] ибо он, как сеть, найдет на всех живущих по всему лицу земному; [36] итак бодрствуйте на всякое время и молитесь, да сподобитесь избежать всех сих будущих бедствий и предстать пред Сына Человеческого. [37] …[513]

---

[510] Иисус сказал похожее, говоря о приходе Царствия Божия, в Иудее, восходя в Иерусалим (Луки.17:20-37 (Приход Царствия Божия), стр. 147).

44 Потому и вы будьте готовы, ибо в который час не думаете, приидет Сын Человеческий.[511] 45 ... [512]		

«От смоковницы возьмите подобие: когда ветви ее становятся уже мягки и пускают листья, то знаете, что близко лето. Так и когда вы увидите то сбывающимся, знайте, что близко Царствие Божие. Истинно говорю вам: не прейдёт род сей, как все сие будет. Небо и земля прейдут, но слова Мои не прейдут. О дне же том и часе никто не знает, ни Ангелы небесные, а только Отец Мой один. Но как было во дни Ноя, так будет и в пришествие Сына Человеческого: ибо, как во дни перед потопом ели, пили, женились и выходили замуж, до того дня, как вошёл Ной в ковчег, и не думали, пока не пришел потоп и не истребил всех, — так будет и пришествие Сына Человеческого; тогда будут двое на поле: один берётся, а другой остав-	ляется; две мелющие в жерновах: одна берётся, а другая оставляется. Итак, бодрствуйте, молитесь, потому что не знаете, в который час Господь ваш приидет. Но это вы знаете, что, если бы ведал хозяин дома, в какую стражу придёт вор, то бодрствовал бы и не дал бы подкопать дома своего. Смотрите же за собою, чтобы сердца ваши не отягчались объядением, пьянством и заботами житейскими, и чтобы день тот не постиг вас внезапно, ибо он, как сеть, найдёт на всех живущих по всему лицу земному; итак, бодрствуйте на всякое время и молитесь, да сподобитесь избежать всех сих будущих бедствий и предстать пред Сына Человеческого. Потому и вы будьте готовы, ибо в который час не думаете, приидет Сын Человеческий».

м. Притча о задании слугам перед отхождением в путь[514]

Марка.13:34-37	хозяин дома: вечером, или в полночь, или в пение петухов, или поутру;
34 Подобно как бы кто, отходя в путь и оставляя дом свой, дал слугам своим власть и каждому свое дело, и приказал привратнику бодрствовать. **35** Итак, бодрствуйте, ибо не знаете, когда придет	**36** чтобы, придя внезапно, не нашел вас спящими. **37** А что вам говорю, говорю всем: бодрствуйте. 14:1 ... [515]

511 *Иисус сказал похожее в Своей проповеди в Иудее, восходя в Иерусалим (Луки.12:35-41 (Готовность к приходу Сына Человеческого), стр. 138).*

513 *Луки.21:37-38 (Иисус учит в храме, а ночи проводит на горе), стр. 162.*

512 *Матфея.24:45-51 (Притча о верном и благоразумном рабе), стр. 182.*

514 *Иисус сказал похожее в Своей проповеди в Иудее, восходя в Иерусалим (Луки.12:35-41 (Готовность к приходу Сына Человеческого), стр. 138).*

515 *Марка.14:01-02 (Совет первосвященников, книжников и старейшин), стр. 185.*

н.   Притча о верном и благоразумном рабе[516]

Матфея.24:45-51	им поставит его.
44 … [517] 45 Кто же верный и благоразумный раб, которого господин его поставил над слугами своими, чтобы давать им пищу во время? 46 Блажен тот раб, которого господин его, придя, найдет поступающим так; 47 истинно говорю вам, что над всем имением сво-	48 Если же раб тот, будучи зол, скажет в сердце своем: «не скоро придет господин мой», 49 и начнет бить товарищей своих и есть и пить с пьяницами, — 50 то придет господин раба того в день, в который он не ожидает, и в час, в который не думает, 51 и рассечет его, и подвергнет его одной участи с лицемерами; там будет плач и скрежет зубов.

о.   Подобие Царства Небесного — десять дев

Матфея.25:01-13	ники свои.
1 Тогда подобно будет Царство Небесное десяти девам, которые, взяв светильники свои, вышли навстречу жениху. 2 Из них пять было мудрых и пять неразумных. 3 Неразумные, взяв светильники свои, не взяли с собою масла. 4 Мудрые же, вместе со светильниками своими, взяли масла в сосудах своих. 5 И как жених замедлил, то задремали все и уснули. 6 Но в полночь раздался крик: «вот, жених идет, выходите навстречу ему». 7 Тогда встали все девы те и поправили светиль-	8 Неразумные же сказали мудрым: «дайте нам вашего масла, потому что светильники наши гаснут». 9 А мудрые отвечали: «чтобы не случилось недостатка и у нас и у вас, пойдите лучше к продающим и купите себе». 10 Когда же пошли они покупать, пришел жених, и готовые вошли с ним на брачный пир, и двери затворились;[518] 11 после приходят и прочие девы, и говорят: «Господи! Господи! Отвори нам».[518] 12 Он же сказал им в ответ: «истинно говорю вам: не знаю вас».[518] 13 Итак, бодрствуйте, потому что не знаете ни дня, ни часа, в который приидет Сын Человеческий.

п.   Притча о талантах[519]

Матфея.25:14-30	17 точно так же и получивший два таланта приобрел другие два;
14 Ибо Он поступит, как человек, который, отправляясь в чужую страну, призвал рабов своих и поручил им имение свое: 15 и одному дал он пять талантов, другому два, иному один, каждому по его силе; и тотчас отправился. 16 Получивший пять талантов пошел, употребил их в дело и приобрел другие пять талантов;	18 получивший же один талант пошел и закопал его в землю и скрыл серебро господина своего. 19 По долгом времени, приходит господин рабов тех и требует у них отчета. 20 И, подойдя, получивший пять талантов принес другие пять талантов и говорит: «господин! Пять талантов ты дал мне; вот, другие пять талантов я приобрел на них».

---

516 Иисус сказал похожее в Своей проповеди в Иудее, восходя в Иерусалим (Луки.12:42-48 (Благоразумный домоправитель), стр. 139).

517 Матфея.24:32-44 (Притча о распускающейся смоковнице), стр. 180.

518 Иисус сказал похожее в Своей проповеди в Иудее, восходя в Иерусалим Луки.13:23-30 (Иисус говорит о спасении), стр. 141.

519 Иисус сказал похожее в другой притче (Луки.19:11-28 (Притча о правителе и распределении мин), стр. 151).

²¹ Господин его сказал ему: «хорошо, добрый и верный раб! В малом ты был верен, над многим тебя поставлю; войди в радость господина твоего».

²² Подошел также и получивший два таланта и сказал: «господин! Два таланта ты дал мне; вот, другие два таланта я приобрел на них».

²³ Господин его сказал ему: «хорошо, добрый и верный раб! В малом ты был верен, над многим тебя поставлю; войди в радость господина твоего».

²⁴ Подошел и получивший один талант и сказал: «господин! Я знал тебя, что ты человек жестокий, жнешь, где не сеял, и собираешь, где не рассыпал,

²⁵ и, убоявшись, пошел и скрыл талант твой в зем-

ле; вот тебе твое».

²⁶ Господин же его сказал ему в ответ: «лукавый раб и ленивый! Ты знал, что я жну, где не сеял, и собираю, где не рассыпал;

²⁷ посему надлежало тебе отдать серебро мое торгующим, и я, придя, получил бы мое с прибылью;

²⁸ итак, возьмите у него талант и дайте имеющему десять талантов,

²⁹ ибо всякому имеющему дастся и приумножится, а у неимеющего отнимется и то, что имеет;

³⁰ а негодного раба выбросьте во тьму внешнюю: там будет плач и скрежет зубов». Сказав сие, Иисус возгласил: кто имеет уши слышать, да слышит!

р. Разделение овец и козлов после пришествия Иисуса Христа

Матфея.25:31-46	Или нагим, и одели?
³¹ Когда же приидет Сын Человеческий во славе Своей и все святые Ангелы с Ним, тогда сядет на престоле славы Своей,	³⁹ Когда мы видели Тебя больным, или в темнице, и пришли к Тебе?»
³² и соберутся пред Ним все народы; и отделит одних от других, как пастырь отделяет овец от козлов;	⁴⁰ И Царь скажет им в ответ: «истинно говорю вам: так как вы сделали это одному из сих братьев Моих меньших, то сделали Мне».
³³ и поставит овец по правую Свою сторону, а козлов — по левую.	⁴¹ Тогда скажет и тем, которые по левую сторону: «идите от Меня, проклятые, в огонь вечный, уготованный диаволу и ангелам его:
³⁴ Тогда скажет Царь тем, которые по правую сторону Его: «приидите, благословенные Отца Моего, наследуйте Царство, уготованное вам от создания мира:	⁴² ибо алкал Я, и вы не дали Мне есть; жаждал, и вы не напоили Меня;
³⁵ ибо алкал Я, и вы дали Мне есть; жаждал, и вы напоили Меня; был странником, и вы приняли Меня;	⁴³ был странником, и не приняли Меня; был наг, и не одели Меня; болен и в темнице, и не посетили Меня».
³⁶ был наг, и вы одели Меня; был болен, и вы посетили Меня; в темнице был, и вы пришли ко Мне».	⁴⁴ Тогда и они скажут Ему в ответ: «Господи! Когда мы видели Тебя алчущим, или жаждущим, или странником, или нагим, или больным, или в темнице, и не послужили Тебе?»
³⁷ Тогда праведники скажут Ему в ответ: «Господи! Когда мы видели Тебя алчущим, и накормили? Или жаждущим, и напоили?	⁴⁵ Тогда скажет им в ответ: «истинно говорю вам: так как вы не сделали этого одному из сих меньших, то не сделали Мне».
³⁸ Когда мы видели Тебя странником, и приняли?	⁴⁶ И пойдут сии в муку вечную, а праведники в жизнь вечную.

с. Приближение Пасхи и предстоящее предательство Иисуса

Матфея.26:01-02	² вы знаете, что через два дня будет Пасха, и Сын Человеческий предан будет на распятие.
¹ Когда Иисус окончил все слова сии, то сказал ученикам Своим:	³ ... ⁵²⁰

183

246. ЕЛЛИНЫ ХОТЯТ ВИДЕТЬ ИИСУСА
Иерусалим, Иудея

Иоанна.12:20-22	
19 ... 521 20 Из пришедших на поклонение в праздник были некоторые Еллины.	21 Они подошли к Филиппу, который был из Вифсаиды Галилейской, и просили его, говоря: господин! Нам хочется видеть Иисуса. 22 Филипп идет и говорит о том Андрею; и потом Андрей и Филипп сказывают о том Иисусу.

а. Пришёл час прославиться Сыну Человеческому

Иоанна.12:23-27	
23 Иисус же сказал им в ответ: пришел час прославиться Сыну Человеческому. 24 Истинно, истинно говорю вам: если пшеничное зерно, пав в землю, не умрет, то останется одно; а если умрет, то принесет много плода. 25 Любящий душу свою погубит ее; а ненавидя-	щий душу свою в мире сем сохранит ее в жизнь вечную. 26 Кто Мне служит, Мне да последует; и где Я, там и слуга Мой будет. И кто Мне служит, того почтит Отец Мой. 27 Душа Моя теперь возмутилась; и что Мне сказать? Отче! Избавь Меня от часа сего! Но на сей час Я и пришел.

б. Глас с неба прославляет Иисуса

Иоанна.12:28-33	
28 Отче! Прославь имя Твое. Тогда пришел с неба глас: и прославил и еще прославлю. 29 Народ, стоявший и слышавший *то*, говорил: это гром; а другие говорили: Ангел говорил Ему. 30 Иисус на это сказал: не для Меня был глас сей,	но для народа. 31 Ныне суд миру сему; ныне князь мира сего изгнан будет вон. 32 И когда Я вознесен буду от земли, всех привлеку к Себе. 33 Сие говорил Он, давая разуметь, какою смертью Он умрет.

в. Народ спрашивает о Христе

Иоанна.12:34-36а	
34 Народ отвечал Ему: мы слышали из закона, что Христос пребывает вовек; как же Ты говоришь, что должно вознесену быть Сыну Человеческому? Кто Этот Сын Человеческий?	35 Тогда Иисус сказал им: еще на малое время свет есть с вами; ходите, пока есть свет, чтобы не объяла вас тьма, — а ходящий во тьме не знает, куда идет. 36а Доколе свет с вами, веруйте в свет, да будете сынами света....

г. Иисус скрывается от народа

Иоанна.12:36б	
	36б ...Сказав это, Иисус отошел и скрылся от них.

---

520 *Матфея.26:03-05 (Совет первосвященников, книжников и старейшин), стр. 185.*
521 *Иоанна.12:19 (Разговоры фарисеев между собой), стр. 158.*

д. Неверие в Иисуса

Иоанна.12:37-41	
37 Столько чудес сотворил Он пред ними, и они не веровали в Него 38 да сбудется слово Исаии пророка: «Господи! Кто поверил слышанному от нас? И кому открылась мышца Господня?»	39 Потому не могли они веровать, что, как еще сказал Исаия 40 «народ сей ослепил глаза свои и окаменил сердце свое, да не видят глазами, и не уразумеют сердцем, и не обратятся, чтобы Я исцелил их». 41 Сие сказал Исаия, когда видел славу Его и говорил о Нем.

е. Уверовавшие начальники

Иоанна.12:42-43	
42 Впрочем и из начальников многие уверовали в Него; но ради фарисеев не исповедывали, чтобы	не быть отлученными от синагоги 43 ибо возлюбили больше славу человеческую, нежели славу Божию.

ж. Верующий в Иисуса верит в Пославшего

Иоанна.12:44-50	
44 Иисус же возгласил и сказал: верующий в Меня не в Меня верует, но в Пославшего Меня. 45 И видящий Меня видит Пославшего Меня. 46 Я свет пришел в мир, чтобы всякий верующий в Меня не оставался во тьме. 47 И если кто услышит Мои слова и не поверит, Я не сужу его, ибо Я пришел не судить мир, но спасти мир.	48 Отвергающий Меня и не принимающий слов Моих имеет судью себе: слово, которое Я говорил, оно будет судить его в последний день. 49 Ибо Я говорил не от Себя; но пославший Меня Отец, Он дал Мне заповедь, что сказать и что говорить. 50 И Я знаю, что заповедь Его есть жизнь вечная. Итак, что Я говорю, говорю, как сказал Мне Отец. 13:1 … [522]

247. СОВЕТ ПЕРВОСВЯЩЕННИКОВ, КНИЖНИКОВ И СТАРЕЙШИН
Иерусалим, Иудея

Матфея.26:03-05	Марка.14:01-02	Луки.22:01-02
2 … [523] 3 Тогда собрались первосвященники и книжники и старейшины народа во двор первосвященника, по имени Каиафы 4 и положили в совете взять Иисуса хитростью и убить; 5 но говорили: только не в праздник, чтобы не сделалось возмущения в народе.	13:37 … [524] 1 Через два дня *надлежало* быть *празднику* Пасхи и опресноков. И искали первосвященники и книжники, как бы взять Его хитростью и убить; 2 но говорили: *только не в* праздник, чтобы не произошло возмущения в народе.	21:38 … [525] 1 Приближался праздник опресноков, называемый Пасхою 2 и искали первосвященники и книжники, как бы погубить Его, потому что боялись народа. 3 … [526]

---

522 *Иоанна.13:01-17 (Омовение ног), стр. 189.*

523 *Матфея.26:01-02 (Приближение Пасхи и предстоящее предательство Иисуса), стр. 183.*

524 *Марка.13:34-37 (Притча о задании слугам перед отхождением в путь), стр. 181.*

525 *Луки.21:37-38 (Иисус учит в храме, а ночи проводит на горе), стр. 162.*

526 *Луки.22:03-06 (Предательство Иуды), стр. 187.*

Через два дня *надлежало* быть *празднику* Пасхи и опресноков. Тогда собрались первосвященники, книжники и старейшины народа во двор первосвященника по	имени Каиафы и, положив в совете убить Иисуса, искали, как бы взять Его хитростью, но говорили: «Только не в праздник, чтобы не сделалось возмущения в народе».

248. ИИСУС НА ВЕЧЕРЕ ЗА ДВА ДНЯ ДО ПАСХИ[527] [528]
Вифания, Иудея

Матфея.26:06-13	Марка.14:03-09
[6] Когда же Иисус был в Вифании, в доме Симона прокаженного [7] приступила к Нему женщина с алавастровым сосудом мира драгоценного и возливала Ему возлежащему на голову. [8] Увидев это, ученики Его вознегодовали и говорили: к чему такая трата? [9] Ибо можно было бы продать это миро за большую цену и дать нищим. [10] Но Иисус, уразумев сие, сказал им: что смущаете женщину? Она доброе дело сделала для Меня: [11] ибо нищих всегда имеете с собою, а Меня не всегда имеете; [12] возлив миро сие на тело Мое, она приготовила Меня к погребению; [13] истинно говорю вам: где ни будет проповедано Евангелие сие в целом мире, сказано будет в память ее и о том, что она сделала.	[3] И когда был Он в Вифании, в доме Симона прокаженного, и возлежал, — пришла женщина с алавастровым сосудом мира из нарда чистого, драгоценного и, разбив сосуд, возлила Ему на голову. [4] Некоторые же вознегодовали и говорили между собою: к чему сия трата мира? [5] Ибо можно было бы продать его более нежели за триста динариев и раздать нищим. И роптали на нее. [6] Но Иисус сказал: оставьте ее; что ее смущаете? Она доброе дело сделала для Меня. [7] Ибо нищих всегда имеете с собою и, когда захотите, можете им благотворить; а Меня не всегда имеете. [8] Она сделала, что могла: предварила помазать тело Мое к погребению. [9] Истинно говорю вам: где ни будет проповедано Евангелие сие в целом мире, сказано будет, в память ее, и о том, что она сделала.

И когда был Он в Вифании, в доме Симона прокажённого, и возлежал, — пришла женщина с алавастровым сосудом мира из нарда чистого, драгоценного и, разбив сосуд, возлила Ему на голову. Некоторые ученики, увидев, вознегодовали и говорили между собою: «К чему сия трата мира? Ибо можно было бы продать его более, нежели за триста динариев, и раздать нищим». И роптали на неё.	Но Иисус, уразумев сие, сказал им: «Оставьте ее; что её смущаете? Она доброе дело сделала для Меня. Ибо нищих всегда имеете с собою, и, когда захотите, можете им благотворить; а Меня не всегда имеете. Она сделала, что могла: возлив миро сие на тело Моё, она приготовила Меня к погребению. Истинно говорю вам: где ни будет проповедано Евангелие сие в целом мире, сказано будет в память ее и о том, что она сделала».

---

[527] *Иисусу впервые омыли ноги, когда Он был ещё в Галилее (Луки.07:36-50 (Омовение ног Иисуса), стр. 59). Второй раз — за шесть дней до Пасхи (Иоанна.12:01-09 (Иисус на вечере за шесть дней до Пасхи), стр. 155). В третий — в данном событии.*

[528] *Иоанн описывает, что Иисус уже был в Вифании за шесть дней до Пасхи, скорее всего, в доме Марфы, Марии и Лазаря (Иоанна.12:01-09 (Иисус на вечере за шесть дней до Пасхи), стр. 155).Там Мария помазала Иисуса миром, но только Его ноги. Возможно, данное событие и то, которое описал Иоанн, одно и то же; но маловероятно, так как существует несколько отличающихся ключевых моментов.*

249. ПРЕДАТЕЛЬСТВО ИУДЫ
Иерусалим, Иудея

Матфея.26:14-16	Марка.14:10-11	Луки.22:03-06	Иоанна.13:02б
¹⁴ Тогда один из двенадцати, называемый Иуда Искариот, пошел к первосвященникам ¹⁵ и сказал: что вы дадите мне, и я вам предам Его? Они предложили ему тридцать сребренников; ¹⁶ и с того времени он искал удобного случая предать Его.	¹⁰ И пошел Иуда Искариот, один из двенадцати, к первосвященникам, чтобы предать Его им. ¹¹ Они же, услышав, обрадовались, и обещали дать ему сребренники. И он искал, как бы в удобное время предать Его.	² ... [529] ³ Вошел же сатана в Иуду, прозванного Искариотом, одного из числа двенадцати ⁴ и он пошел, и говорил с первосвященниками и начальниками, как Его предать им. ⁵ Они обрадовались и согласились дать ему денег; ⁶ и он обещал, и искал удобного времени, чтобы предать Его им не при народе.	¹ ... [530] ²б ...диавол уже вложил в сердце Иуде Симонову Искариоту предать Его

Диавол вложил в сердце Иуде Симонову Искариоту, одному из числа двенадцати, предать Иисуса.

Он пошёл и говорил с первосвященниками и начальниками, и сказал: «Что вы дадите мне, и я вам предам Его?» Они же, услышав, обрадовались и предложили ему тридцать сребренников; и он обещал и искал удобного времени, чтобы предать Его им не при народе.

250. ПОВЕЛЕНИЕ ИИСУСА О ПРИГОТОВЛЕНИИ ПАСХИ
Иерусалим, Иудея

Матфея.26:17-18	Марка.14:12-15	Луки.22:07-12
¹⁷ В первый же день опресночный приступили ученики к Иисусу и сказали Ему: где велишь нам приготовить Тебе пасху?[531] ¹⁸ Он сказал: пойдите в город к такому — то и скажите ему: «Учитель говорит: время Мое близко; у тебя совершу пасху с учениками Моими».	¹² В первый день опресноков, когда закалали пасхального *агнца*, говорят Ему ученики Его: где хочешь есть пасху? Мы пойдем и приготовим.[531] ¹³ И посылает двух из учеников Своих и говорит им: пойдите в город; и встретится вам человек, несущий кувшин воды; последуйте за ним ¹⁴ и куда он войдет, скажите хозяину дома того: «Учитель говорит: где комната, в которой бы Мне есть пасху с учениками Мои-	⁷ Настал же день опресноков, в который надлежало закалать пасхального *агнца* ⁸ и послал *Иисус* Петра и Иоанна, сказав: пойдите, приготовьте нам есть пасху.[531] ⁹ Они же сказали Ему: где велишь нам приготовить? ¹⁰ Он сказал им: вот, при входе вашем в город, встретится с вами человек, несущий кувшин воды; последуйте за ним в дом, в который войдет он,

529 *Луки.22:01-02 (Совет первосвященников, книжников и старейшин), стр. 185.*

530 *Иоанна.13:01-17 (Омовение ног), стр. 189.*

531 *Лука говорит, что сначала Иисус повелел приготовить Пасху, а только потом ученики спросили, где. Матфей и Марк не упоминают повеление Иисуса — ученики были первыми, кто спросил, где приготовить Пасху.*

	ми?» [15] И он покажет вам горницу большую, устланную, готовую: там приготовьте нам.	[11] и скажите хозяину дома: «Учитель говорит тебе: где комната, в которой бы Мне есть пасху с учениками Моими?» [12] И он покажет вам горницу большую устланную; там приготовьте.

В первый день опресноков, когда закалали пасхального *агнца*, послал *Иисус* Петра и Иоанна, сказав: «Пойдите, приготовьте нам есть пасху». Они же сказали Ему: «Где велишь нам приготовить?» Он сказал им: «Пойдите в город; и при входе в го-	род встретится вам человек, несущий кувшин воды; последуйте за ним и, куда он войдёт, скажите хозяину дома того: «Учитель говорит: «Время Моё близко; у тебя совершу пасху; где комната, в которой бы Мне есть пасху с учениками Моими?» И он покажет вам горницу большую, устланную, готовую: там приготовьте нам».

251. ПРИГОТОВЛЕНИЕ ПАСХИ УЧЕНИКАМИ
Иерусалим, Иудея

Матфея.26:19	*Марка.14:16*	*Луки.22:13*
[19] Ученики сделали, как повелел им Иисус, и приготовили пасху.	[16] И пошли ученики Его, и пришли в город, и нашли, как сказал им; и приготовили пасху.	[13] Они пошли, и нашли, как сказал им, и приготовили пасху.

И пошли ученики Его, и пришли в город, и нашли, как сказал им; и приготовили пасху.

252. ТАЙНАЯ ВЕЧЕРЯ[532]
Иерусалим, Иудея[533]

Матфея.26:20	*Марка.14:17*	*Луки.22:14-16*
[20] Когда же настал вечер, Он возлег с двенадцатью учениками; [21] … [534]	[17] Когда настал вечер, Он приходит с двенадцатью. [18] … [535]	[14] И когда настал час, Он возлег, и двенадцать Апостолов с Ним, [15] и сказал им: очень желал Я есть с вами сию пасху прежде Моего страдания, [16] ибо сказываю вам, что уже не буду есть ее, пока она не совершится в Царствии Божием. [17] … [536]

---

[532] *Иоанн, в противовес другим повествованиям, посвятил Тайной Вечере пять глав. Другие евангелисты только описали само событие, а Иоанн передал и то, что говорил Иисус. В связи с длинным описанием Иоанна возникает вопрос: а когда Иисус все это говорил? Во время Вечери, на пути на Елеонскую гору или в Гефсиманском саду? Скорее всего, когда Иисус был на Вечере, потому что после 17 главы Иоанна Иоанн (и Лука) только тогда говорит, что Иисус пошёл на гору. Значит, Матфей и Марк описали то, что было, а Лука, и особенно Иоанн, то, что было сказано.*

[533] *Не указано место, где была Тайная Вечеря. Из инструкций Иисуса о приготовлении Пасхи (Матфея.26:17-18, Марка.14:12-15 и Луки.22:07-12 (Повеление Иисуса о приготовлении Пасхи), стр. 187) можно предположить, что это было в Иерусалиме, так как ученики последовали за человеком с кувшином воды «в город».*

[534] *Матфея.26:21-25 (Иисус говорит о предателе), стр. 189.*

[535] *Марка.14:18-21 (Иисус говорит о предателе), стр. 189.*

И когда настал вечер, Он возлёг с двенадцатью учениками и сказал им: «Очень желал Я есть с вами сию пасху прежде Моего страдания, ибо ска-	зываю вам, что уже не буду есть ее, пока она не совершится в Царствии Божием».

а. Омовение ног[537]

Иоанна.13:01-17	части со Мною.
12:50 ... [538]	9 Симон Петр говорит Ему: Господи! Не только ноги мои, но и руки и голову.
1 Перед праздником Пасхи Иисус, зная, что пришел час Его перейти от мира сего к Отцу, *явил делом, что*, возлюбив Своих сущих в мире, до конца возлюбил их.	10 Иисус говорит ему: омытому нужно только ноги умыть, потому что чист весь; и вы чисты, но не все.
2 И во время вечери, когда диавол уже вложил в сердце Иуде Симонову Искариоту предать Его	11 Ибо знал Он предателя Своего, потому *и* сказал: не все вы чисты.
3 Иисус, зная, что Отец все отдал в руки Его, и что Он от Бога исшел и к Богу отходит	12 Когда же умыл им ноги и надел одежду Свою, то, возлегши опять, сказал им: знаете ли, что Я сделал вам?
4 встал с вечери, снял *с Себя верхнюю* одежду и, взяв полотенце, препоясался.	13 Вы называете Меня Учителем и Господом, и правильно говорите, ибо Я точно то.
5 Потом влил воды в умывальницу и начал умывать ноги ученикам и отирать полотенцем, которым был препоясан.	14 Итак, если Я, Господь и Учитель, умыл ноги вам, то и вы должны умывать ноги друг другу.
6 Подходит к Симону Петру, и тот говорит Ему: Господи! Тебе ли умывать мои ноги?	15 Ибо Я дал вам пример, чтобы и вы делали то же, что Я сделал вам.
7 Иисус сказал ему в ответ: что Я делаю, теперь ты не знаешь, а уразумеешь после.	16 Истинно, истинно говорю вам: раб не больше господина своего, и посланник не больше пославшего его.
8 Петр говорит Ему: не умоешь ног моих вовек. Иисус отвечал ему: если не умою тебя, не имеешь	17 Если это знаете, блаженны вы, когда исполняете.

б. Иисус говорит о предателе

Матфея.26:21-25	Марка.14:18-21	Луки.22:21-23	Иоанна.13:18-22
20 ... [539]	17 ... [541]	20 ... [543]	18 Не о всех вас говорю; Я знаю, которых избрал. Но да сбудется Писание: «ядущий со Мною хлеб поднял на Меня пяту свою».
21 и когда они ели, сказал: истинно говорю вам, что один из вас предаст Меня.	18 И, когда они возлежали и ели, Иисус сказал: истинно говорю вам, один из вас, ядущий со Мною, предаст Меня.	21 И вот, рука предающего Меня со Мною за столом;	
22 Они весьма опечалились, и начали говорить Ему, каждый из них: не я ли, Господи?	19 Они опечалились и стали говорить Ему, один за другим: не я ли? И другой: не я ли?	22 впрочем, Сын Человеческий идет по предназначению, но горе тому человеку, которым Он предается.	19 Теперь сказываю вам, прежде нежели то сбылось, дабы, когда сбудется, вы поверили, что это Я.
23 Он же сказал в ответ: опустивший со Мною	20 Он же сказал им в от-	23 И они начали спрашивать друг друга, кто бы	

---

536 *Луки.22:17-20 (Хлеб и вино), стр. 191.*

537 *Омовение ног было, скорее всего, до того, когда Иисус сказал о предателе. Когда Иисус это сказал, то Иуда тут же вышел. Если б Иисус омыл ноги после того, когда сказал о предателе, то не омыл бы ноги Иуде. Иоанн говорил, что Иисус омыл ноги и Иуде.*

538 *Иоанна.12:44-50 (Верующий в Иисуса верит в Пославшего), стр. 185.*

539 *Матфея.26:20 (Тайная Вечеря), стр. 188.*

руку в блюдо, этот предаст Меня; 24 впрочем Сын Человеческий идет, как писано о Нем, но горе тому человеку, которым Сын Человеческий предается: лучше было бы этому человеку не родиться. 25 При сем и Иуда, предающий Его, сказал: не я ли, Равви? *Иисус говорит ему: ты сказал.* 26 ... 540	вет: один из двенадцати, обмакивающий со Мною в блюдо. 21 Впрочем Сын Человеческий идет, как писано о Нем; но горе тому человеку, которым Сын Человеческий предается: лучше было бы тому человеку не родиться. 22 ... 542	из них был, который это сделает. 24 ... 544	20 Истинно, истинно говорю вам: принимающий того, кого Я пошлю, Меня принимает; а принимающий Меня принимает Пославшего Меня. 545 21 Сказав это, Иисус возмутился духом, и засвидетельствовал, и сказал: истинно, истинно говорю вам, что один из вас предаст Меня. 22 Тогда ученики озирались друг на друга, недоумевая, о ком Он говорит.

«Не о всех вас говорю; Я знаю, которых избрал. Но да сбудется Писание: «Ядущий со Мною хлеб поднял на Меня пяту свою». Теперь сказываю вам, прежде, нежели то сбылось, дабы, когда сбудется, вы поверили, что это Я. Истинно, истинно говорю вам: принимающий того, кого Я пошлю, Меня принимает; а принимающий Меня принимает Пославшего Меня». И когда они возлежали и ели, Иисус возмутился духом и засвидетельствовал, и сказал: «Истинно говорю вам, один из вас, ядущий со Мною, предаст Меня». Тогда ученики озирались друг на друга, недоуме-	вая, о ком Он говорит. И они весьма опечалились и начали говорить Ему, один за другим: «Не я ли Господи?» И другой: «Не я ли?» Он же сказал им в ответ: «Один из двенадцати, опустивший со Мною руку в блюдо, этот предаст Меня. Впрочем, Сын Человеческий идёт, как писано о Нем; но горе тому человеку, которым Сын Человеческий предаётся: лучше было бы тому человеку не родиться». При сем и Иуда, предающий Его, сказал: «Не я ли, Равви?» *Иисус говорит ему: «Ты сказал».*

в. Сатана входит в Иуду

Иоанна.13:23-35 23 Один же из учеников Его, которого любил Иисус, возлежал у груди Иисуса. 24 Ему Симон Петр сделал знак, чтобы спросил, кто это, о котором говорит. 25 Он, припав к груди Иисуса, сказал Ему: Госпо-	ди! Кто это? 26 Иисус отвечал: тот, кому Я, обмакнув кусок хлеба, подам. И, обмакнув кусок, подал Иуде Симонову Искариоту. 27 И после сего куска вошел в него сатана. Тогда Иисус сказал ему: что делаешь, делай скорее.

---

540 *Матфея.26:26-29 (Хлеб и вино), стр. 191.*

543 *Луки.22:17-20 (Хлеб и вино), стр. 191.*

541 *Марка.14:17 (Тайная Вечеря), стр. 188.*

542 *Марка.14:22-25 (Хлеб и вино), стр. 191.*

544 *Луки.22:24-30 (Кто больше), стр. 192.*

545 *Иисус сказал похожее, наставляя двенадцать учеников на проповедь (Матфея.10:40-42 (Принимающий вас), стр. 87) и беседуя с учениками в Капернауме, Галилея (Матфея.18:01-05, Марка.09:33-37 и Луки.09:46-48 (Кто больше), стр. 122).*

28 Но никто из возлежавших не понял, к чему Он это сказал ему.	33 Дети! Недолго уже быть Мне с вами. Будете искать Меня, и, как сказал Я Иудеям, что, куда Я иду, вы не можете придти, так и вам говорю теперь.
29 А как у Иуды был ящик, то некоторые думали, что Иисус говорит ему: «купи, что нам нужно к празднику, или чтобы дал что-нибудь нищим».	
30 Он, приняв кусок, тотчас вышел; а была ночь.	34 Заповедь новую даю вам, да любите друг друга; как Я возлюбил вас, так и вы да любите друг друга.
31 Когда он вышел, Иисус сказал: ныне прославился Сын Человеческий, и Бог прославился в Нем.	35 По тому узнают все, что вы Мои ученики, если будете иметь любовь между собою.
32 Если Бог прославился в Нем, то и Бог прославит Его в Себе, и вскоре прославит Его.	36 ... 546

г. Хлеб и вино

Матфея.26:26-29	*Марка.14:22-25*	*Луки.22:17-20*
25 ... 547	21 ... 549	16 ... 551
26 И когда они ели, Иисус взял хлеб и, благословив, преломил и, раздавая ученикам, сказал: приимите, ядите: сие есть Тело Мое.	22 И когда они ели, Иисус, взяв хлеб, благословил, преломил, дал им и сказал: приимите, ядите; сие есть Тело Мое.	17 И, взяв чашу и благодарив, сказал: приимите ее и разделите между собою,
27 И, взяв чашу и благодарив, подал им и сказал: пейте из нее все,	23 И, взяв чашу, благодарив, подал им: и пили из нее все.	18 ибо сказываю вам, что не буду пить от плода виноградного, доколе не придет Царствие Божие.
28 ибо сие есть Кровь Моя Нового Завета, за многих изливаемая во оставление грехов.	24 И сказал им: сие есть Кровь Моя Нового Завета, за многих изливаемая.	19 И, взяв хлеб и благодарив, преломил и подал им, говоря: сие есть Тело Мое, которое за вас предается; сие творите в Мое воспоминание.
29 Сказываю же вам, что отныне не буду пить от плода сего виноградного до того дня, когда буду пить с вами новое вино в Царстве Отца Моего.	25 Истинно говорю вам: Я уже не буду пить от плода виноградного до того дня, когда буду пить новое вино в Царствии Божием.	20 Также и чашу после вечери, говоря: сия чаша есть Новый Завет в Моей Крови, которая за вас проливается.
30 ... 548	26 ... 550	21 ... 552

И когда они ели, Иисус взял хлеб, благословил, преломил и, раздавая ученикам, сказал: «Сие есть Тело Моё, которое за вас предаётся; сие творите в Моё воспоминание».	Завета, за многих изливаемая во оставление грехов.
И, взяв чашу и благодарив, подал им и сказал: «Пейте из неё все, ибо сие есть Кровь Моя Нового	Сказываю же вам, что отныне не буду пить от плода сего виноградного до того дня, когда буду пить с вами новое вино в Царстве Отца Моего».

---

546 *Иоанна.13:36-38 (Иисус говорит об отречении Петра), стр. 192.*

547 *Матфея.26:21-25 (Иисус говорит о предателе), стр. 189.*

548 *Матфея.26:30 (Восшествие на гору Елеонскую), стр. 197.*

549 *Марка.14:18-21 (Иисус говорит о предателе), стр. 189.*

550 *Марка.14:26 (Восшествие на гору Елеонскую), стр. 197.*

551 *Луки.22:14-16 (Тайная Вечеря), стр. 188.*

552 *Луки.22:21-23 (Иисус говорит о предателе), стр. 189.*

д. Кто больше[553]

Луки.22:24-30	
23 ...[554]	27 Ибо кто больше: возлежащий, или служащий? Не возлежащий ли? А Я посреди вас, как служащий.
24 Был же и спор между ними, кто из них должен почитаться большим.	28 Но вы пребыли со Мною в напастях Моих,
25 Он же сказал им: цари господствуют над народами, и владеющие ими благодетелями называются,	29 и Я завещаваю вам, как завещал Мне Отец Мой, Царство,
26 а вы не так: но кто из вас больше, будь как меньший, и начальствующий — как служащий.	30 да ядите и пиете за трапезою Моею в Царстве Моем, и сядете на престолах судить двенадцать колен Израилевых.

е. Иисус говорит об отречении Петра

Матфея.26:31-35	Марка.14:27-31	Луки.22:31-34	Иоанна.13:36-38
30 ...[555]	26 ...[557]	31 И сказал Господь: Симон! Симон! Се, сатана просил, чтобы сеять вас как пшеницу,	35 ...[559]
31 Тогда говорит им Иисус: все вы соблазнитесь о Мне в эту ночь, ибо написано: «поражу пастыря, и рассеются овцы стада»;	27 И говорит им Иисус: все вы соблазнитесь о Мне в эту ночь; ибо написано: «поражу пастыря, и рассеются овцы».	32 но Я молился о тебе, чтобы не оскудела вера твоя; и ты некогда, обратившись, утверди братьев твоих.	36 Симон Петр сказал Ему: Господи! Куда Ты идешь? Иисус отвечал ему: куда Я иду, ты не можешь теперь за Мною идти, а после пойдешь за Мною.
32 по воскресении же Моем предварю вас в Галилее.	28 По воскресении же Моем, Я предварю вас в Галилее.	33 Он отвечал Ему: Господи! С Тобою я готов и в темницу и на смерть идти.	37 Петр сказал Ему: Господи! Почему я не могу идти за Тобою теперь? Я душу мою положу за Тебя.
33 Петр сказал Ему в ответ: если и все соблазнятся о Тебе, я никогда не соблазнюсь.	29 Петр сказал Ему: если и все соблазнятся, но не я.	34 Но Он сказал: говорю тебе, Петр, не пропоет петух сегодня, как ты трижды отречешься, что не знаешь Меня.	38 Иисус отвечал ему: душу твою за Меня положишь? Истинно, истинно говорю тебе: не пропоет петух, как отречешься от Меня трижды.
34 Иисус сказал ему: истинно говорю тебе, что в эту ночь, прежде нежели пропоет петух, трижды отречешься от Меня.	30 И говорит ему Иисус: истинно говорю тебе, что ты ныне, в эту ночь, прежде нежели дважды пропоет петух, трижды отречешься от Меня.		14:1 ...[560]
35 Говорит Ему Петр: хотя бы надлежало мне и умереть с Тобою, не отрекусь от Тебя. Подобное говорили и все ученики.	31 Но он еще с большим усилием говорил: хотя бы мне надлежало и умереть с Тобою, не отрекусь от Тебя. То же и все говорили.		
	32 ...[558]		

---

553 *Иисус сказал похожее, беседуя с учениками в Капернауме, Галилея (Матфея.18:01-05, Марка.09:33-37, и Луки.09:46-48 (Кто больше), стр. 122).*

554 *Луки.22:21-23 (Иисус говорит о предателе), стр. 189.*

555 *Матфея.26:30 (Восшествие на гору Елеонскую), стр. 197.*

557 *Марка.14:26 (Восшествие на гору Елеонскую), стр. 197.*

558 *Марка.14:32 (Молитва в Гефсимании), стр. 198.*

559 *Иоанна.13:23-35 (Сатана входит в Иуду), стр. 190.*

560 *Иоанна.14:01-04 (В доме Отца обителей много), стр. 193.*

36 ... [556]			

Тогда говорит им Иисус: «Все вы соблазнитесь о Мне в эту ночь; ибо написано: «Поражу пастыря, и рассеются овцы стада». По воскресении же Моем, Я предварю вас в Галилее.	Петр сказал Ему: «Господи! Почему я не могу идти за Тобою теперь? Я душу мою положу за Тебя. Если и все соблазнятся о Тебе, я никогда не соблазнюсь. С Тобою я готов и в темницу, и на смерть идти».
И сказал Господь: «Симон! Симон! Се, сатана просил, чтобы сеять вас как пшеницу, но Я молился о тебе, чтобы не оскудела вера твоя; и ты некогда, обратившись, утверди братьев твоих».	И говорит ему Иисус: «Душу твою за Меня положишь? Истинно говорю тебе, что ты ныне, в эту ночь, прежде, нежели дважды пропоёт петух, трижды отречёшься от Меня, что не знаешь Меня».
Симон Петр сказал Ему: «Господи! Куда Ты идёшь?»	Но он с ещё большим усилием говорил: «Хотя бы надлежало мне и умереть с Тобою, не отрекусь от Тебя». Подобное говорили и все ученики.
Иисус отвечал ему: «Куда Я иду, ты не можешь теперь за Мною идти, а после пойдёшь за Мною».	

ж.   Иисус будет причтён к злодеям

Луки.22:35-38	продай одежду свою и купи меч;
[35] И сказал им: когда Я посылал вас без мешка и без сумы и без обуви, имели ли вы в чем недостаток? Они отвечали: ни в чем.	[37] ибо сказываю вам, что должно исполниться на Мне и сему написанному: «и к злодеям причтен». Ибо то, что о Мне, приходит к концу.
[36] Тогда Он сказал им: но теперь, кто имеет мешок, тот возьми его, также и суму; а у кого нет,	[38] Они сказали: Господи! Вот, здесь два меча. Он сказал им: довольно. 39 ... [561]

з.   В доме Отца обителей много

Иоанна.14:01-04	не так, Я сказал бы вам: «Я иду приготовить место вам.
13:38 ... [562]	[3] И когда пойду и приготовлю вам место, приду опять и возьму вас к Себе, чтобы и вы были, где Я».
[1] Да не смущается сердце ваше; веруйте в Бога, и в Меня веруйте.	[4] А куда Я иду, вы знаете, и путь знаете.
[2] В доме Отца Моего обителей много. А если бы	

и.   Видевший Меня видел Отца

Иоанна.14:05-11	Моего. И отныне знаете Его и видели Его.
[5] Фома сказал Ему: Господи! Не знаем, куда идешь; и как можем знать путь?	[8] Филипп сказал Ему: Господи! Покажи нам Отца, и довольно для нас.
[6] Иисус сказал ему: Я есмь путь и истина и жизнь; никто не приходит к Отцу, как только через Меня.	[9] Иисус сказал ему: столько времени Я с вами, и ты не знаешь Меня, Филипп? Видевший Меня видел Отца; как же ты говоришь, «покажи нам Отца»?
[7] Если бы вы знали Меня, то знали бы и Отца	

556 *Матфея.26:36 (Молитва в Гефсимании), стр. 198.*

561 *Луки.22:39 (Восшествие на гору Елеонскую), стр. 197.*

562 *Иоанна.13:36-38 (Иисус говорит об отречении Петра), стр. 192.*

¹⁰ Разве ты не веришь, что Я в Отце и Отец во Мне? Слова, которые говорю Я вам, говорю не от Себя; Отец, пребывающий во Мне, Он творит	дела. ¹¹ Верьте Мне, что Я в Отце и Отец во Мне; а если не так, то верьте Мне по самым делам.

к. Просьба к Отцу

Иоанна.14:12-15 ¹² Истинно, истинно говорю вам: верующий в Меня, дела, которые творю Я, и он сотворит; и больше сих сотворит, потому что Я к Отцу Моему	иду. ¹³ И если чего попросите у Отца во имя Мое, то сделаю, да прославится Отец в Сыне. ¹⁴ Если чего попросите во имя Мое, Я то сделаю. ¹⁵ Если любите Меня, соблюдите Мои заповеди.

л. Другой Утешитель[563]

Иоанна.14:16-26 ¹⁶ И Я умолю Отца, и даст вам другого Утешителя, да пребудет с вами вовек, ¹⁷ Духа истины, Которого мир не может принять, потому что не видит Его и не знает Его; а вы знаете Его, ибо Он с вами пребывает и в вас будет. ¹⁸ Не оставлю вас сиротами; приду к вам. ¹⁹ Еще немного, и мир уже не увидит Меня; а вы увидите Меня, ибо Я живу, и вы будете жить. ²⁰ В тот день узнаете вы, что Я в Отце Моем, и вы во Мне, и Я в вас. ²¹ Кто имеет заповеди Мои и соблюдает их, тот любит Меня; а кто любит Меня, тот возлюблен бу-	дет Отцем Моим; и Я возлюблю его и явлюсь ему Сам. ²² Иуда (не Искариот) говорит Ему: Господи! Что это, что Ты хочешь явить Себя нам, а не миру? ²³ Иисус сказал ему в ответ: кто любит Меня, тот соблюдет слово Мое; и Отец Мой возлюбит его, и Мы придем к нему и обитель у него сотворим. ²⁴ Не любящий Меня не соблюдает слов Моих; слово же, которое вы слышите, не есть Мое, но пославшего Меня Отца. ²⁵ Сие сказал Я вам, находясь с вами. ²⁶ Утешитель же, Дух Святый, Которого пошлет Отец во имя Мое, научит вас всему и напомнит вам все, что Я говорил вам.

м. Мир Мой даю вам

Иоанна.14:27-31 ²⁷ Мир оставляю вам, мир Мой даю вам; не так, как мир дает, Я даю вам. Да не смущается сердце ваше и да не устрашается. ²⁸ Вы слышали, что Я сказал вам: «иду от вас и приду к вам». Если бы вы любили Меня, то возрадовались бы, что Я сказал: «иду к Отцу»; ибо	Отец Мой более Меня. ²⁹ И вот, Я сказал вам о том, прежде нежели сбылось, дабы вы поверили, когда сбудется. ³⁰ Уже немного Мне говорить с вами; ибо идет князь мира сего, и во Мне не имеет ничего. ³¹ Но чтобы мир знал, что Я люблю Отца и, как заповедал Мне Отец, так и творю: встаньте, пойдем отсюда.

н. Истинная виноградная лоза

Иоанна.15:01-08 ¹ Я есмь истинная виноградная лоза, а Отец Мой — виноградарь.	² Всякую у Меня ветвь, не приносящую плода, Он отсекает; и всякую, приносящую плод, очищает, чтобы более принесла плода.

---

563 *Иисус далее в беседе с учениками ещё раз упомянул Утешителя и Его роль (Иоанна.16:05-14 (Действия Утешителя — Духа истины), стр. 196).*

³ Вы уже очищены через слово, которое Я проповедал вам.

⁴ Пребудьте во Мне, и Я в вас. Как ветвь не может приносить плода сама собою, если не будет на лозе, так и вы, если не будете во Мне.

⁵ Я есмь лоза, а вы — ветви; кто пребывает во Мне, и Я в нем, тот приносит много плода; ибо без Меня не можете делать ничего.

⁶ Кто не пребудет во Мне, извергнется вон, как ветвь, и засохнет; а такие ветви собирают и бросают в огонь, и они сгорают.

⁷ Если пребудете во Мне и слова Мои в вас пребудут, то, чего ни пожелаете, просите, и будет вам.

⁸ Тем прославится Отец Мой, если вы принесете много плода и будете Моими учениками.

о. Соблюдение заповедей

Иоанна.15:09-14

⁹ Как возлюбил Меня Отец, и Я возлюбил вас; пребудьте в любви Моей.

¹⁰ Если заповеди Мои соблюдете, пребудете в любви Моей, как и Я соблюл заповеди Отца Моего и пребываю в Его любви.

¹¹ Сие сказал Я вам, да радость Моя в вас пребу-

дет и радость ваша будет совершенна.

¹² Сия есть заповедь Моя, да любите друг друга, как Я возлюбил вас.

¹³ Нет больше той любви, как если кто положит душу свою за друзей своих.

¹⁴ Вы — друзья Мои, если исполняете то, что Я заповедую вам.

п. Друзья, а не рабы

Иоанна.15:15-27

¹⁵ Я уже не называю вас рабами, ибо раб не знает, что делает господин его; но Я назвал вас друзьями, потому что сказал вам все, что слышал от Отца Моего.

¹⁶ Не вы Меня избрали, а Я вас избрал и поставил вас, чтобы вы шли и приносили плод, и чтобы плод ваш пребывал, дабы, чего ни попросите от Отца во имя Мое, Он дал вам.

¹⁷ Сие заповедаю вам, да любите друг друга.

¹⁸ Если мир вас ненавидит, знайте, что Меня прежде вас возненавидел.

¹⁹ Если бы вы были от мира, то мир любил бы свое; а как вы не от мира, но Я избрал вас от мира, потому ненавидит вас мир.

²⁰ Помните слово, которое Я сказал вам: раб не больше господина своего. Если Меня гнали, будут гнать и вас; если Мое слово соблюдали, будут

соблюдать и ваше.

²¹ Но все то сделают вам за имя Мое, потому что не знают Пославшего Меня.

²² Если бы Я не пришел и не говорил им, то не имели бы греха; а теперь не имеют извинения во грехе своем.

²³ Ненавидящий Меня ненавидит и Отца моего.

²⁴ Если бы Я не сотворил между ними дел, каких никто другой не делал, то не имели бы греха; а теперь и видели, и возненавидели и Меня и Отца Моего.

²⁵ Но да сбудется слово, написанное в законе их: «возненавидели Меня напрасно».

²⁶ Когда же приидет Утешитель, Которого Я пошлю вам от Отца, Дух истины, Который от Отца исходит, Он будет свидетельствовать о Мне;

²⁷ а также и вы будете свидетельствовать, потому что вы сначала со Мною.

р. Вас будут гнать

Иоанна.16:01-04

¹ Сие сказал Я вам, чтобы вы не соблазнились.

² Изгонят вас из синагог; даже наступает время, когда всякий, убивающий вас, будет думать, что он тем служит Богу.

³ Так будут поступать, потому что не познали ни Отца, ни Меня.

⁴ Но Я сказал вам сие для того, чтобы вы, когда придет то время, вспомнили, что Я сказывал вам о том; не говорил же сего вам сначала, потому что был с вами.

с. Действия Утешителя — Духа истины[564]

Иоанна.16:05-14	
⁵ А теперь иду к Пославшему Меня, и никто из вас не спрашивает Меня: «куда идешь?» ⁶ Но от того, что Я сказал вам это, печалью исполнилось сердце ваше. ⁷ Но Я истину говорю вам: лучше для вас, чтобы Я пошел; ибо, если Я не пойду, Утешитель не приидет к вам; а если пойду, то пошлю Его к вам, ⁸ и Он, придя, обличит мир о грехе и о правде и о суде: ⁹ о грехе, что не веруют в Меня;	¹⁰ о правде, что Я иду к Отцу Моему, и уже не увидите Меня; ¹¹ о суде же, что князь мира сего осужден. ¹² Еще многое имею сказать вам; но вы теперь не можете вместить. ¹³ Когда же приидет Он, Дух истины, то наставит вас на всякую истину: ибо не от Себя говорить будет, но будет говорить, что услышит, и будущее возвестит вам. ¹⁴ Он прославит Меня, потому что от Моего возьмет и возвестит вам.

т. Иисус говорит о Своём уходе

Иоанна.16:15-23	
¹⁵ Все, что имеет Отец, есть Мое; потому Я сказал, что от Моего возьмет и возвестит вам. ¹⁶ Вскоре вы не увидите Меня, и опять вскоре увидите Меня, ибо Я иду к Отцу. ¹⁷ Тут *некоторые* из учеников Его сказали один другому: что это Он говорит нам: «вскоре не увидите Меня, и опять вскоре увидите Меня», и: «Я иду к Отцу»? ¹⁸ Итак они говорили: что это говорит Он: «вскоре»? Не знаем, что говорит. ¹⁹ Иисус, уразумев, что хотят спросить Его, сказал им: о том ли спрашиваете вы один другого, что Я	сказал: «вскоре не увидите Меня, и опять вскоре увидите Меня»? ²⁰ Истинно, истинно говорю вам: вы восплачете и возрыдаете, а мир возрадуется; вы печальны будете, но печаль ваша в радость будет. ²¹ Женщина, когда рождает, терпит скорбь, потому что пришел час ее; но когда родит младенца, уже не помнит скорби от радости, потому что родился человек в мир. ²² Так и вы теперь имеете печаль; но Я увижу вас опять, и возрадуется сердце ваше, и радости вашей никто не отнимет у вас; ²³ и в тот день вы не спросите Меня ни о чем. Истинно, истинно говорю вам: о чем ни попросите Отца во имя Мое, даст вам.

у. Просите во имя Моё

Иоанна.16:24-33	
²⁴ Доныне вы ничего не просили во имя Мое; просите, и получите, чтобы радость ваша была совершенна. ²⁵ Доселе Я говорил вам притчами; но наступает время, когда уже не буду говорить вам притчами, но прямо возвещу вам об Отце. ²⁶ В тот день будете просить во имя Мое, и не говорю вам, что Я буду просить Отца о вас: ²⁷ ибо Сам Отец любит вас, потому что вы возлюбили Меня и уверовали, что Я исшел от Бога. ²⁸ Я исшел от Отца и пришел в мир; и опять остав-	ляю мир и иду к Отцу. ²⁹ Ученики Его сказали Ему: вот, теперь Ты прямо говоришь, и притчи не говоришь никакой. ³⁰ Теперь видим, что Ты знаешь все и не имеешь нужды, чтобы кто спрашивал Тебя. Посему веруем, что Ты от Бога исшел. ³¹ Иисус отвечал им: теперь веруете? ³² Вот, наступает час, и настал уже, что вы рассеетесь каждый в свою сторону и Меня оставите одного; но Я не один, потому что Отец со Мною. ³³ Сие сказал Я вам, чтобы вы имели во Мне мир. В мире будете иметь скорбь; но мужайтесь: Я победил мир.

---

[564] *Иисус уже сказал об Утешителе в начале беседы (Иоанна.14:16-26 (Другой Утешитель), стр. 194).*

ф. Первосвященническая молитва Иисуса

Иоанна.17:01-26

[1] После сих слов Иисус возвел очи Свои на небо и сказал: Отче! Пришел час, прославь Сына Твоего, да и Сын Твой прославит Тебя,

[2] так как Ты дал Ему власть над всякою плотью, да всему, что Ты дал Ему, даст Он жизнь вечную.

[3] Сия же есть жизнь вечная, да знают Тебя, единого истинного Бога, и посланного Тобою Иисуса Христа.

[4] Я прославил Тебя на земле, совершил дело, которое Ты поручил Мне исполнить.

[5] И ныне прославь Меня Ты, Отче, у Тебя Самого славою, которую Я имел у Тебя прежде бытия мира.

[6] Я открыл имя Твое человекам, которых Ты дал Мне от мира; они были Твои, и Ты дал их Мне, и они сохранили слово Твое.

[7] Ныне уразумели они, что все, что Ты дал Мне, от Тебя есть,

[8] ибо слова, которые Ты дал Мне, Я передал им, и они приняли, и уразумели истинно, что Я исшел от Тебя, и уверовали, что Ты послал Меня.

[9] Я о них молю: не о всем мире молю, но о тех, которых Ты дал Мне, потому что они Твои.

[10] И все Мое — Твое, и Твое — Мое; и Я прославился в них.

[11] Я уже не в мире, но они в мире, а Я к Тебе иду. Отче Святый! Соблюди их во имя Твое, тех, которых Ты Мне дал, чтобы они были едино, как и Мы.

[12] Когда Я был с ними в мире, Я соблюдал их во имя Твое; тех, которых Ты дал Мне, Я сохранил, и никто из них не погиб, кроме сына погибели, да сбудется Писание.

[13] Ныне же к Тебе иду, и сие говорю в мире, чтобы они имели в себе радость Мою совершенную.

[14] Я передал им слово Твое; и мир возненавидел их, потому что они не от мира, как и Я не от мира.

[15] Не молю, чтобы Ты взял их из мира, но чтобы сохранил их от зла.

[16] Они не от мира, как и Я не от мира.

[17] Освяти их истиною Твоею; слово Твое есть истина.

[18] Как Ты послал Меня в мир, так и Я послал их в мир.

[19] И за них Я посвящаю Себя, чтобы и они были освящены истиною.

[20] Не о них же только молю, но и о верующих в Меня по слову их,

[21] да будут все едино, как Ты, Отче, во Мне, и Я в Тебе, так и они да будут в Нас едино, — да уверует мир, что Ты послал Меня.

[22] И славу, которую Ты дал Мне, Я дал им: да будут едино, как Мы едино.

[23] Я в них, и Ты во Мне; да будут совершены воедино, и да познает мир, что Ты послал Меня и возлюбил их, как возлюбил Меня.

[24] Отче! Которых Ты дал Мне, хочу, чтобы там, где Я, и они были со Мною, да видят славу Мою, которую Ты дал Мне, потому что возлюбил Меня прежде основания мира.

[25] Отче праведный! И мир Тебя не познал; а Я познал Тебя, и сии познали, что Ты послал Меня.

[26] И Я открыл им имя Твое и открою, да любовь, которою Ты возлюбил Меня, в них будет, и Я в них.

253. ВОСШЕСТВИЕ НА ГОРУ ЕЛЕОНСКУЮ
Неизвестно, Иудея → Гора Елеонская, Иудея

Матфея.26:30	*Марка.14:26*	*Луки.22:39*	*Иоанна.18:01*
29 ... [565] [30] И, воспев, пошли на гору Елеонскую.	25 ... [567] [26] И, воспев, пошли на гору Елеонскую.	38 ... [569] [39] И, выйдя, пошел по обыкновению на гору Елеонскую, за Ним по-	[1] Сказав сие, Иисус вышел с учениками Своими за поток Кедрон, где был сад, в который во-

---

565 *Матфея.26:26-29 (Хлеб и вино), стр. 191.*

567 *Марка.14:22-25 (Хлеб и вино), стр. 191.*

569 *Луки.22:35-38 (Иисус будет причтён к злодеям), стр. 193.*

35 … 566	27 … 568	следовали и ученики Его.	шел Сам и ученики Его. 2 … 570

Сказав сие, Иисус вышел с учениками Своими и, воспев, пошёл по обыкновению на гору	Елеонскую, за поток Кедрон, где был сад, в который вошёл Сам и ученики Его.

254. МОЛИТВА В ГЕФСИМАНИИ[571]
Гора Елеонская, Гефсимания, Иудея

а. Просьба к ученикам молиться

Матфея.26:36	Марка.14:32	Луки.22:40
35 … 566 36 Потом приходит с ними Иисус на место, называемое Гефсимания, и говорит ученикам: посидите тут, пока Я пойду, помолюсь там.	31 … 572 32 Пришли в селение, называемое Гефсимания; и Он сказал ученикам Своим: посидите здесь, пока Я помолюсь.	40 Придя же на место, сказал им: молитесь, чтобы не впасть в искушение. 41 … 573

Потом приходит с ними Иисус в селение, называемое Гефсимания, и просит учеников Своих: «По-	сидите тут, пока Я пойду, молитесь, чтобы не впасть в искушение».

б. Иисус, Пётр, Иаков и Иоанн отходят от остальных с Иисусом

Матфея.26:37-38	Марка.14:33-34
37 И, взяв с Собою Петра и обоих сыновей Зеведеевых, начал скорбеть и тосковать. 38 Тогда говорит им Иисус: душа Моя скорбит смертельно; побудьте здесь и бодрствуйте со Мною.	33 И взял с Собою Петра, Иакова и Иоанна; и начал ужасаться и тосковать. 34 И сказал им: душа Моя скорбит смертельно; побудьте здесь и бодрствуйте.

И взял с Собою Петра, Иакова и Иоанна; и начал ужасаться, скорбеть и тосковать.	И сказал им: «Душа Моя скорбит смертельно; побудьте здесь и бодрствуйте со Мною».

в. Иисус впервые молится один

Матфея.26:39	Марка.14:35-36	Луки.22:41-44
39 И, отойдя немного, пал на	35 И, отойдя немного, пал на зем-	40 … 574

---

566 *Матфея.26:31-35 (Иисус говорит об отречении Петра), стр. 192.*

568 *Марка.14:27-31 (Иисус говорит об отречении Петра), стр. 192.*

570 *Иоанна.18:02-03 (Иуда с воинами и служителями), стр. 201.*

571 *Матфей и Марк детально описывают действия молитвы, но не сам её состав. Они говорят, что Иисус отдельно уходил для молитвы три раза. Лука говорит, что Иисус отошёл и помолился отдельно. Иоанн описывает то, что придя в сад, Иисус просто сказал ученикам молиться, и больше не описал никаких деталей.*

572 *Марка.14:27-31 (Иисус говорит об отречении Петра), стр. 192.*

573 *Луки.22:41-44 (Иисус впервые молится один), стр. 198.*

лицо Свое, молился и говорил: Отче Мой! Если возможно, да минует Меня чаша сия; впрочем не как Я хочу, но как Ты.	лю и молился, чтобы, если возможно, миновал Его час сей; 36 и говорил: Авва Отче! Все возможно Тебе; пронеси чашу сию мимо Меня; но не чего Я хочу, а чего Ты.	41 И Сам отошел от них на вержение камня, и, преклонив колени, молился 42 говоря: Отче! О, если бы Ты благоволил пронести чашу сию мимо Меня! Впрочем не Моя воля, но Твоя да будет. 43 Явился же Ему Ангел с небес и укреплял Его. 44 И, находясь в борении, прилежнее молился, и был пот Его, как капли крови, падающие на землю.

И Сам отошел от них немного, на вержение камня, и, преклонив колени, молился, чтобы, если возможно, миновал Его час сей, говоря: «Отче Мой! Все возможно Тебе. О, если бы Ты благоволил пронести чашу сию мимо Меня! Впрочем, не Моя воля, но Твоя да будет».	Явился же Ему Ангел с небес и укреплял Его. И, находясь в борении, прилежнее молился, и был пот Его, как капли крови, падающие на землю.

г. Ученики спят

Матфея.26:40-41	Марка.14:37-38	Луки.22:45-46
40 И приходит к ученикам и находит их спящими, и говорит Петру: так ли не могли вы один час бодрствовать со Мною? 41 бодрствуйте и молитесь, чтобы не впасть в искушение: дух бодр, плоть же немощна.	37 Возвращается и находит их спящими, и говорит Петру: Симон! Ты спишь? Не мог ты бодрствовать один час? 38 Бодрствуйте и молитесь, чтобы не впасть в искушение: дух бодр, плоть же немощна.	45 Встав от молитвы, Он пришел к ученикам, и нашел их спящими от печали 46 и сказал им: что вы спите? Встаньте и молитесь, чтобы не впасть в искушение. 47 … [575]

Встав от молитвы, Он пришел к ученикам и нашёл их спящими от печали, и говорит Петру: «Так ли не могли вы один час бодрствовать со Мною? Что вы спите?	Встаньте, бодрствуйте и молитесь, чтобы не впасть в искушение: дух бодр, плоть же немощна».

д. Иисус молится один во второй раз

Матфея.26:42	Марка.14:39
42 Еще, отойдя в другой раз, молился, говоря: Отче Мой! Если не может чаша сия миновать Меня, чтобы Мне не пить ее, да будет воля Твоя.	39 И, опять отойдя, молился, сказав то же слово.

574 Луки.22:40 (Просьба к ученикам молиться), стр. 198.

575 Луки.22:47-48 (Целование Иуды и арест Иисуса), стр. 201.

И, опять отойдя в другой раз, молился, говоря: «Отче Мой! Если не может чаша сия миновать	Меня, чтобы Мне не пить её, да будет воля Твоя».

е. Ученики спят

Матфея.26:43	Марка.14:40
43 И, придя, находит их опять спящими, ибо у них глаза отяжелели.	40 И, возвратившись, опять нашел их спящими, ибо глаза у них отяжелели, и они не знали, что Ему отвечать. 41 ... 576

И, возвратившись, опять нашёл их спящими, ибо глаза у них отяжелели, и они не знали, что Ему от-	вечать.

ж. Иисус молится один в третий раз

Матфея.26:44	
	44 И, оставив их, отошел опять и помолился в третий раз, сказав то же слово.

з. Иисус будит спящих учеников

Матфея.26:45-46	Марка.14:41-42
45 Тогда приходит к ученикам Своим и говорит им: вы все еще спите и почиваете? Вот, приблизился час, и Сын Человеческий предается в руки грешников; 46 встаньте, пойдем: вот, приблизился предающий Меня. 47 ... 577	41 И приходит в третий раз и говорит им: вы все еще спите и почиваете? Кончено, пришел час: вот, предается Сын Человеческий в руки грешников. 42 Встаньте, пойдем; вот, приблизился предающий Меня. 43 ... 578

И приходит в третий раз и говорит им: «Вы все ещё спите и почиваете?	Кончено, вот, приблизился час, и Сын Человеческий предаётся в руки грешников. Встаньте, пойдём: вот, приблизился предающий Меня».

---

576 Марка.14:41-42 (Иисус будит спящих учеников), стр. 200.

577 Матфея.26:47-50 (Целование Иуды и арест Иисуса), стр. 201.

578 Марка.14:43-46 (Целование Иуды и арест Иисуса), стр. 201.

АРЕСТ, СУД И РАСПЯТИЕ ИИСУСА ХРИСТА

255. АРЕСТ ИИСУСА
Гора Елеонская, Гефсимания, Иудея

а. Иуда с воинами и служителями

Иоанна.18:02-03	что Иисус часто собирался там с учениками Своими.
1 ... [579] 2 Знал же это место и Иуда, предатель Его, потому	3 Итак Иуда, взяв отряд *воинов* и служителей от первосвященников и фарисеев, приходит туда с фонарями и светильниками и оружием.

б. Целование Иуды и арест Иисуса

Матфея.26:47-50	Марка.14:43-46	Луки.22:47-48	Иоанна.18:04-09
46 ... [580] 47 И, когда еще говорил Он, вот Иуда, один из двенадцати, пришел, и с ним множество народа с мечами и кольями, от первосвященников и старейшин народных. 48 Предающий же Его дал им знак, сказав: Кого я поцелую, Тот и есть, возьмите Его. 49 И, тотчас подойдя к Иисусу, сказал: радуйся, Равви! И поцеловал Его. 50 Иисус же сказал ему: друг, для чего ты пришел? Тогда подошли и возложили руки на Иисуса, и взяли Его.	42 ... [581] 43 И тотчас, как Он еще говорил, приходит Иуда, один из двенадцати, и с ним множество народа с мечами и кольями, от первосвященников и книжников и старейшин. 44 Предающий же Его дал им знак, сказав: Кого я поцелую, Тот и есть, возьмите Его и ведите осторожно. 45 И, придя, тотчас подошел к Нему и говорит: Равви! Равви! И поцеловал Его. 46 А они возложили на Него руки свои и взяли Его.	46 ... [582] 47 Когда Он еще говорил это, появился народ, а впереди его шел один из двенадцати, называемый Иуда, и он подошел к Иисусу, чтобы поцеловать Его. Ибо он такой им дал знак: Кого я поцелую, Тот и есть. 48 Иисус же сказал ему: Иуда! Целованием ли предаешь Сына Человеческого?	4 Иисус же, зная все, что с Ним будет, вышел и сказал им: кого ищете? 5 Ему отвечали: Иисуса Назорея. Иисус говорит им: это Я. Стоял же с ними и Иуда, предатель Его. 6 И когда сказал им: «это Я», — они отступили назад и пали на землю. 7 Опять спросил их: кого ищете? Они сказали: Иисуса Назорея. 8 Иисус отвечал: Я сказал вам, что это Я; итак, если Меня ищете, оставьте их, пусть идут, 9 да сбудется слово, реченное Им: «из тех, которых Ты Мне дал, Я не погубил никого».

И когда ещё говорил Он, то Иуда, один из двенадцати, пришел, и с ним множество народа с мечами и кольями, от первосвященников, книжников и старейшин народных. Предающий же Его дал им знак, сказав: «Кого я	поцелую, Тот и есть, возьмите Его и ведите осторожно». Иисус же, зная все, что с Ним будет, вышел и сказал им: «Кого ищете?»

---

579 *Иоанна.18:01 (Восшествие на гору Елеонскую), стр. 197.*
580 *Матфея.26:45-46 (Иисус будит спящих учеников), стр. 200.*
581 *Марка.14:41-42 (Иисус будит спящих учеников), стр. 200.*
582 *Луки.22:45-46 (Ученики спят), стр. 199.*

Ему отвечали: «Иисуса Назорея».	Мне дал, Я не погубил никого».
Иисус говорит им: «Это Я». Стоял же с ними и Иуда, предатель Его. И когда сказал им: «Это Я», — они отступили назад и пали на землю.	Иуда подошёл к Иисусу, чтобы поцеловать Его. Иисус же сказал ему: «Иуда! Целованием ли предаёшь Сына Человеческого?»
Опять спросил их: «Кого ищете?» Они сказали:	Иуда говорит: «Равви! Равви!» И поцеловал Его.
«Иисуса Назорея».	Иисус же сказал ему: «Друг, для чего ты пришел?»
Иисус отвечал: «Я сказал вам, что это Я; итак, если Меня ищете, оставьте их, пусть идут, да сбудется слово, речённое Им: «Из тех, которых Ты	Тогда подошли и возложили на Него руки свои и взяли Его.

в. Отсечение уха рабу

Матфея.26:51-54	Марка.14:47	Луки.22:49-51	Иоанна.18:10-11
[51] И вот, один из бывших с Иисусом, простерши руку, извлек меч свой и, ударив раба первосвященникова, отсек ему ухо. [52] Тогда говорит ему Иисус: возврати меч твой в его место, ибо все, взявшие меч, мечом погибнут; [53] или думаешь, что Я не могу теперь умолить Отца Моего, и Он представит Мне более, нежели двенадцать легионов Ангелов? [54] Как же сбудутся Писания, что так должно быть?	[47] Один же из стоявших тут извлек меч, ударил раба первосвященникова и отсек ему ухо.	[49] Бывшие же с Ним, видя, к чему идет дело, сказали Ему: Господи! Не ударить ли нам мечом? [50] И один из них ударил раба первосвященникова, и отсек ему правое ухо. [51] Тогда Иисус сказал: оставьте, довольно. И, коснувшись уха его, исцелил его.	[10] Симон же Петр, имея меч, извлек его, и ударил первосвященнического раба, и отсек ему правое ухо. Имя рабу было Малх. [11] Но Иисус сказал Петру: вложи меч в ножны; неужели Мне не пить чаши, которую дал Мне Отец? [12] …[583]

Бывшие же с Ним, видя, к чему идёт дело, сказали Ему: «Господи! Не ударить ли нам мечом?»	его место, ибо все, взявшие меч, мечом погибнут; или думаешь, что Я не могу теперь умолить Отца Моего, и Он представит Мне более, нежели двенадцать легионов Ангелов? Как же сбудутся Писания, что так должно быть? Неужели Мне не пить чаши, которую дал Мне Отец?»
Симон же Петр, имея меч, простёр руку, извлёк меч свой и, ударив первосвященнического раба, отсек ему правое ухо. Имя рабу было Малх.	
Тогда говорит Иисус Петру: «Возврати меч твой в	И, коснувшись уха его, исцелил его.

---

583 Иоанна.18:12-14 (Иисус приведён к первосвященнику Анне), стр. 203.

г.   Слова Иисуса народу

Матфея.26:55	Марка.14:48-49	Луки.22:52-53
55 В тот час сказал Иисус народу: как будто на разбойника вышли вы с мечами и кольями взять Меня; каждый день с вами сидел Я, уча в храме, и вы не брали Меня.	48 Тогда Иисус сказал им: как будто на разбойника вышли вы с мечами и кольями, чтобы взять Меня. 49 Каждый день бывал Я с вами в храме и учил, и вы не брали Меня. Но да сбудутся Писания.	52 Первосвященникам же и начальникам храма и старейшинам, собравшимся против Него, сказал Иисус: как будто на разбойника вышли вы с мечами и кольями, чтобы взять Меня? 53 Каждый день бывал Я с вами в храме, и вы не поднимали на Меня рук, но теперь ваше время и власть тьмы. 54 …[584]

Первосвященникам же, начальникам храма и старейшинам, собравшимся против Него, сказал Иисус: «Как будто на разбойника вышли вы с мечами и кольями, чтобы взять Меня! Каждый	день бывал Я с вами в храме, и вы не поднимали на Меня рук, но теперь ваше время и власть тьмы. Да сбудутся Писания».

д.   Бегство учеников

Матфея.26:56	Марка.14:50-52
56 Сие же все было, да сбудутся писания пророков. Тогда все ученики, оставив Его, бежали. 57 …[585]	50 Тогда, оставив Его, все бежали. 51 Один юноша, завернувшись по нагому телу в покрывало, следовал за Ним; и воины схватили его. 52 Но он, оставив покрывало, нагой убежал от них. 53 …[586]

Сие же все было, да сбудутся писания пророков. Тогда все ученики, оставив Его, бежали.	Один юноша, завернувшись по нагому телу в покрывало, следовал за Ним; и воины схватили его. Но он, оставив покрывало, нагой убежал от них.

256. ИИСУС ПРИВЕДЁН К ПЕРВОСВЯЩЕННИКУ АННЕ[587]
Иерусалим, Иудея

Иоанна.18:12-14	
11 …[588] 12 Тогда воины и тысяченачальник и служители Иудейские взяли Иисуса и связали Его	13 и отвели Его сперва к Анне, ибо он был тесть Каиафе, который был на тот год первосвященником. 14 Это был Каиафа, который подал совет Иудеям, что лучше одному человеку умереть за народ.

---

584 *Луки.22:54 (Следование Петра за Иисусом), стр. 204.*

585 *Матфея.26:57-58 (Следование Петра за Иисусом), стр. 204.*

586 *Марка.14:53-54 (Следование Петра за Иисусом), стр. 204.*

587 *Только Иоанн описывает то, что Иисуса сначала привели к Анне, а только потом к Каиафе.*

588 *Иоанна.18:10-11 (Отсечение уха рабу), стр. 202.*

а. Следование Петра и другого ученика за Иисусом

Иоанна.18:15-16	кий
15 За Иисусом следовали Симон Петр и другой ученик; ученик же сей был знаком первосвященнику и вошел с Иисусом во двор первосвященничес-	16 а Петр стоял вне за дверями. Потом другой ученик, который был знаком первосвященнику, вышел, и сказал придвернице, и ввел Петра.

б. Отречение Петра[589]

Иоанна.18:17-18	18 Между тем рабы и служители, разведя огонь, потому что было холодно, стояли и грелись. Петр также стоял с ними и грелся.
17 Тут раба придверница говорит Петру: и ты не из учеников ли Этого Человека? Он сказал: нет.	

в. Допрос Иисуса

Иоанна.18:19-23	21 Что спрашиваешь Меня? Спроси слышавших, что Я говорил им; вот, они знают, что Я говорил.
19 Первосвященник же спросил Иисуса об учениках Его и об учении Его. 20 Иисус отвечал ему: Я говорил явно миру; Я всегда учил в синагоге и в храме, где всегда Иудеи сходятся, и тайно не говорил ничего.	22 Когда Он сказал это, один из служителей, стоявший близко, ударил Иисуса по щеке, сказав: так отвечаешь Ты первосвященнику? 23 Иисус отвечал ему: если Я сказал худо, покажи, что худо; а если хорошо, что ты бьешь Меня?

г. Иисус послан к первосвященнику Каиафе

Иоанна.18:24	Каиафе.
24 Анна послал Его связанного к первосвященнику	25 ...[590]

257. ИИСУС ПРИВЕДЁН К ПЕРВОСВЯЩЕННИКУ КАИАФЕ
Иерусалим, Иудея

а. Следование Петра за Иисусом

Матфея.26:57-58	Марка.14:53-54	Луки.22:54
56 ...[591] 57 А взявшие Иисуса отвели Его к Каиафе первосвященнику, куда собрались книжники и старейшины. 58 Петр же следовал за Ним издали, до двора первосвященни-	52 ...[593] 53 И привели Иисуса к первосвященнику; и собрались к нему все первосвященники и старейшины и книжники. 54 Петр издали следовал за Ним, даже внутрь двора первосвящен-	53 ...[595] 54 Взяв Его, повели и привели в дом первосвященника. Петр же следовал издали.

---

589 *Матфей, Марк и Лука описывают первое отречение Петра, когда Иисус был в доме у первосвященника Каиафы (Матфея.26:69-70, Марка.14:66-68, Луки.22:55-57 (Первое отречение Петра), стр. 205).*

590 *Иоанна.18:25 (Второе отречение Петра), стр. 205.*

591 *Матфея.26:56 (Бегство учеников), стр. 203.*

кова; и, войдя внутрь, сел со служителями, чтобы видеть конец. 59 ... [592]	никова; и сидел со служителями, и грелся у огня. 55 ... [594]	

Взявшие Иисуса отвели Его к Каиафе первосвященнику; и собрались к нему все первосвященники, и старейшины и книжники.	Петр же следовал за Ним издали, до двора первосвященникова; и, войдя внутрь, сел со служителями, чтобы видеть конец.

б. Первое отречение Петра[596]

Матфея.26:69-70	Марка.14:66-68	Луки.22:55-57
68 ... [597] 69 Петр же сидел вне на дворе. И подошла к нему одна служанка и сказала: и ты был с Иисусом Галилеянином. 70 Но он отрекся перед всеми, сказав: не знаю, что ты говоришь.	65 ... [598] 66 Когда Петр был на дворе внизу, пришла одна из служанок первосвященника 67 и, увидев Петра греющегося и всмотревшись в него, сказала: и ты был с Иисусом Назарянином. 68 Но он отрекся, сказав: не знаю и не понимаю, что ты говоришь. И вышел вон на передний двор; и запел петух.	55 Когда они развели огонь среди двора и сели вместе, сел и Петр между ними. 56 Одна служанка, увидев его сидящего у огня и всмотревшись в него, сказала: и этот был с Ним. 57 Но он отрекся от Него, сказав женщине: я не знаю Его.

Когда они развели огонь среди двора и сели вместе, сел и Петр между ними. Пришла одна из служанок первосвященника и, увидев Петра греющегося и всмотревшись в него, сказала: «И ты был с Иисусом Назарянином».	Но он отрёкся перед всеми, сказав: «Не знаю и не понимаю, что ты говоришь. Я не знаю Его». И вышел вон на передний двор; и запел петух.

в. Второе отречение Петра

Матфея.26:71-72	Марка.14:69-70a	Луки.22:58	Иоанна.18:25
71 Когда же он выходил за ворота, увидела его другая, и говорит бывшим там: и этот был с Иисусом Назореем. 72 И он опять отрекся с	69 Служанка, увидев его опять, начала говорить стоявшим тут: этот из них. 70a Он опять отрекся...	58 Вскоре потом другой, увидев его, сказал: и ты из них. Но Петр сказал этому человеку: нет!	24 ... [599] 25 Симон же Петр стоял и грелся. Тут сказали ему: не из учеников ли Его и ты? Он отрекся и сказал: нет.

---

592 Матфея.26:59-61 (Поиск лжесвидетелей), стр. 207.

595 Луки.22:52-53 (Слова Иисуса народу), стр. 203.

593 Марка.14:50-52 (Бегство учеников), стр. 203.

594 Марка.14:55-59 (Поиск лжесвидетелей), стр. 207.

596 Иоанн описывает первое отречение Петра, когда Иисус был в доме у первосвященника Анны (Иоанна.18:17-18 (Отречение Петра), стр. 204.

597 Матфея.26:67-68 (Ругательства над Иисусом), стр. 208.

598 Марка.14:65 (Ругательства над Иисусом), стр. 208.

599 Иоанна.18:24 (Иисус послан к первосвященнику Каиафе), стр. 204.

клятвою, что не знает Сего Человека.			

Когда же Петр выходил за ворота, увидела его другая и говорит бывшим там: «И этот был с Иисусом Назореем».	И он опять отрёкся с клятвою, что не знает Сего Человека.

г. Третье отречение Петра

Матфея.26:73-74	Марка.14:70б-72а	Луки.22:59-60	Иоанна.18:26-27
[73] Немного спустя подошли стоявшие там и сказали Петру: точно и ты из них, ибо и речь твоя обличает тебя. [74] Тогда он начал клясться и божиться, что не знает Сего Человека. И вдруг запел петух.	[70б] ...Спустя немного, стоявшие тут опять стали говорить Петру: точно ты из них; ибо ты Галилеянин, и наречие твое сходно. [71] Он же начал клясться и божиться: не знаю Человека Сего, о Котором говорите. [72а] Тогда петух запел во второй раз.	[59] Прошло с час времени, еще некто настоятельно говорил: точно и этот был с Ним, ибо он Галилеянин. [60] Но Петр сказал тому человеку: не знаю, что ты говоришь. И тотчас, когда еще говорил он, запел петух.	[26] Один из рабов первосвященнических, родственник тому, которому Петр отсек ухо, говорит: не я ли видел тебя с Ним в саду? [27] Петр опять отрекся; и тотчас запел петух. [28] ... [600]

Прошло с час времени, подошли стоявшие там и сказали Петру: «Точно ты из них; ибо ты Галилеянин, и наречие твоё сходно». Один из рабов первосвященнических, родственник тому, которому Петр отсек ухо, говорит: «Не я ли	видел тебя с Ним в саду?» Он же начал клясться и божиться: «Не знаю Человека Сего, о Котором говорите». И тотчас, когда ещё говорил он, запел петух.

д. Взгляд Иисуса и плач Петра

Матфея.26:75	Марка.14:72б	Луки.22:61-62
[75] И вспомнил Петр слово, сказанное ему Иисусом: «прежде нежели пропоет петух, трижды отречешься от Меня». И выйдя вон, плакал горько. 27:1 ... [601]	[72б] И вспомнил Петр слово, сказанное ему Иисусом: прежде нежели петух пропоет дважды, трижды отречешься от Меня; и начал плакать. 15:1а ... [602]	[61] Тогда Господь, обратившись, взглянул на Петра, и Петр вспомнил слово Господа, как Он сказал ему: «прежде нежели пропоет петух, отречешься от Меня трижды». [62] И, выйдя вон, горько заплакал. 63 ... [603]

---

600 Иоанна.18:28-32 (Обвинения против Иисуса), стр. 209.
601 Матфея.27:01 (Иисус приведён в синедрион), стр. 208.
602 Марка.15:01а (Иисус приведён в синедрион), стр. 208.
603 Луки.22:63-65 (Ругательства над Иисусом), стр. 208.

Тогда Господь, обратившись, взглянул на Петра, и Петр вспомнил слово Господа, как Он сказал ему: «Прежде, нежели петух пропоёт дважды, трижды	отречёшься от Меня». И выйдя вон, горько заплакал.

е. Поиск лжесвидетелей

Матфея.26:59-61	*Марка.14:55-59*
58 ... [604]	54 ... [605]
59 Первосвященники и старейшины и весь синедрион искали лжесвидетельства против Иисуса, чтобы предать Его смерти	55 Первосвященники же и весь синедрион искали свидетельства на Иисуса, чтобы предать Его смерти; и не находили.
60 и не находили; и, хотя много лжесвидетелей приходило, не нашли. Но наконец пришли два лжесвидетеля	56 Ибо многие лжесвидетельствовали на Него, но свидетельства сии не были достаточны.
61 и сказали: Он говорил: «могу разрушить храм Божий и в три дня создать его».	57 И некоторые, встав, лжесвидетельствовали против Него и говорили:
	58 мы слышали, как Он говорил: «Я разрушу храм сей рукотворенный, и через три дня воздвигну другой, нерукотворенный».
	59 Но и такое свидетельство их не было достаточно.

Первосвященники же и весь синедрион искали лжесвидетельства против Иисуса, чтобы предать Его смерти; и не находили. Ибо многие лжесвидетельствовали на Него, но свидетельства сии не были достаточны.	Но наконец пришли два лжесвидетеля и сказали: «Мы слышали, как Он говорил: «Я разрушу храм сей рукотворённый и через три дня воздвигну другой, нерукотворённый». Но и такого свидетельства их не было достаточно.

ж. Вопрос первосвященника к Иисусу

Матфея.26:62-66	*Марка.14:60-64*
62 И, встав, первосвященник сказал Ему: *что же ничего не отвечаешь? Что они против Тебя свидетельствуют?*	60 Тогда первосвященник стал посреди и спросил Иисуса: что Ты ничего не отвечаешь? Что они против Тебя свидетельствуют?
63 Иисус молчал. И первосвященник сказал Ему: заклинаю Тебя Богом живым, скажи нам, Ты ли Христос, Сын Божий?	61 Но Он молчал и не отвечал ничего. Опять первосвященник спросил Его и сказал Ему: Ты ли Христос, Сын Благословенного?
64 Иисус говорит ему: ты сказал; даже сказываю вам: отныне узрите Сына Человеческого, сидящего одесную силы и грядущего на облаках небесных.	62 Иисус сказал: Я; и вы узрите Сына Человеческого, сидящего одесную силы и грядущего на облаках небесных.
65 Тогда первосвященник разодрал одежды свои и сказал: Он богохульствует! На что еще нам свидетелей? Вот, теперь вы слышали богохульство Его![606]	63 Тогда первосвященник, разодрав одежды свои, сказал: на что еще нам свидетелей?
	64 Вы слышали богохульство; как вам кажется? Они же все признали Его повинным смерти.[606]

---

604 *Матфея.26:57-58 (Следование Петра за Иисусом), стр. 204.*

605 *Марка.14:53-54 (Следование Петра за Иисусом), стр. 204.*

606 *Иисуса уже обвиняли в богохульстве, когда Он исцелил расслабленного (Матфея.09:03-08, Марка.02:06-12 и Луки.05:21-26*

[66] Как вам кажется? Они же сказали в ответ: повинен смерти.	

Тогда первосвященник стал посреди и спросил Иисуса: что Ты ничего не отвечаешь? Что они против Тебя свидетельствуют?	Иисус сказал: Я; и вы узрите Сына Человеческого, сидящего одесную силы и грядущего на облаках небесных.
Но Он молчал и не отвечал ничего.	Тогда первосвященник, разодрав одежды свои, сказал: Он богохульствует! На что ещё нам свидетелей? Вот, теперь вы слышали богохульство Его! Как вам кажется?
И первосвященник сказал Ему: заклинаю Тебя Богом живым, скажи нам, Ты ли Христос, Сын Божий?	Они же сказали в ответ: повинен смерти.

3. Ругательства над Иисусом

Матфея.26:67-68	*Марка.14:65*	*Луки.22:63-65*
[67] Тогда плевали Ему в лицо и заушали Его; другие же ударяли Его по ланитам [68] и говорили: прореки нам, Христос, кто ударил Тебя? [69] … [607]	[65] И некоторые начали плевать на Него и, закрывая Ему лицо, ударять Его и говорить Ему: прореки. И слуги били Его по ланитам. [66] … [608]	[62] … [609] [63] Люди, державшие Иисуса, ругались над Ним и били Его; [64] и, закрыв Его, ударяли Его по лицу и спрашивали Его: прореки, кто ударил Тебя? [65] И много иных хулений произносили против Него.

Люди, державшие Иисуса, ругались над Ним и били Его. Некоторые начали плевать Ему в лицо и заушали Его. Другие же, закрывая Ему лицо, ударяли Его по ланитам и говорили Ему: прореки нам,	Христос, кто ударил Тебя?. И много иных хулений произносили против Него.

258. ИИСУС ПРИВЕДЁН В СИНЕДРИОН
Иерусалим, Иудея

Матфея.27:01	*Марка.15:01а*	*Луки.22:66-71*
26:75 … [610] [1] Когда же настало утро, все первосвященники и старейшины народа имели совещание об Иисусе, чтобы предать Его смерти;	14:72б … [611] [1а] Немедленно поутру первосвященники со старейшинами и книжниками и весь синедрион составили совещание...	[66] И как настал день, собрались старейшины народа, первосвященники и книжники, и ввели Его в свой синедрион [67] и сказали: Ты ли Христос? Скажи нам. Он сказал им: если

(Обвинение Иисуса в богохульстве), стр. 38) и на празднике Обновления, после ответа на вопрос Иудеев (Иоанна.10:24-39 (Является ли Иисус Христом), стр. 106).

607 *Матфея.26:69-70 (Первое отречение Петра), стр. 205.*

608 *Марка.14:66-68 (Первое отречение Петра), стр. 205.*

609 *Луки.22:61-62 (Взгляд Иисуса и плач Петра), стр. 206.*

610 *Матфея.26:75 (Взгляд Иисуса и плач Петра), стр. 206.*

611 *Марка.14:72б (Взгляд Иисуса и плач Петра), стр. 206.*

<table>
<tr><td></td><td></td><td>скажу вам, вы не поверите;
68 если же и спрошу вас, не будете отвечать Мне и не отпустите Меня;
69 отныне Сын Человеческий воссядет одесную силы Божией.
70 И сказали все: итак, Ты Сын Божий? Он отвечал им: вы говорите, что Я.
71 Они же сказали: какое еще нужно нам свидетельство? Ибо мы сами слышали из уст Его.</td></tr>
</table>

Немедленно поутру собрались старейшины народа, первосвященники и книжники, и ввели Его в свой синедрион и сказали: «Ты ли Христос? Скажи нам». Он сказал им: «Если скажу вам, вы не поверите; если же и спрошу вас, не будете отвечать Мне и не отпустите Меня; отныне Сын Человеческий	воссядет одесную силы Божией». И сказали все: «Итак, Ты Сын Божий?» Он отвечал им: «Вы говорите, что Я». Они же сказали: «Какое ещё нужно нам свидетельство? Ибо мы сами слышали из уст Его».

259. ИИСУС ПРИВЕДЁН К ПИЛАТУ
Иерусалим, Иудея

a. Обвинения против Иисуса

Матфея.27:02	*Марка.15:01б*	*Луки.23:01-02*	*Иоанна.18:28-32*
2 и, связав Его, отвели и предали Его Понтию Пилату, правителю. 3 ... 612	1б ...и, связав Иисуса, отвели и предали Пилату.	1 И поднялось все множество их, и повели Его к Пилату 2 и начали обвинять Его, говоря: мы нашли, что Он развращает народ наш и запрещает давать подать кесарю, называя Себя Христом Царем.	27 ... 613 28 От Каиафы повели Иисуса в преторию. Было утро; и они не вошли в преторию, чтобы не оскверниться, но чтобы *можно было* есть пасху. 29 Пилат вышел к ним и сказал: в чем вы обвиняете Человека Сего? 30 Они сказали ему в ответ: если бы Он не был злодей, мы не предали бы Его тебе. 31 Пилат сказал им: возьмите Его вы, и по закону вашему судите Его. Иудеи сказали ему: нам не позволено предавать смерти никого, —

---

612 *Матфея.27:03-05а (Раскаяние Иуды), стр. 211.*

613 *Иоанна.18:26-27 (Третье отречение Петра), стр. 206.*

			32 да сбудется слово Иисусово, которое сказал Он, давая разуметь, какою смертью Он умрет. **33** … [614]

Связав Его, отвели и предали Его Понтию Пилату, правителю. Было утро; и они не вошли в преторию, чтобы не оскверниться, но чтобы *можно было* есть пасху. Пилат вышел к ним и сказал: «В чем вы обвиняете Человека Сего?» Они сказали ему в ответ: «Если бы Он не был зло-	дей, мы не предали бы Его тебе». И начали обвинять Его, говоря: «Мы нашли, что Он развращает народ наш и запрещает давать подать кесарю, называя Себя Христом Царём». Пилат сказал им: «Возьмите Его вы и по закону вашему судите Его». Иудеи сказали ему: «Нам не позволено предавать смерти никого», — да сбудется слово Иисусово, которое сказал Он, давая разуметь, какою смертью Он умрёт.

б.   Первый допрос Пилата

Матфея.27:11-14	*Марка.15:02-05*	*Луки.23:03-05*
10 … [615] **11** Иисус же стал пред правителем. И спросил Его правитель: Ты Царь Иудейский? Иисус сказал ему: ты говоришь. **12** И когда обвиняли Его первосвященники и старейшины, Он ничего не отвечал. **13** Тогда говорит Ему Пилат: не слышишь, сколько свидетельствуют против Тебя? **14** И не отвечал ему ни на одно слово, так что правитель весьма дивился. **15** … [616]	**2** Пилат спросил Его: Ты Царь Иудейский? Он же сказал ему в ответ: ты говоришь. **3** И первосвященники обвиняли Его во многом. **4** Пилат же опять спросил Его: Ты ничего не отвечаешь? Видишь, как много против Тебя обвинений. **5** Но Иисус и на это ничего не отвечал, так что Пилат дивился. **6** … [617]	**3** Пилат спросил Его: Ты Царь Иудейский? Он сказал ему в ответ: ты говоришь. **4** Пилат сказал первосвященникам и народу: я не нахожу никакой вины в этом человеке. **5** Но они настаивали, говоря, что Он возмущает народ, уча по всей Иудее, начиная от Галилеи до сего места.

Иисус же стал пред правителем. Пилат спросил Его: «Ты Царь Иудейский?» Иисус сказал ему: «Ты говоришь». И когда обвиняли Его первосвященники и старейшины, Он ничего не отвечал.	Тогда говорит Ему Пилат: «Ты ничего не отвечаешь? Не слышишь, сколько свидетельствуют против Тебя?» И не отвечал ему ни на одно слово, так что Пилат весьма дивился.

---

614 *Иоанна.18:33-38а (Второй допрос Пилата), стр. 212.*

615 *Матфея.27:06-10 (Покупка земли горшечника первосвященниками), стр. 211.*

616 *Матфея.27:15-18 (Кого отпустить: Иисуса или Варавву?), стр. 213.*

617 *Марка.15:06-14 (Кого отпустить: Иисуса или Варавву?), стр. 213.*

Пилат сказал первосвященникам и народу: «Я не нахожу никакой вины в этом человеке».	Но они настаивали, говоря, что Он возмущает народ, уча по всей Иудее, начиная от Галилеи до сего места.

в. Иисус отправлен к Ироду

Луки.23:06-07 ⁶ Пилат, услышав о Галилее, спросил: разве Он Галилеянин?	⁷ И, узнав, что Он из области Иродовой, послал Его к Ироду, который в эти дни был также в Иерусалиме. ⁸ … ⁶¹⁸

260. РАСКАЯНИЕ ИУДЫ⁶¹⁹
Иерусалим, Иудея

Матфея.27:03-05а ² … ⁶²⁰ ³ Тогда Иуда, предавший Его, увидев, что Он осужден, и, раскаявшись, возвратил тридцать	сребренников первосвященникам и старейшинам ⁴ говоря: согрешил я, предав кровь невинную. Они же сказали ему: что нам до того? Смотри сам. ⁵ᵃ И, бросив сребренники в храме, он вышел…

261. САМОУБИЙСТВО ИУДЫ
Иерусалим, Иудея

Матфея.27:05б	⁵ᵇ …пошел и удавился.

262. ПОКУПКА ЗЕМЛИ ГОРШЕЧНИКА ПЕРВОСВЯЩЕННИКАМИ
Иерусалим, Иудея

Матфея.27:06-10 ⁶ Первосвященники, взяв сребренники, сказали: непозволительно положить их в сокровищницу церковную, потому что это цена крови. ⁷ Сделав же совещание, купили на них землю горшечника, для погребения странников; ⁸ посему и называется земля та «землею крови»	до сего дня. ⁹ Тогда сбылось реченное через пророка Иеремию, который говорит: «и взяли тридцать сребренников, цену Оцененного, Которого оценили сыны Израиля ¹⁰ и дали их за землю горшечника, как сказал мне Господь». ¹¹ … ⁶²¹

263. ИИСУС ПРИВЕДЁН К ИРОДУ
Иерусалим, Иудея

Луки.23:08-12 ⁷ … ⁶²²	⁸ Ирод, увидев Иисуса, очень обрадовался, ибо давно желал видеть Его, потому что много слышал о Нем, и надеялся увидеть от Него какое-нибудь чудо,

---

618 *Луки.23:08-12 (Иисус приведён к Ироду), стр. 211.*

619 *События, связанные с раскаянием Иуды, либо произошли после распятия Иисуса, либо до. Матфей описал, что распятие и самоубийство произошли примерно в то же самое время. Приобретение земли первосвященниками, скорее всего, произошло после.*

620 *Матфея.27:02 (Обвинения против Иисуса), стр. 209.*

621 *Матфея.27:11-14 (Первый допрос Пилата), стр. 210.*

622 *Луки.23:06-07 (Иисус отправлен к Ироду), стр. 211.*

9 и предлагал Ему многие вопросы, но Он ничего не отвечал ему. 10 Первосвященники же и книжники стояли и усильно обвиняли Его. 11 Но Ирод со своими воинами, уничижив Его и	насмеявшись над Ним, одел Его в светлую одежду и отослал обратно к Пилату. 12 И сделались в тот день Пилат и Ирод друзьями между собою, ибо прежде были во вражде друг с другом. 13 ... 623

264. ИИСУС ПРИВЕДЁН К ПИЛАТУ ВТОРИЧНО
Иерусалим, Иудея

а. Второй допрос Пилата

Иоанна.18:33-38а	
32 ... 624 33 Тогда Пилат опять вошел в преторию, и призвал Иисуса, и сказал Ему: Ты Царь Иудейский? 34 Иисус отвечал ему: от себя ли ты говоришь это, или другие сказали тебе о Мне? 35 Пилат отвечал: разве я Иудей? Твой народ и первосвященники предали Тебя мне; что Ты сделал? 36 Иисус отвечал: Царство Мое не от мира сего;	если бы от мира сего было Царство Мое, то служители Мои подвизались бы за Меня, чтобы Я не был предан Иудеям; но ныне Царство Мое не отсюда. 37 Пилат сказал Ему: итак Ты Царь? Иисус отвечал: ты говоришь, что Я Царь. Я на то родился и на то пришел в мир, чтобы свидетельствовать об истине; всякий, кто от истины, слушает гласа Моего. 38а Пилат сказал Ему: что есть истина? И, сказав это,...

б. Пилат говорит о вине Иисуса Иудеям

Луки.23:13-16	Иоанна.18:38б
12 ... 625 13 Пилат же, созвав первосвященников и начальников и народ 14 сказал им: вы привели ко мне человека сего, как развращающего народ; и вот, я при вас исследовал и не нашел человека сего виновным ни в чем том, в чем вы обвиняете Его; 15 и Ирод также, ибо я посылал Его к нему; и ничего не найдено в Нем достойного смерти; 16 итак, наказав Его, отпущу.	38б ...опять вышел к Иудеям и сказал им: я никакой вины не нахожу в Нем.

Пилат же, созвав первосвященников, начальников и народ, сказал им: «Вы привели ко мне человека сего, как развращающего народ; и вот, я при вас исследовал и не нашёл человека сего виновным	ни в чем том, в чем вы обвиняете Его; и Ирод также, ибо я посылал Его к нему; и ничего не найдено в Нем достойного смерти; итак, наказав Его, отпущу».

---

623 *Луки.23:13-16 (Пилат говорит о вине Иисуса Иудеям), стр. 212.*

624 *Иоанна.18:28-32 (Обвинения против Иисуса), стр. 209.*

625 *Луки.23:08-12 (Иисус приведён к Ироду), стр. 211.*

в. Кого отпустить: Иисуса или Варавву?

Матфея.27:15-18	Марка.15:06-14	Луки.23:17-23	Иоанна.18:39-40
14 ... [626]	5 ... [629]	17 А ему и нужно было для праздника отпустить им одного *узника*.	39 Есть же у вас обычай, чтобы я одного отпускал вам на Пасху; хотите ли, отпущу вам Царя Иудейского?
15 На праздник же *Пасхи* правитель имел обычай отпускать народу одного узника, которого хотели.	6 На всякий же праздник отпускал он им одного узника, о котором просили.	18 Но весь народ стал кричать: смерть Ему! А отпусти нам Варавву.	40 Тогда опять закричали все, говоря: не Его, но Варавву. Варавва же был разбойник.
16 Был тогда у них известный узник, называемый Варавва;	7 Тогда был в узах *некто*, по имени Варавва, со своими сообщниками, которые во время мятежа сделали убийство.	19 Варавва был посажен в темницу за произведенное в городе возмущение и убийство.	19:1 ... [632]
17 итак, когда собрались они, сказал им Пилат: кого хотите, чтобы я отпустил вам: Варавву, или Иисуса, называемого Христом?	8 И народ начал кричать и просить *Пилата* о том, что он всегда делал для них.	20 Пилат снова возвысил голос, желая отпустить Иисуса.	
18 Ибо знал, что предали Его из зависти.	9 Он сказал им в ответ: хотите ли, отпущу вам Царя Иудейского?	21 Но они кричали: распни, распни Его!	
19 ... [627]	10 Ибо знал, что первосвященники предали Его из зависти.	22 Он в третий раз сказал им: какое же зло сделал Он? Я ничего достойного смерти не нашел в Нем; итак, наказав Его, отпущу.	
Матфея.27:20-23	11 Но первосвященники возбудили народ *просить*, чтобы отпустил им лучше Варавву.	23 Но они продолжали с великим криком требовать, чтобы Он был распят; и превозмог крик их и первосвященников.	
20 Но первосвященники и старейшины возбудили народ просить Варавву, а Иисуса погубить.	12 Пилат, отвечая, опять сказал им: что же хотите, чтобы я сделал с Тем, Которого вы называете Царем Иудейским?	24 ... [631]	
21 Тогда правитель спросил их: кого из двух хотите, чтобы я отпустил вам? Они сказали: Варавву.	13 Они опять закричали: распни Его.		
22 Пилат говорит им: что же я сделаю Иисусу, называемому Христом? Говорят ему все: да будет распят.	14 Пилат сказал им: какое же зло сделал Он? Но они еще сильнее закричали: распни Его.		
23 Правитель сказал: какое же зло сделал Он? Но они еще сильнее кричали: да будет распят.	15 ... [630]		
24 ... [628]			

626 *Матфея.27:11-14 (Первый допрос Пилата), стр. 210.*

627 *Матфея.27:19 (Жена Пилата), стр. 214.*

628 *Матфея.27:24-25 (Пилат на судилище умывает руки), стр. 215.*

629 *Марка.15:02-05 (Первый допрос Пилата), стр. 210.*

630 *Марка.15:15 (Иисус предан на смерть), стр. 215.*

631 *Луки.23:24-25 (Иисус предан на смерть), стр. 215.*

632 *Иоанна.19:01-03 (Бичевание Иисуса), стр. 214.*

На праздник же *Пасхи* правитель имел обычай отпускать народу одного узника, которого хотели.	Весь народ стал кричать: «Смерть Ему! А отпусти нам Варавву».
Тогда был у них в узах известный узник, называемый Варавва, со своими сообщниками, которые во время мятежа сделали убийство.	Пилат снова возвысил голос, желая отпустить Иисуса, и сказал им: «Что же хотите, чтобы я сделал с Иисусом, Которого вы называете Царём Иудейским?»
Когда собрались они, народ начал кричать и просить *Пилата* о том, что он всегда делал для них.	Они опять закричали, говоря ему все: «Да будет распят».
Он сказал им в ответ: «Кого хотите, чтобы я отпустил вам: Варавву или Иисуса, Царя Иудейского, называемого Христом?» Ибо знал, что первосвященники предали Его из зависти.	Он в третий раз сказал им: «Какое же зло сделал Он? Я ничего достойного смерти не нашёл в Нём; итак, наказав Его, отпущу».
Но первосвященники и старейшины возбудили народ *просить*, чтобы отпустил им лучше Варавву, а Иисуса погубить.	Но они продолжали с великим криком требовать, чтобы Он был распят; и превозмог крик их и первосвященников.

г. Жена Пилата

Матфея.27:19	жена его послала ему сказать: не делай ничего Праведнику Тому, потому что я ныне во сне много пострадала за Него.
[19] Между тем, как сидел он на судейском месте,	

д. Бичевание Иисуса

Иоанна.19:01-03	[2] И воины, сплетши венец из терна, возложили Ему на голову, и одели Его в багряницу,
18:40 … [633]	[3] и говорили: радуйся, Царь Иудейский! И били Его по ланитам.
[1] Тогда Пилат взял Иисуса и *велел* бить Его.	

е. Намерение Пилата отпустить Иисуса

Иоанна.19:04-08	тели, то закричали: распни, распни Его! Пилат говорит им: возьмите Его вы, и распните, ибо я не нахожу в Нем вины.
[4] Пилат опять вышел и сказал им: вот, я вывожу Его к вам, чтобы вы знали, что я не нахожу в Нем никакой вины.	[7] Иудеи отвечали ему: мы имеем закон, и по закону нашему Он должен умереть, потому что сделал Себя Сыном Божиим.
[5] Тогда вышел Иисус в терновом венце и в багрянице. И сказал им *Пилат*: се, Человек!	[8] Пилат, услышав это слово, больше убоялся.
[6] Когда же увидели Его первосвященники и служи-	

ж. Третий допрос Пилата

Иоанна.19:09-11	[9] И опять вошел в преторию и сказал Иисусу: откуда Ты? Но Иисус не дал ему ответа.

---

¹⁰ Пилат говорит Ему: мне ли не отвечаешь? Не знаешь ли, что я имею власть распять Тебя и власть имею отпустить Тебя?	¹¹ Иисус отвечал: ты не имел бы надо Мною никакой власти, если бы не было дано тебе свыше; посему более греха на том, кто предал Меня тебе.

з. Пилат ищет отпустить Иисуса

Иоанна.19:12	
¹² С этого *времени* Пилат искал отпустить Его.	Иудеи же кричали: если отпустишь Его, ты не друг кесарю, — всякий, делающий себя царем, противник кесарю.

и. Пилат на судилище умывает руки

Матфея.27:24-25	*Иоанна.19:13-15*
²³ ... ⁶³⁴ ²⁴ Пилат, видя, что ничто не помогает, но смятение увеличивается, взял воды и умыл руки перед народом, и сказал: невиновен я в крови Праведника Сего; смотрите вы. ²⁵ И, отвечая, весь народ сказал: кровь Его на нас и на детях наших.	¹³ Пилат, услышав это слово, вывел вон Иисуса и сел на судилище, на месте, называемом Лифостротон, а по-еврейски Гаввафа. ¹⁴ Тогда была пятница перед Пасхою, и час шестый. И сказал *Пилат* Иудеям: се, Царь ваш! ¹⁵ Но они закричали: возьми, возьми, распни Его! Пилат говорит им: Царя ли вашего распну? Первосвященники отвечали: нет у нас царя, кроме кесаря.

Пилат, услышав это слово и видя, что ничто не помогает, но смятение увеличивается, вывел вон Иисуса и сел на судилище, на месте, называемом Лифостротон, а по-еврейски Гаввафа, взял воды и умыл руки перед народом, и сказал: «Невиновен я в крови Праведника Сего; смотрите вы». И, отвечая, весь народ сказал: «Кровь Его на нас и на детях наших».	Тогда была пятница перед Пасхою и час шестой. И сказал *Пилат* Иудеям: «Се, Царь ваш!» Но они закричали: «Возьми, возьми, распни Его!» Пилат говорит им: «Царя ли вашего распну?» Первосвященники отвечали: «Нет у нас царя, кроме кесаря».

к. Иисус предан на смерть

Матфея.27:26	*Марка.15:15*	*Луки.23:24-25*	*Иоанна.19:16*
²⁶ Тогда отпустил им Варавву, а Иисуса, бив, предал на распятие.	¹⁴ ... ⁶³⁵ ¹⁵ Тогда Пилат, желая сделать угодное народу, отпустил им Варавву, а Иисуса, бив, предал на распятие.	²³ ... ⁶³⁶ ²⁴ И Пилат решил быть по прошению их ²⁵ и отпустил им посаженного за возмущение и убийство в темницу, которого они просили; а Иисуса предал в их	¹⁶ Тогда наконец он предал Его им на распятие. И взяли Иисуса и повели. ¹⁷ᵃ ... ⁶³⁸

---

⁶³⁴ *Матфея.27:20-23 (Кого отпустить: Иисуса или Варавву?), стр. 213.*

⁶³⁵ *Марка.15:06-14 (Кого отпустить: Иисуса или Варавву?), стр. 213.*

⁶³⁶ *Луки.23:17-23 (Кого отпустить: Иисуса или Варавву?), стр. 213.*

		волю. 26 ... [637]	

Тогда Пилат, желая сделать угодное народу, решил быть по прошению их, отпустил им Варавву, посаженного за возмущение и убийство в темницу,	которого они просили, а Иисуса, бив, предал на распятие. И взяли Иисуса и повели.

л. Издевательства и бичевание Иисуса

Матфея.27:27-31а	*Марка.15:16-20а*
27 Тогда воины правителя, взяв Иисуса в преторию, собрали на Него весь полк 28 и, раздев Его, надели на Него багряницу; 29 и, сплетши венец из терна, возложили Ему на голову и дали Ему в правую руку трость; и, становясь пред Ним на колени, насмехались над Ним, говоря: радуйся, Царь Иудейский! 30 И плевали на Него и, взяв трость, били Его по голове. 31а И когда насмеялись над Ним, сняли с Него багряницу, и одели Его в одежды Его...	16 А воины отвели Его внутрь двора, то есть в преторию, и собрали весь полк 17 и одели Его в багряницу, и, сплетши терновый венец, возложили на Него; 18 и начали приветствовать Его: радуйся, Царь Иудейский! 19 И били Его по голове тростью, и плевали на Него, и, становясь на колени, кланялись Ему. 20а Когда же насмеялись над Ним, сняли с Него багряницу, одели Его в собственные одежды Его...

А воины правителя, взяв Иисуса, отвели Его внутрь двора, то есть в преторию, собрали весь полк и, раздев Его, одели Его в багряницу и, сплетши венец из терна, возложили Ему на голову и дали Ему в правую руку трость; и, становясь пред Ним на колени, насмехались над Ним, говоря: «Радуйся, Царь Иудейский!»	И били Его по голове тростью, и плевали на Него, и, становясь на колени, кланялись Ему. Когда же насмеялись над Ним, сняли с Него багряницу, одели Его в собственные одежды Его.

265. ПУТЬ НА ГОЛГОФУ И ПОМОЩЬ СИМОНА КИРИНЕЯНИНА
Иерусалим, Иудея → Голгофа, Иудея

Матфея.27:31б-32	*Марка.15:20б-21*	*Луки.23:26-32*	*Иоанна.19:17а*
31б ...и повели Его на распятие. 32 Выходя, они встретили одного Киринеянина, по имени Симона; сего заставили нести крест Его.	20б ...и повели Его, чтобы распять Его. 21 И заставили проходящего некоего Киринеянина Симона, отца Александрова и Руфова, идущего с поля, нести крест Его.	25 ... [639] 26 И когда повели Его, то, захватив некоего Симона Киринеянина, шедшего с поля, возложили на него крест, чтобы нес за Иисусом. 27 И шло за Ним великое множество народа и	16 ... [640] 17а И, неся крест Свой...

---

637 *Луки.23:26-32 (Путь на Голгофу и помощь Симона Киринеянина), стр. 216.*

638 *Иоанна.19:17а (Путь на Голгофу и помощь Симона Киринеянина), стр. 216.*

639 *Луки.23:24-25 (Иисус предан на смерть), стр. 215.*

640 *Иоанна.19:16 (Иисус предан на смерть), стр. 215.*

| | | женщин, которые плака-ли и рыдали о Нем.
28 Иисус же, обратившись к ним, сказал: дщери Иерусалимские! Не плачьте обо Мне, но плачьте о себе и о детях ваших,
29 ибо приходят дни, в которые скажут: «блаженны неплодные, и утробы неродившие, и сосцы непитавшие!»
30 тогда начнут говорить горам: «падите на нас!» и холмам: «покройте нас!»
31 Ибо если с зеленеющим деревом это делают, то с сухим что будет?
32 Вели с Ним на смерть и двух злодеев. | |

И повели Его на распятие. Выходя, они встретили одного Киринеянина, по имени Симона, отца Александрова и Руфова, шедшего с поля; возложили на него крест Его и заставили нести, чтобы нёс за Иисусом. И шло за Ним великое множество народа и женщин, которые плакали и рыдали о Нем. Иисус же, обратившись к ним, сказал: «Дщери	Иерусалимские! Не плачьте обо Мне, но плачьте о себе и о детях ваших, ибо приходят дни, в которые скажут: «Блаженны неплодные, и утробы неродившие, и сосцы непитавшие!» — тогда начнут говорить горам: «Падите на нас!» и холмам: «Покройте нас!» — Ибо если с зеленеющим деревом это делают, то с сухим что будет?» Вели с Ним на смерть и двух злодеев.

266. РАСПЯТИЕ И СМЕРТЬ ИИСУСА[641]
Голгофа, Иудея

a. Иисус распят

Матфея.27:33	*Марка.15:22*	*Луки.23:33а*	*Иоанна.19:17б-18а*
33 И, придя на место, называемое Голгофа, что значит: «Лобное место» 34 …[642]	23 …[643] 22 И привели Его на место Голгофу, что значит: «Лобное место». 24 …[644]	33а И когда пришли на место, называемое Лобное, там распяли Его…	17б …Он вышел на место, называемое Лобное, по-еврейски Голгофа; 18а там распяли Его…

---

641 *Практически невозможно изложить конкретную последовательность событий распятия Христа. Нет определённого порядка, так как некоторые события происходили одновременно.*

642 *Матфея.27:34 (Иисусу дают уксус с жёлчью), стр. 221.*

643 *Марка.15:23 (Иисусу дают уксус с жёлчью), стр. 221.*

644 *Марка.15:24 (Одежда Иисуса), стр. 218.*

	Марка.15:25 25 Был час третий, и распяли Его. 26 ... 645		

И привели Его на место Голгофу, что значит: «Лобное место».	Был час третий, и распяли Его.

б. Распятие разбойников

Матфея.27:38	Марка.15:27-28	Луки.23:33б	Иоанна.19:18б
37 ... 646 38 Тогда распяты с Ним два разбойника: один по правую сторону, а другой по левую. 39 ... 647	26 ... 648 27 С Ним распяли двух разбойников, одного по правую, а другого по левую *сторону* Его. 28 И сбылось слово Писания: «и к злодеям причтен». 29 ... 649	33б ...и злодеев, одного по правую, а другого по левую сторону.	18б ...и с Ним двух других, по ту и по другую сторону, а посреди Иисуса. 19 ... 650

С Ним распяли двух разбойников, одного по правую, а другого по левую сторону, а посреди Иисуса.	И сбылось слово Писания: «И к злодеям причтен».

в. Слова Иисуса

Луки.23:34а	34а Иисус же говорил: Отче! Прости им, ибо не знают, что делают...

г. Одежда Иисуса

Матфея.27:35-36	Марка.15:24	Луки.23:34б	Иоанна.19:23-24
34 ... 651 35 Распявшие же Его делили одежды Его, бросая жребий;	23 ... 652 24 Распявшие Его делили одежды Его, бросая жребий, кому что взять.	34б ...И делили одежды Его, бросая жребий. 35 ... 654	23 Воины же, когда распяли Иисуса, взяли одежды Его и разделили на четыре части, каждо-

---

645 *Марка.15:26 (Надпись на кресте Иисуса), стр. 219.*

646 *Матфея.27:37 (Надпись на кресте Иисуса), стр. 219.*

647 *Матфея.27:39-43 (Злословия и насмешки над Иисусом), стр. 220.*

648 *Марка.15:26 (Надпись на кресте Иисуса), стр. 219.*

649 *Марка.15:29-32а (Злословия и насмешки над Иисусом), стр. 220.*

650 *Иоанна.19:19-22 (Надпись на кресте Иисуса), стр. 219.*

651 *Матфея.27:34 (Иисусу дают уксус с жёлчью), стр. 221.*

652 *Марка.15:23 (Иисусу дают уксус с жёлчью), стр. 221.*

36 и, сидя, стерегли Его там;	25 … 653		му воину по части, и хитон; хитон же был не сшитый, а весь тканый сверху. 24 Итак сказали друг другу: не станем раздирать его, а бросим о нем жребий, чей будет, — да сбудется реченное в Писании: «разделили ризы Мои между собою и об одежде Моей бросали жребий». Так поступили воины. 25 … 655

Воины же, когда распяли Иисуса, взяли одежды Его и разделили на четыре части, каждому воину по части, и хитон; хитон же был не сшитый, а весь тканый сверху.	И сказали друг другу: «Не станем раздирать его, а бросим о нем жребий, чей будет», — да сбудется речённое в Писании: «Разделили ризы Мои между собою и об одежде Моей бросали жребий». Так поступили воины.

д.   Надпись на кресте Иисуса[656]

Матфея.27:37	Марка.15:26	Луки.23:38	Иоанна.19:19-22
37 и поставили над головою Его надпись, означающую вину Его: «СЕЙ ЕСТЬ ИИСУС, ЦАРЬ ИУДЕЙСКИЙ». 38 … 657	25 … 658 26 И была надпись вины Его: Царь Иудейский. 27 … 659	38 И была над Ним надпись, написанная словами греческими, римскими и еврейскими: «СЕЙ ЕСТЬ ЦАРЬ ИУДЕЙСКИЙ». 39 … 660	18 … 661 19 Пилат же написал и надпись, и поставил на кресте. Написано было: «ИИСУС НАЗОРЕЙ, ЦАРЬ ИУДЕЙСКИЙ». 20 Эту надпись читали многие из Иудеев, потому что место, где был распят Иисус, было недалеко от города, и написано было по-еврейски, по-гречески, по-римски. 21 Первосвященники же

653 *Марка.15:22 (Иисус распят), стр. 217.*

654 *Луки.23:35-37 (Злословия и насмешки над Иисусом), стр. 220.*

655 *Иоанна.19:25-27 (Матерь Иисуса и ученик, которого любил Иисус), стр. 222.*

656 *Все Евангелисты по-разному описали контент таблички, которая была на кресте. Точно одно, что была табличка и вместо вины было написано: «Иисус — царь Иудейский».*

657 *Матфея.27:38 (Распятие разбойников), стр. 218.*

658 *Марка.15:22 (Иисус распят), стр. 217.*

659 *Марка.15:27-28 (Распятие разбойников), стр. 218.*

660 *Луки.23:39-43 (Распятые разбойники: один злословит, другой кается), стр. 221.*

661 *Иоанна.19:18б (Распятие разбойников), стр. 218.*

			Иудейские сказали Пилату: не пиши: «Царь Иудейский», но что Он говорил: «Я — Царь Иудейский». 22 Пилат отвечал: что я написал, то написал. 23 ...662

Пилат же написал и надпись, и поставил на кресте. Написано было: «ИИСУС НАЗОРЕЙ, ЦАРЬ ИУДЕЙСКИЙ». Эту надпись читали многие из Иудеев, потому что место, где был распят Иисус, было недалеко от города, и написано было по-еврейски, по-гречески,	по-римски. Первосвященники же Иудейские сказали Пилату: «Не пиши: «Царь Иудейский», но что Он говорил: «Я — Царь Иудейский». Пилат отвечал: «Что я написал, то написал».

е. Злословия и насмешки над Иисусом

Матфея.27:39-43	Марка.15:29-32а	Луки.23:35-37
38 ...663 39 Проходящие же злословили Его, кивая головами своими 40 и говоря: Разрушающий храм и в три дня Созидающий! Спаси Себя Самого; если Ты Сын Божий, сойди с креста. 41 Подобно и первосвященники с книжниками и старейшинами и фарисеями, насмехаясь, говорили: 42 других спасал, а Себя Самого не может спасти; если Он Царь Израилев, пусть теперь сойдет с креста, и уверуем в Него; 43 уповал на Бога; пусть теперь избавит Его, если Он угоден Ему. Ибо Он сказал: «Я Божий Сын».	28 ...664 29 Проходящие злословили Его, кивая головами своими и говоря: э! Разрушающий храм и в три дня созидающий! 30 Спаси Себя Самого и сойди со креста. 31 Подобно и первосвященники с книжниками, насмехаясь, говорили друг другу: других спасал, а Себя не может спасти. 32а Христос, Царь Израилев, пусть сойдет теперь с креста, чтобы мы видели, и уверуем...	34б ...665 35 И стоял народ и смотрел. Насмехались же вместе с ними и начальники, говоря: других спасал; пусть спасет Себя Самого, если Он Христос, избранный Божий. 36 Также и воины ругались над Ним, подходя и поднося Ему уксус 37 и говоря: если Ты Царь Иудейский, спаси Себя Самого. 38 ...666

И стоял народ и смотрел. Проходящие же злословили Его, кивая головами	своими и говоря: «Э! Разрушающий храм и в три дня Созидающий! Спаси Себя Самого; если Ты Сын Божий, сойди с креста».

---

662 *Иоанна.19:23-24 (Одежда Иисуса), стр. 218.*

663 *Матфея.27:38 (Распятие разбойников), стр. 218.*

664 *Марка.15:27-28 (Распятие разбойников), стр. 218.*

665 *Луки.23:34б (Одежда Иисуса), стр. 218.*

666 *Луки.23:38 (Надпись на кресте Иисуса), стр. 219.*

Подобно и первосвященники с книжниками, старейшинами и фарисеями, насмехаясь, говорили друг другу: «Других спасал, а Себя Самого не может спасти; если Он Христос, Царь Израилев, пусть теперь сойдёт с креста, и уверуем в Него; уповал на Бога; пусть теперь избавит Его, если Он	угоден Ему. Ибо Он сказал: «Я Божий Сын». Также и воины ругались над Ним, подходя, поднося Ему уксус и говоря: «Если Ты Царь Иудейский, спаси Себя Самого».

ж. Иисусу дают уксус с жёлчью[667] [668]

Матфея.27:34	Марка.15:23	Луки.23:36б
33 ... [669] 34 дали Ему пить уксуса, смешанного с желчью; и, отведав, не хотел пить. 35 ... [670]	22 ... [671] 23 И давали Ему пить вино со смирною; но Он не принял. 24 ... [672]	36б ...подходя и поднося Ему уксус

И давали Ему пить уксуса, смешанного с жёлчью; и, отведав, не хотел пить.

з. Распятые разбойники: один злословит, другой кается[673]

Матфея.27:44	Марка.15:32б	Луки.23:39-43
44 Также и разбойники, распятые с Ним, поносили Его. 45 ... [674]	32б ...И распятые с Ним поносили Его. 33 ... [675]	38 ... [676] 39 Один из повешенных злодеев злословил Его и говорил: если Ты Христос, спаси Себя и нас. 40 Другой же, напротив, унимал его и говорил: или ты не боишься Бога, когда и сам осужден на то же? 41 и мы *осуждены* справедливо, потому что достойное по делам нашим приняли, а Он ничего худого не сделал. 42 И сказал Иисусу: помяни меня, Господи, когда приидешь в Царствие Твое!

---

667 *Так Иисусу дали вино со смирною или уксус, смешанный с жёлчью? Матфей и Лука говорят, что уксус.*

668 *Иисусу потом ещё раз давали пить уксус (Матфея.27:48-49, Марка.15:36, Иоанна.19:28-29 (Иисус жаждет), стр. 223).*

669 *Матфея.27:33 (Иисус распят), стр. 217.*

670 *Матфея.27:35-36 (Одежда Иисуса), стр. 218.*

671 *Марка.15:22 (Иисус распят), стр. 217.*

672 *Марка.15:24 (Одежда Иисуса), стр. 218.*

673 *Матфей и Лука не описали такое потрясающее покаяние разбойника. Стоит заметить, что это ни в коем случае не ошибка. Вполне возможно, что Матфей не слышал ничего, кроме проклятий разбойника. Также и Марк. Может, и ему тоже рассказали те, которые не слышали конкретно, о чем говорили разбойники. А вполне возможно, что действительно оба проклинали и один потом покаялся.*

674 *Матфея.27:45 (Тьма), стр. 222.*

675 *Марка.15:33 (Тьма), стр. 222.*

676 *Луки.23:38 (Надпись на кресте Иисуса), стр. 219.*

| | | ⁴³ И сказал ему Иисус: истинно говорю тебе, ныне же будешь со Мною в раю.
⁴⁴ … ⁶⁷⁷ |

| Один из повешенных злодеев злословил Его и говорил: «Если Ты Христос, спаси Себя и нас».

Другой же, напротив, унимал его и говорил: «Или ты не боишься Бога, когда и сам осуждён на то же? И мы *осуждены* справедливо, потому что достойное по делам нашим приняли, а Он ничего | худого не сделал».

И сказал Иисусу: «Помяни меня, Господи, когда приидешь в Царствие Твоё!»

И сказал ему Иисус: «Истинно говорю тебе, ныне же будешь со Мною в раю». |

и.   Матерь Иисуса и ученик, которого любил Иисус

| *Иоанна.19:25-27*

²⁴ … ⁶⁷⁸
²⁵ При кресте Иисуса стояли Матерь Его и сестра Матери Его, Мария Клеопова, и Мария Магдалина.
²⁶ Иисус, увидев Матерь и ученика тут стоящего, | которого любил, говорит Матери Своей: Жено! Се, сын Твой.
²⁷ Потом говорит ученику: се, Матерь твоя! И с этого времени ученик сей взял её к себе.
²⁸ … ⁶⁷⁹ |

к.   Тьма

| *Матфея.27:45*

⁴⁴ … ⁶⁸⁰
⁴⁵ От шестого же часа тьма была по всей земле до часа девятого; | *Марка.15:33*

^{32б} … ⁶⁸¹
³³ В шестом же часу настала тьма по всей земле *и продолжалась* до часа девятого. | *Луки.23:44-45а*

⁴³ … ⁶⁸²
⁴⁴ Было же около шестого часа дня, и сделалась тьма по всей земле до часа девятого:
^{45а} и померкло солнце…
^{45б} … ⁶⁸³ |

| Было же около шестого часа дня, и сделалась тьма по всей земле и продолжалась до часа девя- | того: и померкло солнце. |

л.   Вопль Иисуса

| *Матфея.27:46-47*

⁴⁶ а около девятого часа возопил Иисус громким голосом: Или, Или! Лама савахфани? То есть: | *Марка.15:34-35*

³⁴ В девятом часу возопил Иисус громким голосом: Элои! Элои! Ламма савахфани? — что значит: |

677 *Луки.23:44-45а (Тьма), стр. 222.*
678 *Иоанна.19:23-24 (Одежда Иисуса), стр. 218.*
679 *Иоанна.19:28-29 (Иисус жаждет), стр. 223.*
680 *Матфея.27:44 (Распятые разбойники: один злословит, другой кается), стр. 221.*
681 *Марка.15:32б (Распятые разбойники: один злословит, другой кается), стр. 221.*
682 *Луки.23:39-43 (Распятые разбойники: один злословит, другой кается), стр. 221.*
683 *Луки.23:45б (Завеса в храме и землетрясение), стр. 224.*

«Боже Мой, Боже Мой! Для чего Ты Меня оставил?» 47 Некоторые из стоявших там, слыша это, говорили: Илию зовет Он.	«Боже Мой! Боже Мой! Для чего Ты Меня оставил?» 35 Некоторые из стоявших тут, услышав, говорили: вот, Илию зовет.

В девятом часу возопил Иисус громким голосом: «Элои! Элои! Ламма савахфани?» — Что значит: «Боже Мой! Боже Мой! Для чего Ты Меня оставил?»	Некоторые из стоявших там, слыша это, говорили: «Вот, Илию зовёт».

м. Иисус жаждет[684]

Матфея.27:48-49	Марка.15:36	Иоанна.19:28-29
48 И тотчас побежал один из них, взял губку, наполнил уксусом и, наложив на трость, давал Ему пить; 49 а другие говорили: постой, посмотрим, придет ли Илия спасти Его.	36 А один побежал, наполнил губку уксусом и, наложив на трость, давал Ему пить, говоря: постойте, посмотрим, придет ли Илия снять Его.	27 … [685] 28 После того Иисус, зная, что уже все совершилось, да сбудется Писание, говорит: жажду. 29 Тут стоял сосуд, полный уксуса. Воины, напоив уксусом губку и наложив на иссоп, поднесли к устам Его.

После того Иисус, зная, что уже все совершилось, да сбудется Писание, говорит: «Жажду». Тут стоял сосуд, полный уксуса. И тотчас побежал один из стоявших, взял губку, наполнил уксусом и,	наложив на трость, давал Ему пить. А другие говорили: «Постой, посмотрим, придёт ли Илия спасти Его».

н. Последний вопль и смерть Иисуса

Матфея.27:50	Марка.15:37	Луки.23:46	Иоанна.19:30
50 Иисус же, опять возопив громким голосом, испустил дух.	37 Иисус же, возгласив громко, испустил дух.	45б … [686] 46 Иисус, возгласив громким голосом, сказал: Отче! В руки Твои предаю дух Мой. И, сие сказав, испустил дух. 47 … [687]	30 Когда же Иисус вкусил уксуса, сказал: совершилось! И, преклонив главу, предал дух. 31 … [688]

Когда же Иисус вкусил уксуса, сказал: «Совершилось!» Иисус, возгласив громким голосом, сказал: «Отче!	В руки Твои предаю дух Мой». И, сие сказав, испустил дух.

---

684 *Иисусу уже давали пить уксус (Матфея.27:34, Марка.15:23, Луки.23:36б (Иисусу дают уксус с жёлчью), стр. 221).*

685 *Иоанна.19:25-27 (Матерь Иисуса и ученик, которого любил Иисус), стр. 222.*

686 *Луки.23:45б (Завеса в храме и землетрясение), стр. 224.*

687 *Луки.23:47 (Озарение сотника и стерегущих Иисуса), стр. 224.*

688 *Иоанна.19:31 (Иудеи просят Пилата перебить голени у распятых), стр. 225.*

о. Завеса в храме и землетрясение

Матфея.27:51	Марка.15:38	Луки.23:45б
[51] И вот, завеса в храме раздралась надвое, сверху донизу; и земля потряслась; и камни расселись;	[38] И завеса в храме раздралась надвое, сверху донизу. [39] … [689]	[45а] … [690] [45б] …и завеса в храме раздралась по средине. [46] … [691]

И вот, завеса в храме раздралась надвое, сверху донизу; и земля потряслась; и камни расселись.

п. Воскресение святых

Матфея.27:52-53	тых воскресли
[52] и гробы отверзлись; и многие тела усопших свя-	[53] и, выйдя из гробов по воскресении Его, вошли во святый град и явились многим.

р. Озарение сотника и стерегущих Иисуса

Матфея.27:54	Марка.15:39	Луки.23:47
[54] Сотник же и те, которые с ним стерегли Иисуса, видя землетрясение и все бывшее, устрашились весьма и говорили: воистину Он был Сын Божий. [55] … [692]	[38] … [693] [39] Сотник, стоявший напротив Его, увидев, что Он, так возгласив, испустил дух, сказал: истинно Человек Сей был Сын Божий. [40] … [694]	[46] … [695] [47] Сотник же, видев происходившее, прославил Бога и сказал: истинно человек этот был праведник.

Сотник же и те, которые с ним стерегли Иисуса, видя землетрясение и все бывшее, устрашились весьма.	Сотник, стоявший напротив Его, увидев, что Он, так возгласив, испустил дух, сказал: «Истинно Человек Сей был Сын Божий».

с. Возвращение народа, бьющего себя в грудь

Луки.23:48	[48] И весь народ, сшедшийся на сие зрелище, видя происходившее, возвращался, бия себя в грудь.

т. Женщины у креста

Матфея.27:55-56	Марка.15:40-41	Луки.23:49
[54] … [696]	[39] … [698]	[49] Все же, знавшие Его, и женщи-

---

689 *Марка.15:39 (Озарение сотника и стерегущих Иисуса), стр. 224.*
690 *Луки.23:44-45а (Тьма), стр. 222.*
691 *Луки.23:46 (Последний вопль и смерть Иисуса), стр. 223.*
692 *Матфея.27:55-56 (Женщины у креста), стр. 224.*
693 *Марка.15:38 (Завеса в храме и землетрясение), стр. 224.*
694 *Марка.15:40-41 (Женщины у креста), стр. 224.*
695 *Луки.23:46 (Последний вопль и смерть Иисуса), стр. 223.*

55 Там были также и смотрели издали многие женщины, которые следовали за Иисусом из Галилеи, служа Ему; 56 между ними были Мария Магдалина и Мария, мать Иакова и Иосии, и мать сыновей Зеведеевых. 57 ... 697	40 Были *тут* и женщины, которые смотрели издали: между ними была и Мария Магдалина, и Мария, мать Иакова меньшего и Иосии, и Саломия 41 которые и тогда, как Он был в Галилее, следовали за Ним и служили Ему, и другие многие, вместе с Ним пришедшие в Иерусалим.	ны, следовавшие за Ним из Галилеи, стояли вдали и смотрели на это. 50 ... 699

Были *тут* и женщины, которые смотрели издали: между ними была и Мария Магдалина, и Мария, мать Иакова меньшего и Иосии, и Саломия, и мать сыновей Зеведеевых, которые и тогда, как	Он был в Галилее, следовали за Ним и служили Ему, и другие многие, вместе с Ним пришедшие в Иерусалим.

267. ИУДЕИ ПРОСЯТ ПИЛАТА ПЕРЕБИТЬ ГОЛЕНИ У РАСПЯТЫХ
Иерусалим, Иудея

Иоанна.19:31 30 ... 700	31 Но так как *тогда* была пятница, то Иудеи, дабы не оставить тел на кресте в субботу, — ибо та суббота была день великий, — просили Пилата, чтобы перебить у них голени и снять их.

268. ПЕРЕБИТЫЕ ГОЛЕНИ РАЗБОЙНИКОВ И ПРОНЗЕННЫЕ РЁБРА ИИСУСА
Иерусалим, Иудея

Иоанна.19:32-37 32 Итак пришли воины, и у первого перебили голени, и у другого, распятого с Ним. 33 Но, придя к Иисусу, как увидели Его уже умершим, не перебили у Него голеней 34 но один из воинов копьем пронзил Ему ребра, и тотчас истекла кровь и вода.	35 И видевший засвидетельствовал, и истинно свидетельство его; он знает, что говорит истину, дабы вы поверили. 36 Ибо сие произошло, да сбудется Писание: «кость Его да не сокрушится». 37 Также и в другом *месте* Писание говорит: «воззрят на Того, Которого пронзили».

269. ИОСИФ ИЗ АРИМАФЕИ ПРОСИТ ТЕЛО ИИСУСА У ПИЛАТА
Иерусалим, Иудея

Матфея.27:57-58	*Марка.15:42-45*	*Луки.23:50-52*	*Иоанна.19:38*
56 ... 701	41 ... 702	49 ... 703	

696 *Матфея.27:54 (Озарение сотника и стерегущих Иисуса) стр. 224.*

697 *Матфея.27:57-58 (Иосиф из Аримафеи просит тело Иисуса у Пилата), стр. 225.*

698 *Марка.15:39 (Озарение сотника и стерегущих Иисуса), стр. 224.*

699 *Луки.23:50-52 (Иосиф из Аримафеи просит тело Иисуса у Пилата), стр. 225.*

700 *Иоанна.19:30 (Последний вопль и смерть Иисуса), стр. 223.*

701 *Матфея.27:55-56 (Женщины у креста), стр. 224.*

702 *Марка.15:40-41 (Женщины у креста), стр. 224.*

703 *Луки.23:49 (Женщины у креста), стр. 224.*

[57] Когда же настал вечер, пришел богатый человек из Аримафеи, именем Иосиф, который также учился у Иисуса; [58] он, придя к Пилату, просил тела Иисусова. Тогда Пилат приказал отдать тело;	[42] И как уже настал вечер, — потому что была пятница, то есть *день* перед субботою, — [43] пришел Иосиф из Аримафеи, знаменитый член совета, который и сам ожидал Царствия Божия, осмелился войти к Пилату, и просил тела Иисусова. [44] Пилат удивился, что Он уже умер, и, призвав сотника, спросил его, давно ли умер? [45] И, узнав от сотника, отдал тело Иосифу.	[50] Тогда некто, именем Иосиф, член совета, человек добрый и правдивый [51] не участвовавший в совете и в деле их, из Аримафеи, города Иудейского, ожидавший также Царствия Божия [52] пришел к Пилату и просил тела Иисусова;	[38] После сего Иосиф из Аримафеи — ученик Иисуса, но тайный из страха от Иудеев, — просил Пилата, чтобы снять тело Иисуса; и Пилат позволил. Он пошел и снял тело Иисуса.

И как уже настал вечер, — потому что была пятница, то есть *день* перед субботою, — пришел некто именем Иосиф, знаменитый член совета, человек добрый и правдивый, не участвовавший в совете и в деле их, из Аримафеи, города Иудейского, ожидавший также Царствия Божия, и который тайно, из страха от Иудеев, учился у	Иисуса, осмелился войти к Пилату и просил тела Иисусова. Пилат удивился, что Он уже умер, и, призвав сотника, спросил его: «Давно ли умер?» И, узнав от сотника, отдал тело Иосифу.

270. ПОГРЕБЕНИЕ ИИСУСА
Иерусалим, Иудея

Матфея.27:59-61	*Марка.15:46-47*	*Луки.23:53-55*	*Иоанна.19:39-42*
[59] и, взяв тело, Иосиф обвил его чистою плащаницею [60] и положил его в новом своем гробе, который высек он в скале; и, привалив большой камень к двери гроба, удалился. [61] Была же там Мария Магдалина и другая Мария, которые сидели против гроба. [62] ... [704]	[46] Он, купив плащаницу и сняв Его, обвил плащаницею, и положил Его во гробе, который был высечен в скале, и привалил камень к двери гроба. [47] Мария же Магдалина и Мария Иосиева смотрели, где Его полагали. 16:1 ... [705]	[53] и, сняв его, обвил плащаницею и положил его в гробе, высеченном *в скале*, где еще никто не был положен. [54] День тот был пятница, и наступала суббота. [55] Последовали также и женщины, пришедшие с Иисусом из Галилеи, и смотрели гроб, и как полагалось тело Его;	[39] Пришел также и Никодим, — приходивший прежде к Иисусу ночью, — и принес состав из смирны и алоя, литр около ста. [40] Итак они взяли тело Иисуса и обвили его пеленами с благовониями, как обыкновенно погребают Иудеи. [41] На том месте, где Он распят, был сад, и в саду гроб новый, в котором еще никто не был положен. [42] Там положили Иисуса

---

704 *Матфея.27:62-65 (Первосвященники и Иудеи просят стражу для гроба), стр. 227.*

705 *Марка.16:01-07 (Женщины у гроба), стр. 228.*

			ради пятницы Иудейской, потому что гроб был близко. 20:1 … 706

Пришел также и Никодим, приходивший прежде к Иисусу ночью, и принёс состав из смирны и алоя, литров около ста. Итак, они взяли тело Иисуса и обвили его чистою плащаницею с благовониями, как обыкновенно погребают Иудеи. На том месте, где Он распят, был сад, и в саду гроб новый, который высек Иосиф в скале, в котором ещё никто не был положен.	Там положили Иисуса ради пятницы Иудейской, потому что гроб был близко и, привалив большой камень к двери гроба, удалились. День тот был пятница и наступала суббота. Последовали также и женщины, Мария Магдалина и Мария Иосиева, пришедшие с Иисусом из Галилеи, и сидя против гроба, смотрели, как полагалось тело Его.

271. ЖЕНЩИНЫ ГОТОВЯТ БЛАГОВОНИЯ И МАСТИ
Иерусалим, Иудея

Луки.23:56 56 возвратившись же, приготовили благовония и	масти; и в субботу остались в покое по заповеди. 24:1 … 707

272. ПЕРВОСВЯЩЕННИКИ И ИУДЕИ ПРОСЯТ СТРАЖУ ДЛЯ ГРОБА
Иерусалим, Иудея

Матфея.27:62-65 61 … 708 62 На другой день, который следует за пятницею, собрались первосвященники и фарисеи к Пилату 63 и говорили: господин! Мы вспомнили, что обманщик тот, еще будучи в живых, сказал: «после	трех дней воскресну»; 64 итак прикажи охранять гроб до третьего дня, чтобы ученики Его, придя ночью, не украли Его и не сказали народу: «воскрес из мертвых»; и будет последний обман хуже первого. 65 Пилат сказал им: имеете стражу; пойдите, охраняйте, как знаете.

273. ГРОБ ЗАПЕЧАТАН; СТРАЖА У ГРОБА ИИСУСА
Иерусалим, Иудея

Матфея.27:66 66 Они пошли и поставили у гроба стражу, и при-	ложили к камню печать. 28:1 … 709

706 *Иоанна.20:01 (Женщины у гроба), стр. 228.*
707 *Луки.24:01-08 (Женщины у гроба), стр. 228.*
708 *Матфея.27:59-61 (Погребение Иисуса), стр. 226.*
709 *Матфея.28:01-07 (Женщины у гроба), стр. 228.*

ВОСКРЕСЕНИЕ И ВОЗНЕСЕНИЕ ИИСУСА ХРИСТА

274. ЖЕНЩИНЫ У ГРОБА [710]
Иерусалим, Иудея

Матфея.28:01-07	*Марка.16:01-07*	*Луки.24:01-08*	*Иоанна.20:01*
27:66 ... [711]	15:47 ... [712]	23:56 ... [713]	19:42 ... [714]
¹ По прошествии же субботы, на рассвете первого дня недели, пришла Мария Магдалина и другая Мария посмотреть гроб. ² И вот, сделалось великое землетрясение, ибо Ангел Господень, сошедший с небес, приступив, отвалил камень от двери гроба и сидел на нем; ³ вид его был, как молния, и одежда его бела, как снег; ⁴ устрашившись его, стерегущие пришли в трепет и стали, как мертвые; ⁵ Ангел же, обратив речь к женщинам, сказал: не бойтесь, ибо знаю, что вы ищете Иисуса распятого; ⁶ Его нет здесь — Он воскрес, как сказал. Подойдите, посмотрите место, где лежал Господь	¹ По прошествии субботы Мария Магдалина и Мария Иаковлева и Саломия купили ароматы, чтобы идти помазать Его. ² И весьма рано, в первый *день* недели, приходят ко гробу, при восходе солнца ³ и говорят между собою: кто отвалит нам камень от двери гроба? ⁴ И, взглянув, видят, что камень отвален; а он был весьма велик. ⁵ И, войдя во гроб, увидели юношу, сидящего на правой стороне, облеченного в белую одежду; и ужаснулись. ⁶ Он же говорит им: не ужасайтесь. Иисуса ищете Назарянина, распятого; Он воскрес, Его нет здесь. Вот место, где Он был положен. ⁷ Но идите, скажите ученикам Его и Петру, что	¹ В первый же день недели, очень рано, неся приготовленные ароматы, пришли они ко гробу, и вместе с ними некоторые другие; ² но нашли камень отваленным от гроба. ³ И, войдя, не нашли тела Господа Иисуса. ⁴ Когда же недоумевали они о сем, вдруг предстали перед ними два мужа в одеждах блистающих. ⁵ И когда они были в страхе и наклонили лица *свои* к земле, сказали им: что вы ищете живого между мертвыми? ⁶ Его нет здесь: Он воскрес; вспомните, как Он говорил вам, когда был еще в Галилее ⁷ сказывая, что Сыну Человеческому надлежит быть предану в руки человеков грешников, и быть распяту, и в третий	¹ В первый же *день* недели Мария Магдалина приходит ко гробу рано, когда было еще темно, и видит, что камень отвален от гроба.

---

[710] *Несколько кажущихся несовпадений Евангелистов. Матфей говорит, что Ангел Господень сидел на камне, который Ангел отвалил. Как описывает Матфей, именно тот Ангел и обратился к женщинам. Марк написал, что женщины увидели Ангела уже внутри гробницы, сидевшего на правой стороне. Лука описывает, как женщины сначала вошли в гробницу, а только потом появились два Ангела.*

Скорее всего, все эти описания на самом деле не противоречат друг другу. Вероятно, Ангел сошёл, отвалил камень и действительно сидел на нем. Но когда пришли женщины, Ангел был уже внутри гробницы. То, что Евангелисты описывают разное количество Ангелов, можно объяснить. Их, скорее всего, было больше, чем один, так как один, может, отвалил камень, а другой говорил. Ещё может быть и человеческий фактор того, что видели женщины и как Евангелисты это описали.

Не следует путать два разных события. Кто был первым у гроба и кому сначала явился Иисус. Евангелисты ясно описали, что первыми у гроба были женщины. Если они у гроба, это не значит, что они сразу увидели Иисуса. Марк, описывает что Иисус явился с начала Марии (Марка.16:09 (Иисус Христос является Марии), стр. 230).

[711] *Матфея.27:66 (Гроб запечатан; стража у гроба Иисуса), стр. 227.*

[712] *Марка.15:46-47 (Погребение Иисуса), стр. 226.*

[713] *Луки.23:56 (Женщины готовят благовония и масти), стр. 227.*

[714] *Иоанна.19:39-42 (Погребение Иисуса), стр. 226.*

[7] и пойдите скорее, скажите ученикам Его, что Он воскрес из мертвых и предваряет вас в Галилее; там Его увидите. Вот, я сказал вам.	Он предваряет вас в Галилее; там Его увидите, как Он сказал вам.	день воскреснуть. [8] И вспомнили они слова Его;	

И вот, сделалось великое землетрясение, ибо Ангел Господень, сошедший с небес, приступив, отвалил камень от двери гроба и сидел на нем; вид его был, как молния, и одежда его бела, как снег; устрашившись его, стерегущие пришли в трепет и стали, как мёртвые. По прошествии же субботы Мария Магдалина, Мария Иаковлева, Саломия и с ними некоторые другие купили ароматы, чтобы идти помазать Его. И очень рано, когда было ещё темно, в первый *день* недели приходят ко гробу при восходе солнца и говорят между собою: «Кто отвалит нам камень от двери гроба?» И взглянув, видят, что камень отвален; а он был весьма велик. И войдя во гроб, не нашли тела Господа Иисуса.	Когда же недоумевали они о сем, вдруг предстали перед ними два мужа в одеждах блистающих. И когда они были в страхе и наклонили лица *свои* к земле, Ангелы, обратив речь к женщинам, сказали: «Не бойтесь, ибо знаем, что вы Иисуса ищете Назарянина, распятого. Что вы ищете живого между мертвыми? Его нет здесь: Он воскрес; вспомните, как Он говорил вам, когда был ещё в Галилее, сказывая, что Сыну Человеческому надлежит быть предану в руки человеков грешников и быть распяту, и в третий день воскреснуть». И вспомнили они слова Его. «Подойдите, посмотрите место, где лежал Господь. Но идите, скажите ученикам Его и Петру, что Он воскрес из мёртвых и предваряет вас в Галилее; там Его увидите, как Он сказал вам».

275. СООБЩЕНИЕ УЧЕНИКАМ О ТЕЛЕ ИИСУСА[715]
Иерусалим, Иудея

Матфея.28:08	Марка.16:08	Луки.24:09-11	Иоанна.20:02
[8] И, выйдя поспешно из гроба, они со страхом и радостью великою побежали возвестить ученикам Его. [9] ... [716]	[8] И, выйдя, побежали от гроба; их объял трепет и ужас, и никому ничего не сказали, потому что боялись. [9] ... [717]	[9] и, возвратившись от гроба, возвестили все это одиннадцати и всем прочим. [10] То были Магдалина Мария, и Иоанна, и Мария, *мать* Иакова, и другие с ними, которые сказали о сем Апостолам. [11] И показались им слова их пустыми, и не поверили им.	[2] Итак, бежит и приходит к Симону Петру и к другому ученику, которого любил Иисус, и говорит им: унесли Господа из гроба, и не знаем, где положили Его.

---

715 *Разница в изложении Евангелистов. Марк говорит, что женщины никому не сказали. Лука — что женщины сказали одиннадцати ученикам. А Иоанн — что Мария сказала только Петру и Иоанну. Все это можно объяснить. На самом деле женщины испугались и никому не сказали. Но затем они опомнились и всё же решили сказать одиннадцати. Мария отделилась от других женщин и сказала только Петру и Иоанну.*

716 *Матфея.28:09-10 (Иисус Христос является женщинам), стр. 231.*

717 *Марка.16:09 (Иисус Христос является Марии), стр. 230.*

И выйдя поспешно из гроба, они со страхом и радостью великою побежали возвестить ученикам Его.	Иакова, и другие с ними, которые сказали о сем Апостолам.
То были Магдалина Мария, Иоанна, Мария, *мать*	И показались им слова их пустыми и не поверили им.

276. ПЕТР И ИОАНН У ГРОБА
Иерусалим, Иудея

Луки.24:12	*Иоанна.20:03-10*
12 Но Петр, встав, побежал ко гробу и, наклонившись, увидел только пелены лежащие, и пошел назад, дивясь сам в себе происшедшему. 13 ... [718]	3 Тотчас вышел Петр и другой ученик, и пошли ко гробу. 4 Они побежали оба вместе; но другой ученик бежал скорее Петра, и пришел ко гробу первый. 5 И, наклонившись, увидел лежащие пелены; но не вошел *во гроб*. 6 Вслед за ним приходит Симон Петр, и входит во гроб, и видит одни пелены лежащие 7 и плат, который был на главе Его, не с пеленами лежащий, но особо свитый на другом месте. 8 Тогда вошел и другой ученик, прежде пришедший ко гробу, и увидел, и уверовал. 9 Ибо они еще не знали из Писания, что Ему надлежало воскреснуть из мертвых. 10 Итак ученики опять возвратились к себе.

Тотчас вышел Петр и другой ученик, и пошли ко гробу. Они побежали оба вместе; но другой ученик бежал скорее Петра и пришел ко гробу первым.	рый был на главе Его, не с пеленами лежащий, но особо свитый на другом месте.
И, наклонившись, увидел лежащие пелены; но не вошёл *во гроб*.	Тогда вошёл и другой ученик, прежде пришедший ко гробу, и увидел, и уверовал. Ибо они ещё не знали из Писания, что Ему надлежало воскреснуть из мёртвых.
Вслед за ним приходит Симон Петр и входит во гроб, и видит одни пелены лежащие и плат, кото-	Итак, ученики опять возвратились к себе.

277. ИИСУС ХРИСТОС ЯВЛЯЕТСЯ МАРИИ[719]
Иерусалим, Иудея

Марка.16:09	*Иоанна.20:11-17*
8 ... [720] 9 Воскреснув рано в первый *день* недели, *Иисус* явился сперва Марии Магдалине, из которой изгнал семь бесов.	11 А Мария стояла у гроба и плакала. И, когда плакала, наклонилась во гроб 12 и видит двух Ангелов, в белом одеянии сидящих, одного у главы и другого у ног, где лежало

---

718 *Луки.24:13-29 (Явление Иисуса двоим ученикам на дороге в Эммаус), стр. 232.*

719 *Скорее всего, Мария потом опять пришла ко гробу сразу после того, как пришли Петр и Иоанн. Иоанн говорит, что Иисус явился Марии сразу после того, как Петр и Иоанн возвратились.*

720 *Марка.16:08 (Сообщение ученикам о теле Иисуса), стр. 229.*

10 ... [721]	тело Иисуса.
	[13] И они говорят ей: жена! Что ты плачешь? Говорит им: унесли Господа моего, и не знаю, где положили Его.
	[14] Сказав сие, обратилась назад и увидела Иисуса стоящего; но не узнала, что это Иисус.
	[15] Иисус говорит ей: жена! Что ты плачешь? Кого ищешь? Она, думая, что это садовник, говорит Ему: господин! Если ты вынес Его, скажи мне, где ты положил Его, и я возьму Его.
	[16] Иисус говорит ей: Мария! Она, обратившись, говорит Ему: Раввуни! — что значит: «Учитель!»
	[17] Иисус говорит ей: не прикасайся ко Мне, ибо Я еще не восшел к Отцу Моему; а иди к братьям Моим и скажи им: «восхожу к Отцу Моему и Отцу вашему, и к Богу Моему и Богу вашему».
	18 ... [722]

А Мария стояла у гроба и плакала. И, когда плакала, наклонилась во гроб и видит двух Ангелов, в белом одеянии сидящих, одного у главы и другого у ног, где лежало тело Иисуса.	ищешь?»
	Она, думая, что это садовник, говорит Ему: «Господин! Если ты вынес Его, скажи мне, где ты положил Его, и я возьму Его».
И они говорят ей: «Жена! Что ты плачешь?» Говорит им: «Унесли Господа моего, и не знаю, где положили Его».	
	Иисус говорит ей: «Мария!» Она, обратившись, говорит Ему: «Раввуни!» — что значит: «Учитель!»
Сказав сие, обратилась назад и увидела Иисуса стоящего; но не узнала, что это Иисус.	
	Иисус говорит ей: «Не прикасайся ко Мне, ибо Я ещё не восшёл к Отцу Моему; а иди к братьям Моим и скажи им: «Восхожу к Отцу Моему и Отцу вашему, и к Богу Моему и Богу вашему».
Иисус говорит ей: «Жена! Что ты плачешь? Кого	

278. ИИСУС ХРИСТОС ЯВЛЯЕТСЯ ЖЕНЩИНАМ
Иерусалим, Иудея

Матфея.28:09-10	Ему.
	[10] Тогда говорит им Иисус: не бойтесь; пойдите, возвестите братьям Моим, чтобы шли в Галилею, и там они увидят Меня.
8 ... [723]	
[9] Когда же шли они возвестить ученикам Его, и се Иисус встретил их и сказал: радуйтесь! И они, приступив, ухватились за ноги Его и поклонились	11 ... [724]

279. МАРИЯ ГОВОРИТ УЧЕНИКАМ ОБ ИИСУСЕ
Иерусалим, Иудея

Марка.16:10-11	*Иоанна.20:18*

---

721 *Марка.16:10-11 (Мария говорит ученикам об Иисусе), стр. 231.*

722 *Иоанна.20:18 (Мария говорит ученикам об Иисусе), стр. 231.*

723 *Матфея.28:08 (Сообщение ученикам о теле Иисуса), стр. 229.*

724 *Матфея.28:11-15 (Договор воинов с первосвященниками), стр. 232.*

¹⁰ Она пошла и возвестила бывшим с Ним, плачущим и рыдающим; ¹¹ но они, услышав, что Он жив и она видела Его, — не поверили. ¹² ... ⁷²⁵	¹⁸ Мария Магдалина идет и возвещает ученикам, *что* видела Господа и *что* Он это сказал ей. ¹⁹ ... ⁷²⁶

Мария Магдалина идёт и возвещает ученикам, *что* видела Господа и *что* Он это сказал ей, но	они, услышав, что Он жив и она видела Его, — не поверили.

280. ДОГОВОР ВОИНОВ С ПЕРВОСВЯЩЕННИКАМИ
Иерусалим, Иудея

Матфея.28:11-15	
¹¹ Когда же они шли, то некоторые из стражи, войдя в город, объявили первосвященникам о всем бывшем. ¹² И сии, собравшись со старейшинами и сделав совещание, довольно денег дали воинам ¹³ и сказали: скажите, что ученики Его, придя но-	чью, украли Его, когда мы спали; ¹⁴ и, если слух об этом дойдёт до правителя, мы убедим его, и вас от неприятности избавим. ¹⁵ Они, взяв деньги, поступили, как научены были; и пронеслось слово сие между иудеями до сего дня. ¹⁶ ... ⁷²⁷

281. ЯВЛЕНИЕ ИИСУСА ДВОИМ УЧЕНИКАМ НА ДОРОГЕ В ЭММАУС
Иерусалим, Иудея → Эммаус, Иудея

Марка.16:12	Луки.24:13-29
¹¹ ... ⁷²⁸ ¹² После сего явился в ином образе двум из них на дороге, когда они шли в селение. ¹³ ... ⁷²⁹	¹² ... ⁷³⁰ ¹³ В тот же день двое из них шли в селение, отстоящее стадий на шестьдесят от Иерусалима, называемое Эммаус; ¹⁴ и разговаривали между собою о всех сих событиях. ¹⁵ И когда они разговаривали и рассуждали между собою, и Сам Иисус, приблизившись, пошел с ними. ¹⁶ Но глаза их были удержаны, так что они не узнали Его. ¹⁷ Он же сказал им: о чем это вы, идя, рассуждаете между собою, и отчего вы печальны? ¹⁸ Один из них, именем Клеопа, сказал Ему в ответ: неужели Ты один из пришедших в Иерусалим не знаешь о происшедшем в нем в эти дни? ¹⁹ И сказал им: о чем? Они сказали Ему: что было

725 *Марка.16:12 (Явление Иисуса двоим ученикам на дороге в Эммаус), стр. 232.*

726 *Иоанна.20:19-23 (Первое явление Иисуса ученикам), стр. 234.*

727 *Матфея.28:16-20 (Ученики в Галилее), стр. 237.*

728 *Марка.16:10-11 (Мария говорит ученикам об Иисусе), стр. 231.*

729 *Марка.16:13 (Возвращение и рассказ двух учеников), стр. 234.*

730 *Луки.24:12 (Петр и Иоанн у гроба), стр. 230.*

	с Иисусом Назарянином, Который был пророк, сильный в деле и слове пред Богом и всем народом;
	²⁰ как предали Его первосвященники и начальники наши для осуждения на смерть и распяли Его.
	²¹ А мы надеялись было, что Он есть Тот, Который должен избавить Израиля; но со всем тем, уже третий день ныне, как это произошло.
	²² Но и некоторые женщины из наших изумили нас: они были рано у гроба
	²³ и не нашли тела Его и, придя, сказывали, что они видели и явление Ангелов, которые говорят, что Он жив.
	²⁴ И пошли некоторые из наших ко гробу и нашли так, как и женщины говорили, но Его не видели.
	²⁵ Тогда Он сказал им: о, несмысленные и медлительные сердцем, чтобы веровать всему, что предсказывали пророки!
	²⁶ Не так ли надлежало пострадать Христу и войти в славу Свою?
	²⁷ И, начав от Моисея, из всех пророков изъяснял им сказанное о Нем во всем Писании.
	²⁸ И приблизились они к тому селению, в которое шли; и Он показывал им вид, что хочет идти далее.
	²⁹ Но они удерживали Его, говоря: останься с нами, потому что день уже склонился к вечеру. И Он вошел и остался с ними.

В тот же день двое из них шли в селение, отстоящее стадий на шестьдесят от Иерусалима, называемое Эммаус; и разговаривали между собою о всех сих событиях.	пред Богом и всем народом; как предали Его первосвященники и начальники наши для осуждения на смерть и распяли Его. А мы надеялись было, что Он есть Тот, Который должен избавить Израиля; но со всем тем уже третий день ныне, как это произошло.
И когда они разговаривали и рассуждали между собою, Сам Иисус, приблизившись, пошёл с ними. Но глаза их были удержаны, так что они не узнали Его.	Но и некоторые женщины из наших изумили нас: они были рано у гроба и не нашли тела Его и, придя, сказывали, что они видели и явление Ангелов, которые говорят, что Он жив. И пошли некоторые из наших ко гробу и нашли так, как и женщины говорили, но Его не видели».
Он же сказал им: «О чем это вы, идя, рассуждаете между собою и отчего вы печальны?»	Тогда Он сказал им: «О, несмысленные и медлительные сердцем, чтобы веровать всему, что предсказывали пророки! Не так ли надлежало пострадать Христу и войти в славу Свою?»
Один из них, именем Клеопа, сказал Ему в ответ: «Неужели Ты один из пришедших в Иерусалим не знаешь о происшедшем в нем в эти дни?»	И начав от Моисея, из всех пророков изъяснял им сказанное о Нем во всем Писании.
И сказал им: «О чем?»	
Они сказали Ему: «Что было с Иисусом Назарянином, Который был пророк, сильный в деле и слове	

И приблизились они к тому селению, в которое шли; и Он показывал им вид, что хочет идти далее. Но они удерживали Его, говоря: «Останься с	нами, потому что день уже склонился к вечеру». И Он вошёл и остался с ними.

282. ИИСУС С ДВУМЯ УЧЕНИКАМИ НА ВЕЧЕРЕ В ЭММАУСЕ
Эммаус, Иудея

Луки.24:30-32	Но Он стал невидим для них.
30 И когда Он возлежал с ними, то, взяв хлеб, благословил, преломил и подал им. 31 Тогда открылись у них глаза, и они узнали Его.	32 И они сказали друг другу: не горело ли в нас сердце наше, когда Он говорил нам на дороге и когда изъяснял нам Писание?

283. ВОЗВРАЩЕНИЕ И РАССКАЗ ДВУХ УЧЕНИКОВ
Эммаус, Иудея → Иерусалим, Иудея

Марка.16:13	*Луки.24:33-35*
12 ... [731] 13 И те, возвратившись, возвестили прочим; но и им не поверили. 14 ... [732]	33 И, встав в тот же час, возвратились в Иерусалим и нашли вместе одиннадцать *Апостолов* и бывших с ними 34 которые говорили, что Господь истинно воскрес и явился Симону. 35 И они рассказывали о происшедшем на пути, и как Он был узнан ими в преломлении хлеба.

И встав в тот же час, возвратились в Иерусалим и нашли вместе одиннадцать *Апостолов* и бывших с ними, которые говорили, что Господь истинно	воскрес и явился Симону. И они рассказывали о происшедшем на пути, и как Он был узнан ими в преломлении хлеба.

284. ПЕРВОЕ ЯВЛЕНИЕ ИИСУСА УЧЕНИКАМ[733]
Иерусалим, Иудея

Луки.24:36-49	*Иоанна.20:19-23*
36 Когда они говорили о сем, Сам Иисус стал посреди них и сказал им: мир вам. 37 Они, смутившись и испугавшись, подумали, что видят духа. 38 Но Он сказал им: что смущаетесь, и для чего такие мысли входят в сердца ваши? 39 Посмотрите на руки Мои и на ноги Мои; это Я Сам; осяжите Меня и рассмотрите; ибо дух плоти и костей не имеет, как видите у Меня.	18 ... [735] 19 В тот же первый день недели вечером, когда двери *дома*, где собирались ученики Его, были заперты из опасения от Иудеев, пришел Иисус, и стал посреди, и говорит им: мир вам! 20 Сказав это, Он показал им руки и ноги и ребра Свои. Ученики обрадовались, увидев Господа. 21 Иисус же сказал им вторично: мир вам! Как послал Меня Отец, так и Я посылаю вас.

---

731 *Марка.16:12 (Явление Иисуса двоим ученикам на дороге в Эммаус), стр. 232.*

732 *Марка.16:14-18 (Второе явление Иисуса ученикам), стр. 236.*

733 *Лука описывает то, что Иисус явился ученикам только один раз и не упоминает Фому. Описание Луки, скорее всего, обобщает все то, что говорил Иисус. Иоанн более точно описывает явление Иисуса ученикам. Иисус являлся ученикам и верующим на протяжении 40 дней (см. Деяния.01:03), говоря о Царствии Божием.*

40 И, сказав это, показал им руки и ноги.

41 Когда же они от радости еще не верили и дивились, Он сказал им: есть ли у вас здесь какая пища?

42 Они подали Ему часть печеной рыбы и сотового меда.

43 И, взяв, ел пред ними.

44 И сказал им: вот то, о чем Я вам говорил, еще быв с вами, что надлежит исполниться всему, написанному о Мне в законе Моисеевом и в пророках и псалмах.

45 Тогда отверз им ум к уразумению Писаний.

46 И сказал им: так написано, и так надлежало пострадать Христу, и воскреснуть из мертвых в третий день,

47 и проповедану быть во имя Его покаянию и прощению грехов во всех народах, начиная с Иерусалима.

48 Вы же свидетели сему.

49 И Я пошлю обетование Отца Моего на вас; вы же оставайтесь в городе Иерусалиме, доколе не облечетесь силою свыше.

50 ... [734]

22 Сказав это, дунул, и говорит им: примите Духа Святого.

23 Кому простите грехи, тому простятся; на ком оставите, на том останутся.

В тот же первый день недели вечером, когда двери *дома*, где собирались ученики Его, были заперты из опасения от Иудеев, пришел Иисус, стал посреди и говорит им: «Мир вам!»

Они, смутившись и испугавшись, подумали, что видят духа.

Но Он сказал им: «Что смущаетесь, и для чего такие мысли входят в сердца ваши? Посмотрите на руки Мои и на ноги Мои: это Я Сам; осяжите Меня и рассмотрите; ибо дух плоти и костей не имеет, как видите у Меня». И, сказав это, показал им руки и ноги.

Иисус же сказал им вторично: «Мир вам! Как послал Меня Отец, так и Я посылаю вас».

Сказав это, дунул и говорит им: «Примите Духа Святого. Кому простите грехи, тому простятся; на ком оставите, на том останутся».

Когда же они от радости ещё не верили и дивились, Он сказал им: «Есть ли у вас здесь какая пища?»

Они подали Ему часть печёной рыбы и сотового мёда.

И взяв, ел пред ними.

И сказал им: «Вот то, о чем Я вам говорил, ещё быв с вами, что надлежит исполниться всему, написанному о Мне в законе Моисеевом, в пророках и псалмах». Тогда отверз им ум к уразумению Писаний.

И сказал им: «Так написано и так надлежало пострадать Христу, и воскреснуть из мёртвых в третий день, и проповедану быть во имя Его покаянию и прощению грехов во всех народах, начиная с Иерусалима. Вы же свидетели сему. И Я пошлю обетование Отца Моего на вас; вы же оставайтесь в городе Иерусалиме, доколе не облечётесь силою свыше».

---

734 *Луки.24:50-51 (Вознесение Иисуса Христа), стр. 238.*

735 *Иоанна.20:18 (Мария говорит ученикам об Иисусе), стр. 231.*

285. НЕВЕРИЕ ФОМЫ
Иерусалим, Иудея

Иоанна.20:24-25	[25] Другие ученики сказали ему: мы видели Господа. Но он сказал им: если не увижу на руках Его ран от гвоздей, и не вложу перста моего в раны от гвоздей, и не вложу руки моей в ребра Его, не поверю.
[24] Фома же, один из двенадцати, называемый Близнец, не был тут с ними, когда приходил Иисус.	

286. ВТОРОЕ ЯВЛЕНИЕ ИИСУСА УЧЕНИКАМ[736]
Иерусалим, Иудея

Марка.16:14-18	Иоанна.20:26-29
13 ... [737] [14] Наконец, явился самим одиннадцати, возлежавшим *на вечери*, и упрекал их за неверие и жестокосердие, что видевшим Его воскресшего не поверили. [15] И сказал им: идите по всему миру и проповедуйте Евангелие всей твари. [16] Кто будет веровать и креститься, спасен будет; а кто не будет веровать, осужден будет. [17] Уверовавших же будут сопровождать сии знамения: именем Моим будут изгонять бесов; будут говорить новыми языками; [18] будут брать змей; и если что смертоносное выпьют, не повредит им; возложат руки на больных, и они будут здоровы. 19 ... [738]	[26] После восьми дней опять были в доме ученики Его, и Фома с ними. Пришел Иисус, когда двери были заперты, стал посреди них и сказал: мир вам! [27] Потом говорит Фоме: подай перст твой сюда и посмотри руки Мои; подай руку твою и вложи в ребра Мои; и не будь неверующим, но верующим. [28] Фома сказал Ему в ответ: Господь мой и Бог мой! [29] Иисус говорит ему: ты поверил, потому что увидел Меня; блаженны невидевшие и уверовавшие. 30 ... [739]

После восьми дней опять были в доме ученики Его и Фома с ними. Пришел Иисус, когда двери были заперты, стал посреди них и сказал: «Мир вам!» Потом говорит Фоме: «Подай перст твой сюда и посмотри руки Мои; подай руку твою и вложи в рёбра Мои; и не будь неверующим, но верующим». Фома сказал Ему в ответ: «Господь мой и Бог мой!»	Иисус говорит ему: «Ты поверил, потому что увидел Меня; блаженны невидевшие и уверовавшие». И сказал им: «Идите по всему миру и проповедуйте Евангелие всей твари. Кто будет веровать и креститься, спасён будет; а кто не будет веровать, осуждён будет. Уверовавших же будут сопровождать сии знамения: именем Моим будут изгонять бесов; будут говорить новыми языками; будут брать змей; и если что смертоносное выпьют, не повредит им; возложат руки на больных, и они будут здоровы».

---

[736] *Как и Лука, Марк, видимо, тоже обобщил все, что произошло после воскресения Иисуса. Иоанн более точно описывает события явления Иисуса ученикам.*

[737] *Марка.16:13 (Возвращение и рассказ двух учеников), стр. 234.*

[738] *Марка.16:19 (Вознесение Иисуса Христа), стр. 238.*

[739] *Иоанна.20:30-31 (Многие другие дела Иисуса Христа), стр. 240.*

287. УЧЕНИКИ В ГАЛИЛЕЕ[740]
Гора, Галилея

Матфея.28:16-20	[18] И приблизившись Иисус сказал им: дана Мне всякая власть на небе и на земле.
15 ...[741]	[19] Итак идите, научите все народы, крестя их во имя Отца и Сына и Святого Духа,
[16] Одиннадцать же учеников пошли в Галилею, на гору, куда повелел им Иисус	[20] уча их соблюдать все, что Я повелел вам; и се, Я с вами во все дни до скончания века. Аминь.
[17] и, увидев Его, поклонились Ему, а иные усомнились.	

288. УЧЕНИКИ ЛОВЯТ РЫБУ
Тивериадское (Галилейское) море, Галилея

Иоанна.21:01-03	[2] были вместе Симон Петр, и Фома, называемый Близнец, и Нафанаил из Каны Галилейской, и сыновья Зеведеевы, и двое других из учеников Его.
20:31 ...[742]	[3] Симон Петр говорит им: иду ловить рыбу. Говорят ему: идем и мы с тобою. Пошли и тотчас вошли в лодку, и не поймали в ту ночь ничего.
[1] После того опять явился Иисус ученикам Своим при море Тивериадском. Явился же так:	

289. ЯВЛЕНИЕ ИИСУСА УЧЕНИКАМ И БОЛЬШОЙ УЛОВ
Тивериадское (Галилейское) море, Галилея

Иоанна.21:04-06	пища? Они отвечали Ему: нет.
	[6] Он же сказал им: закиньте сеть по правую сторону лодки, и поймаете. Они закинули, и уже не могли вытащить *сети* от множества рыбы.
[4] А когда уже настало утро, Иисус стоял на берегу; но ученики не узнали, что это Иисус.	
[5] Иисус говорит им: дети! Есть ли у вас какая	

290. ЛОВ РЫБЫ И ОБЕД С ИИСУСОМ
Тивериадское (Галилейское) море, Галилея

а.   Ученики плывут к Иисусу

Иоанна.21:07-08	наг, — и бросился в море.
	[8] А другие ученики приплыли в лодке, — ибо недалеко были от земли, локтей около двухсот, — таща сеть с рыбою.
[7] Тогда ученик, которого любил Иисус, говорит Петру: это Господь. Симон же Петр, услышав, что это Господь, опоясался одеждою, — ибо он был	

б.   Обед с Иисусом

Иоанна.21:09-14	[9] Когда же вышли на землю, видят разложенный огонь и на нем лежащую рыбу и хлеб.

---

740 *Матфей не совсем ясно объясняет, что было. Иоанн очень детально описывает рыбалку и то, как Иисус был с учениками. Традиционно этот отрывок можно было бы приписать к вознесению. Но судя по описанию Луки, вознесение было в Вифании.*

741 *Матфея.28:11-15 (Договор воинов с первосвященниками), стр. 232.*

742 *Иоанна.20:30-31 (Многие другие дела Иисуса Христа), стр. 240.*

[10] Иисус говорит им: принесите рыбы, которую вы теперь поймали. [11] Симон Петр пошел и вытащил на землю сеть, наполненную большими рыбами, *которых было* сто пятьдесят три; и при таком множестве не прорвалась сеть. [12] Иисус говорит им: придите, обедайте. Из учени-	ков же никто не смел спросить Его: «кто Ты?», зная, что это Господь. [13] Иисус приходит, берет хлеб и дает им, также и рыбу. [14] Это уже в третий раз явился Иисус ученикам Своим по воскресении Своем из мертвых.

в. Слова Иисуса Петру

Иоанна.21:15-19 [15] Когда же они обедали, Иисус говорит Симону Петру: Симон Ионин! Любишь ли ты Меня больше, нежели они? *Петр* говорит Ему: так, Господи! Ты знаешь, что я люблю Тебя. *Иисус говорит ему:* паси агнцев Моих. [16] Еще говорит ему в другой раз: Симон Ионин! Любишь ли ты Меня? Петр говорит Ему: так, Господи! Ты знаешь, что я люблю Тебя. *Иисус говорит ему:* паси овец Моих. [17] Говорит ему в третий раз: Симон Ионин! Лю-	бишь ли ты Меня? Петр опечалился, что в третий раз спросил его: «любишь ли Меня?» и сказал Ему: Господи! Ты все знаешь; Ты знаешь, что я люблю Тебя. Иисус говорит ему: паси овец Моих. [18] Истинно, истинно говорю тебе: когда ты был молод, то препоясывался сам и ходил, куда хотел; а когда состаришься, то прострешь руки твои, и другой препояшет тебя, и поведет, куда не хочешь. [19] Сказал же это, давая разуметь, какою смертью *Петр* прославит Бога. И, сказав сие, говорит ему: иди за Мною.

291. ДОРОГА С ИИСУСОМ И ВОПРОС ПЕТРА ОБ ИОАННЕ
Тивериадское (Галилейское) море, Галилея

Иоанна.21:20-23 [20] Петр же, обратившись, видит идущего за ним ученика, которого любил Иисус и который на вечери, приклонившись к груди Его, сказал: Господи! Кто предаст Тебя? [21] Его увидев, Петр говорит Иисусу: Господи! А он что?	[22] Иисус говорит ему: если Я хочу, чтобы он пребыл, пока приду, что тебе до того? Ты иди за Мною. [23] И пронеслось это слово между братиями, что ученик тот не умрет. Но Иисус не сказал ему, что не умрет, но: «если Я хочу, чтобы он пребыл, пока приду, что тебе до того?» 25 ...[743]

292. ВОЗНЕСЕНИЕ ИИСУСА ХРИСТА[744]
Гора Елеон, Вифания, Иудея

Марка.16:19	*Луки.24:50-51*	*Деяния.01:04-11*
18 ...[745] [19] И так Господь, после беседования с ними, вознесся на небо и воссел одесную Бога. 20 ...[746]	49 ...[747] [50] И вывел их вон *из города* до Вифании и, подняв руки Свои, благословил их. [51] И, когда благословлял их, стал	[4] И, собрав их, Он повелел им: не отлучайтесь из Иерусалима, но ждите обещанного от Отца, о чем вы слышали от Меня, [5] ибо Иоанн крестил водою, а вы,

---

743 *Иоанна.21:24-25 (Многие другие дела Иисуса Христа), стр. 240.*

744 *Оказывается, никакой Евангелист в своём Евангелии точно не говорит о месте вознесения Иисуса. Об этом пишет Лука в Деяниях. Он, как Матфей и Марк, описал в общем, что Иисус сказал, без подробностей, как, например, где Он это говорил и в который раз (из многих раз, когда Он являлся ученикам).*

745 *Марка.16:14-18 (Второе явление Иисуса ученикам), стр. 236.*

	отдаляться от них и возноситься на небо.	через несколько дней после сего, будете крещены Духом Святым.

⁶ Посему они, сойдясь, спрашивали Его, говоря: не в сие ли время, Господи, восстановляешь Ты царство Израилю?

⁷ Он же сказал им: не ваше дело знать времена или сроки, которые Отец положил в Своей власти,

⁸ но вы примете силу, когда сойдет на вас Дух Святый; и будете Мне свидетелями в Иерусалиме и во всей Иудее и Самарии и даже до края земли.

⁹ Сказав сие, Он поднялся в глазах их, и облако взяло Его из вида их.

¹⁰ И когда они смотрели на небо, во время восхождения Его, вдруг предстали им два мужа в белой одежде

¹¹ и сказали: мужи Галилейские! Что вы стоите и смотрите на небо? Сей Иисус, вознесшийся от вас на небо, придет таким же образом, как вы видели Его восходящим на небо.

И вывел их вон *из города* до Вифании и повелел им: «Не отлучайтесь из Иерусалима, но ждите обещанного от Отца, о чем вы слышали от Меня, ибо Иоанн крестил водою, а вы через несколько дней после сего будете крещены Духом Святым».	Сказав сие, Он, подняв руки Свои, благословил их. И когда благословлял их, стал отдаляться от них, поднялся в глазах их, и облако взяло Его из вида их.
Посему они, сойдясь, спрашивали Его, говоря: «Не в сие ли время, Господи, восстанавливаешь Ты царство Израилю?»	И так Господь вознёсся на небо и воссел одесную Бога.
Он же сказал им: «Не ваше дело знать времена или сроки, которые Отец положил в Своей власти, но вы примете силу, когда сойдёт на вас Дух Святый; и будете Мне свидетелями в Иерусалиме, во всей Иудее и Самарии, и даже до края земли».	И когда они смотрели на небо, во время восхождения Его, вдруг предстали им два мужа в белой одежде и сказали: «Мужи Галилейские! Что вы стоите и смотрите на небо? Сей Иисус, вознесшийся от вас на небо, придёт таким же образом, как вы видели Его восходящим на небо».

293. УЧЕНИКИ В ИЕРУСАЛИМЕ
Вифания, Иудея → Иерусалим, Иудея

Луки.24:52-53	*Деяния.01:12-14*

---

746 *Марка.16:19 (Вознесение Иисуса Христа), стр. 238.*
747 *Луки.24:36-49 (Первое явление Иисуса ученикам), стр. 234.*

52 Они поклонились Ему и возвратились в Иерусалим с великою радостью. 53 И пребывали всегда в храме, прославляя и благословляя Бога. Аминь.	12 Тогда они возвратились в Иерусалим с горы, называемой Елеон, которая находится близ Иерусалима, в расстоянии субботнего пути. 13 И, придя, взошли в горницу, где и пребывали, Петр и Иаков, Иоанн и Андрей, Филипп и Фома, Варфоломей и Матфея, Иаков Алфеев и Симон Зилот, и Иуда, *брат* Иакова. 14 Все они единодушно пребывали в молитве и молении, с *некоторыми* женами и Мариею, Материю Иисуса, и с братьями Его.

Тогда они поклонились Ему и с великой радостью возвратились в Иерусалим с горы, называемой Елеон, которая находится близ Иерусалима в расстоянии субботнего пути. И, придя, взошли в горницу, где и пребывали: Петр и Иаков, Иоанн и Андрей, Филипп и Фома, Варфо-	ломей и Матфей, Иаков Алфеев и Симон Зилот, и Иуда, *брат* Иакова. Все они единодушно пребывали в молитве и молении с *некоторыми* жёнами и Мариею, Матерью Иисуса, и с братьями Его.

294. ПРОПОВЕДЬ УЧЕНИКОВ
Везде

Марка.16:20 19 ... [748]	20 А они пошли и проповедывали везде, при Господнем содействии и подкреплении слова последующими знамениями. Аминь.

295. МНОГИЕ ДРУГИЕ ДЕЛА ИИСУСА ХРИСТА
Вифания или Галилея

Иоанна.20:30-31 29 ... [749] 30 Много сотворил Иисус пред учениками Своими и других чудес, о которых не написано в книге сей.	31 Сие же написано, дабы вы уверовали, что Иисус есть Христос, Сын Божий, и, веруя, имели жизнь во имя Его. 21:1 ... [750]

Иоанна.21:24-25 23 ... [751] 24 Сей ученик и свидетельствует о сем, и написал	сие; и знаем, что истинно свидетельство его. 25 Многое и другое сотворил Иисус; но, если бы писать о том подробно, то, думаю, и самому миру не вместить бы написанных книг. Аминь.

---

748 *Марка.16:19 (Вознесение Иисуса Христа), стр. 238.*

749 *Иоанна.20:26-29 (Второе явление Иисуса ученикам), стр. 236.*

750 *Иоанна.21:01-03 (Ученики ловят рыбу), стр. 237.*

751 *Иоанна.21:20-23 (Дорога с Иисусом и вопрос Петра об Иоанне), стр. 238.*

УКАЗАТЕЛЬ МЕСТ БИБЛИИ

Printed in the USA
CPSIA information can be obtained
at www.ICGtesting.com
LVHW012122041123
762867LV00006B/54